Sommaire

D1397200

3. Démarrer avec Windows pour Workgroups . . 43

4. Travailler avec Windows pour Workgroups . . 53

7. Le panneau de configuration 145

Chapitre

1

Introduction

Le système d'exploitation de votre ordinateur, c'est à dire MS-DOS ou un produit semblable, est lui-même un véritable programme. Il se trouve sur votre disquette d'amorçage ou, plus probablement, sur le disque dur de votre ordinateur. Il est lancé automatiquement dès que vous mettez la machine sous tension.

Windows est, lui aussi, un programme qui, pour fonctionner, nécessite le système d'exploitation MS-DOS. Par conséquent, Windows ne remplace pas le système d'exploitation mais en est une extension moderne. Il met à la disposition de l'utilisateur de nombreuses fonctions, s'occupant par exemple des cartes graphiques, de l'affichage des fenêtres, de la visualisation d'images, de l'impression et de la gestion de la souris. Windows pour Workgoups est quant à lui une version évoluée de Windows. Il permet aux utilisateurs de travailler en réseau et par conséquent de bénéficier de tous les avantages qui en découlent comme le partage de ressources (fichiers, imprimantes, ...) et la messagerie.

Les fonctions de Windows pour Workgoups sont utilisées par de nombreux programmes fonctionnant sous Windows pour Workgroups. Les programmes de ce type n'ont plus à se soucier des caractéristiques techniques de l'ordinateur sur lequel ils tournent. Un tel programme ne s'occupe pas de la résolution maximale de la carte graphique utilisée, ni de l'imprimante connectée à l'ordinateur : Windows pour Workgroups s'en charge à leur place. Les éléments modernes qui entrent dans la composition de l'environnement utilisateur graphique et réseau sont, eux aussi, gérés uniformément par Windows pour Workgroups.

Etant donné que l'extension Workgroups de Windows est basé sur l'installation de Windows, l'utilisateur peut continuer à utiliser toutes les applications déjà installées sous Windows.

En plus de l'introduction de fonctionnalité réseau, Windows pour Workgroups apporte des points positifs par rapport à la version Windows seule. Voici un résumé des avantages de Windows pour Workgroups en quelques mots :

■ messagerie et courrier électronique MS Mail

■ disponibilité d'un agenda électronique Schedule+

■ adressage 32 bits

■ partage de ressources (fichiers, imprimantes, ...) dans une configuration poste à poste ou réseau

■ connexion à un réseau poste à poste ou autre

Windows pour Workgroups présente les points intéressants suivants :

Installation

L'installation de Windows pour Workgroups est similaire à celle de Windows. Plusieurs types d'installations sont possibles. Si vous disposez déjà de Windows sur votre PC, vous n'avez besoin que de la version mise à jour. Si vous n'êtes pas encore équipé de Windows, la version complète est nécessaire. Renseignez vous avant de portez votre choix.

Dans notre cas on va utiliser la version qui étend les possibilité de Windows. Lors de l'installation Windows pour Workgroups est capable de reconnaître automatiquement le type de carte réseau installée. Depuis le panneau de configuration toutes les modifications et les ajouts concernant les types de réseau et de cartes sont possibles.

Amélioration des performances

Windows pour Workgroups utilise un adressage 32 bits. D'où un avantage notable par rapport au logiciel Windows. En utilisation monoposte, le mode d'adressage augmente la vitesse de traitement. Ce qui, à armes égales, place Windows pour Workgroups au dessus de Windows.

En plus, les gestionnaires de cartes réseau NDIS 32 bits correspondants, qui fonctionnent en mode protégé, accélèrent eux aussi les accès aux ressources du réseau.

Non utilisation de SMARTDRV.EXE

Avec l'extension Windows pour Workgroups, vous pouvez oublier Smartdrive car l'utilisateur n'en à plus besoin. Un cache est en effet intégré dans le nouveau système de fichiers (VFAT) et peut être configuré selon les besoins de l'utilisateur. VFAT est une version étendue du système de fichiers FAT de MS-DOS. Le système supporte le processeur 386 en mode étendu. VFAT ne peut pas être affecté à un lecteur compressé, par exemple avec DoubleSpace ou Stacker.

Support de réseaux

Windows pour Workgroups autorise une utilisation partagée de données et de ressources dans un réseau de type "poste à poste". Il fonctionne de façon optimale dans un réseau Windows NT-Advanced Server. Windows pour Workgroups et Windows NT-Advanced Server ont une architecture réseau similaire et supportent les mêmes protocoles.

Toutes les cartes réseau les plus récentes sont supportées et les gestionnaires correspondants sont fournis. Les gestionnaires de réseau ne sont plus lancés à partir du fichier CONFIG.SYS. Ils sont chargés dans la mémoire étendue. Par conséquent, ils n'empiètent plus sur la mémoire conventionnelle ou supérieure.

Les logiciels de réseau et les gestionnaires Novell sont bien gérés dans Windows pour Workgroups peut être parce que ce sont les plus répandus parmi les utilisateurs. Windows pour Workgroups supporte également les données et les ressources partagées par le biais d'IPX. Les gestionnaires correspondants fonctionnent en mode Transport IPX/SPX 32 bits protégé par les services NetBIOS associés.

Communication en réseau

Un travail efficace ne va pas sans une organisation optimale du temps, des actions et des ressources et ceci au niveau de toutes les personnes qui participent au projet. Pour la conduite optimale d'un projet, il est donc essentiel qu'un système de communication efficace existe entre les différentes personnes participant à ce projet. Windows pour Workgroups répond à ces attentes avec ses deux programmes Schedule+ et Mail.

Les groupes d'utilisateurs dans Windows pour Workgroups sont adressables non seulement par leurs noms d'ordinateurs mais aussi par leur propres noms. Il est possible de s'adresser directement à des personnes ou à des membres d'un groupe de travail en utilisant leurs noms. Cet aspect de Windows pour Workgroups facilite énormément l'identification et les communications entres les groupes d'utilisateurs.

Agenda

Windows pour Workgroups est parfaitement adapté à la communication au sein d'un groupe de travail et de planification efficace. L'agenda Schedule+, qui se trouve dans le Groupe principal, est un programme performant pour l'organisation des rendez-vous personnels ainsi que pour la gestion du temps dans le cadre d'un projet de groupe.

Schedule+ offre trois modes pour la gestion des rendez-vous et de l'emploi de temps. Au lancement de Schedule+, l'utilisateur obtient toujours une nouvelle feuille de rendez-vous personnels. Les documents sont très bien conçus. Ils comportent des zones pour la saisie des rendez-vous, un calendrier mensuel et des zones de notes. Les rendez-vous qui sont importants peuvent vous être rappelés.

Pour permettre une bonne planification de l'emploi de temps, Schedule+ permet de visualiser l'ensemble des rendez-vous sur une période pouvant atteindre pratiquement un mois. Pour la gestion des rendez-vous communs à d'autres utilisateurs, vous pouvez aussi charger dans cette fenêtre d'autres agendas personnels afin de déterminer les plages horaires où tout le monde est disponible pour une réunion par exemple.

Pour ne pas perdre le contrôle lors de l'organisation de plusieurs projets, il est possible de gérer des projets avec le gestionnaire de projet. Une priorité et des délais de réalisation peuvent être affectés à chaque tâche.

Plusieurs critères de tri sont possibles dans les listes des tâches. De nouveaux rendez-vous peuvent être directement transmis depuis ce gestionnaire vers l'agenda.

Les différentes vues de planning et des tâches à effectuer peuvent être édités et imprimés grâce à la commande correspondante de Schedule+. On peut ainsi emporter partout avec soi l'heure de ses principaux rendez-vous.

Messagerie

On peut dorénavant s'échanger du courrier grâce au programme MS Mail fourni avec Windows pour Workgroups. MS Mail est un programme très performant qui permet de gérer un travail subdivisé dans une société entre plusieurs équipes travaillants chacune sur une partie du projet. Pour assurer une communication permanente et un fonctionnement sans heurts, les PC sont connectés par réseau et la messagerie assurée par un programme spécialisé comme MS Mail.

Pour assurer une communication avec Mail, il faut d'abord installer un bureau de poste. Celui-ci range dans différentes boîtes à lettres les messages envoyés aux utilisateurs inscrit au service. L'administrateur affecte les utilisateurs aux différents groupes de travail et attribue un compte à chacun: une boîte à lettre avec un nom et un mot de passe.

A partir du moment où un bureau de poste est crée, la communication entre les utilisateurs peut s'établir. Le programme MS Mail trie dans différentes fenêtres les messages qui arrivent et ceux qui sont envoyés. Les messages peuvent être conservés après avoir été triés selon divers critères (envoyés, reçus, lus ...).

Mail est, en outre, automatiquement lié à l'agenda électronique Schedule+. Les invitations à des réunions envoyées aux utilisateurs par Schedule+ peuvent être reçues et lues avec Mail. Les deux programmes permettent d'éditer un carnet d'adresses personnel et de consulter la liste des utilisateurs du bureau de poste. Les données des utilisateurs du bureau de poste sont facilement transférables dans un carnet d'adresses personnel.

Protection des données

Windows pour Workgroups offre des possibilités de protection et de contrôle en réseau. Des droits d'accès aux données et aux ressources du réseau peuvent être établis pour chaque utilisateur ou chaque groupe d'utilisateurs. En connaissant un mot de passe, un utilisateur peut accéder à une ressource pour l'utiliser ou pour en informer les autres utilisateurs du réseau ou du groupe.

L'utilisation commune des données et des imprimantes peut être interdite par l'administrateur du réseau. Cette possibilité est uniquement attribuée par l'administrateur du réseau. Ce dernier peut également demander aux utilisateurs de changer leurs mots de passe après un certain délai ou périodiquement.

La saisie aveugle du mot de passe peut être définie pour les ressources communes des utilisateurs du réseau. Tous les mots de passe doivent respecter une certaine taille qu'ils ne doivent pas dépasser et être composés de telle sorte à ce qu'aucun autre utilisateur ne puisse les deviner.

Les activités du réseau peuvent être enregistrées dans un fichier de protocole que l'administrateur peut consulter. Ce fichier sert principalement à identifier les utilisateurs et à contrôler les accès au réseau et aux activités effectuées.

Dans un réseau sous Windows NT-Advanced Server ou Microsoft LAN Manager, il est possible d'utiliser les mécanismes de protection propres au logiciel réseau.

Utilisation de FAX

Windows pour Workgroups est livré avec un programme de FAX adapté à l'interface graphique de Windows. L'envoi de documents par FAX est aussi simple que l'impression à partir de Windows. Le FAX peut être envoyé depuis toute application Windows supportant la messagerie. La seule condition est de disposer d'une version 3.1 ou plus de Windows ou 3.1/3.11 de Windows pour Workgroups et d'une carte FAX adaptée. Les paramètres du FAX peuvent être configurés à partir de l'application correspondante comme pour l'impression.

L'avantage du réseau poste à poste est une nouvelle fois mis en évidence par le fait que plusieurs utilisateurs peuvent profiter d'une carte FAX. Les FAX à expédier sont transmis à l'ordinateur équipé de la carte FAX et ce dernier s'occupe de les envoyer à leurs destinataires. De la même façon, les FAX reçus sont réceptionnés par ce même ordinateur et envoyé à leurs destinataires respectifs.

Connexion NDIS

Windows pour Workgoups offre la possibilité d'échanger des données via le réseau NDIS (RNIS). Ce dernier est un maillage qui couvre toute l'Europe ce qui permet d'agrandir considérablement les limites géographiques des futurs réseaux poste à poste. Des utilisateurs très éloignés géographiquement peuvent s'échanger des données comme s'ils étaient dans la même pièce. Non seulement ils s'échangent des données mais également des ressources matérielles communes telles que les imprimantes et les lecteurs CD-ROM, etc.

Chapitre

2

Installer Windows pour Workgroups

L'extension Windows pour Workgroups est un programme qui fonctionne sur la base du système Windows. Comme tout autre programme, il doit à cet effet être transféré depuis les disquettes originales sur le disque dur de votre ordinateur. Ce processus est appelé "installation".

Installation

Si vous travaillez actuellement avec le programme "Windows", il suffit, pour passer à la version pour Workgroups, d'actualiser quelques fichiers. Dans ce cas, il ne vous faut donc pas remplacer tous les fichiers, mais uniquement ceux qui ont changé par rapport à l'ancienne version.

L'installation proprement dite sera réalisée à l'aide du programme d'installation fourni avec Windows pour Workgroups, et sur lequel nous allons nous pencher immédiatement.

Voici la "feuille de route" de l'installation :

1. Vérifier la configuration matérielle

2. Faire des copies de sécurité des disquettes originales

3. Activer le programme d'installation qui se trouve sur la première disquette copiée

4. Opter pour l'installation rapide ou pour l'installation personnalisée dans le cas où vous ne disposez pas de Windows pour Workgroups déjà

5. Vérifier la nature du matériel identifié par le programme d'installation

6. Intégrer des gestionnaires d'affichage supplémentaires

7. Choix des programmes et fichiers fournis avec Windows pour Workgroups

8. Mettre à jour les fichiers CONFIG.SYS et AUTOEXEC.BAT

9. Installer les imprimantes

10. Noter les caractéristiques de votre réseau, si vous en disposez

2.1.   Conditions matérielles requises

Windows pour Workgroups ne fonctionne que sur des ordinateurs d'un certain niveau de performances. Quelques ustensiles complémentaires sont d'autre part indispensables (la "souris", par exemple). Avant d'acheter ou d'installer Windows pour Workgroups, assurez-vous que votre système répond bien aux exigences minimales suivantes :

- Processeur de type Intel 80286
- Mémoire vive de 1 Moctet
- Disque dur avec une capacité disponible de 9,5 Moctets au moins
- Périphérique de pointage (souris, trackball ou similaire)

Pour un travail véritablement efficace sous Windows pour Workgroups, les exigences à remplir pour un poste de travail sont les suivantes :

- Processeur de type Intel 80386DX ou modèle supérieur
- Mémoire vive de 4 Moctet ou davantage
- Disque dur avec une capacité disponible de 40 Moctets au moins

Un ordinateur installé en tant que serveur de deux ou trois stations de travail et qui doit prendre en charge des tâches comme la sauvegarde des données, la préparation des imprimantes ou la gestion du courrier électronique doit disposer de la configuration minimale suivante :

- Processeur de type Intel 486DX ou modèle supérieur
- Mémoire vive de 8 Moctet ou davantage
- Disque dur avec une capacité disponible de 100 Moctets au moins

Windows pour Workgroups peut s'installer sur un poste tout seul ou sur un poste connecté à un réseau ou à un autre ordinateur.

Pour installer Windows pour Workgroups à l'intérieur d'un réseau, vous devez aussi disposer de matériel adapté. Dans le cas du réseau le plus étendu "poste à poste", vous devez disposer de :

- deux cartes réseau
- un câble
- deux terminaisons

2.2. Copie de sécurité

Par mesure de sécurité, il convient d'abord de réaliser des copies de toutes les disquettes originales. Les termes de la licence d'utilisation donnent en effet l'autorisation de réaliser un jeu de copies. Vous devriez ensuite travailler avec ces copies, et stocker les originaux en un lieu sûr.

Windows pour Workgroups, version extension, est livré sur neuf disquettes de 3,5 pouces (capacité de 1,44 Moctets). Copiez celles-ci sur des disquettes de même diamètre et de même capacité. Ces deux formats de disquettes sont également disponibles avec des capacités inférieures, mais celles-ci ne conviennent pas.

Dans le cas des petites disquettes avec habillage plastique (3,5 pouces), les supports de 1,44 Moctets se distinguent de ceux de 720 Koctets par le fait que les premiers sont munis de deux encoches de protection en écriture alors que les seconds n'en comportent qu'une.

Conformez-vous maintenant aux étapes suivantes :

Activation de la protection en écriture sur les disquettes originales

Ouvrez dans ce but (le cas échéant) la fenêtre de protection en écriture sur les disquettes de 3,5 pouces. Vos originaux sont à présent protégés contre tout effacement accidentel, et contre toute agression par in virus informatique non détecté.

Copie

Derrière le symbole d'invite du DOS, entrez la commande

```
DISKCOPY A: A:
```

et actionnez la touche «Entrée». Si l'ordinateur est équipé de plus d'un lecteur de disquettes, remplacez le cas échéant la lettre "A" par "B".

Le programme "Diskcopy" vous demande d'introduire la "disquette source", c'est à dire l'original. Insérez la première disquette originale dans le lecteur, et actionnez la touche «Entrée». Après quelques instants, vous êtes invité à insérer la "disquette cible". Remplacez alors l'original par une disquette vierge, et actionnez la touche «Entrée».

Vous serez amené à répéter ce processus plusieurs fois, car, suivant la mémoire vive dont vous disposez, le contenu de chaque disquette ne pourra être copié que par bribes.

Procédez ainsi avec toutes les disquettes.

DISKCOPY accepte les disquettes non formatées :

DISKCOPY accepte comme disquettes cibles des disquettes non formatées, et les formate alors automatiquement. Vous pouvez par conséquent utiliser directement les disquettes telles que vous les extrayez de leur emballage d'origine.

Munissez immédiatement les copies d'étiquettes avec les mêmes numéros que les disquettes originales correspondantes afin de pouvoir les identifier immédiatement lors de l'installation qui suivra.

2.3.   Lancer l'installation

Le programme d'installation se trouve sur la première disquette "Extension Workgroup pour Microsoft Windows". Introduisez cette disquette dans votre lecteur, et entrez :

    A: «Entrée»

(Si vous travaillez avec plusieurs lecteurs, remplacez à nouveau -le cas échéant- "A" par "B").

Activez maintenant le programme par :

    INSTALL «Entrée»

2.4.   Installation rapide et installation personnalisée

Installation rapide

Si vous êtes débutant en informatique, choisissez cette option en appuyant sur la touche «Entrée». Windows pour Workgroups sera alors installé d'après des paramètres implicites, vous dispensant de fournir des spécifications techniques concernant l'équipement de votre ordinateur. Si vous installez Windows pour Workgroups de cette manière, il est possible que certaines caractéristiques de votre système ne soient pas détectées. Vous aurez la possibilité de modifier ces réglages par la suite.

Le programme d'installation modifie sans demander votre avis les fichiers CONFIG.SYS et AUTOEXEC.BAT, et installe Windows pour Workgroups sur le disque dur C:, ou sur une autre unité disque disposant de la capacité mémoire suffisante. La version de Windows présente sur ce disque sera automatiquement mise à jour - donc modifiée - si vous ne modifiez pas le nom du répertoire implicitement proposé pour l'installation par le programme.

Installation personnalisée

Sélectionnez cette option par pression sur «P». Le programme d'installation analyse automatiquement votre système, lorsque vous recourez à cette possibilité également, mais ne procède à aucun paramétrage sans votre accord, et offre des solutions de remplacement lorsque vous refusez ses propositions. Vous pouvez par conséquent intervenir sur le déroulement du processus d'installation et par exemple intégrer des gestionnaires d'affichage pour des cartes vidéo sortant de l'ordinaire, ou installer la présente version de Windows pour Workgroups dans un répertoire autre que celui proposé.

2.5.   Choix du répertoire d'installation

Après quelques instants, le programme d'installation se présente à l'écran et commence l'installation de Windows pour Workgroups.

Le répertoire d'installation par défaut "C:\WINDOWS" est proposé. Si vous voulez écraser la version de Windows que vous avez, validez la sélection du répertoire Windows. Si vous voulez la garder, tapez un non différent. Windows pour Workgroups installera alors ses nouveaux fichiers dans ce nouveau répertoire et utilisera les fichiers communs avec Windows depuis le répertoire de ce dernier. A partir de la deuxième disquette d'installation, l'installation est identique à celle de Windows.

2.6. Charger des fichiers Windows pour Workgroups supplémentaires

Si vous disposez de suffisamment de place sur le disque dur, vous pouvez transférer sur votre disque dur d'autres programmes et fichiers présents sur les disquettes d'installation. Ces fichiers pourront, par la suite être effacés en cas de nécessité.

Parmi ces fichiers il y a des textes de type LISEZMOI qui contiennent des informations récentes, des modèles accompagnant les programmes Windows pour Workgroups tel Write, PaintBrush, des programmes de jeu comme le démineur, des économiseurs d'écran et divers arrière-plans pour l'affichage.

Une liste récapitulative indique l'espace mémoire exigé par les diverses catégories, et vous pouvez une fois de plus sélectionner les composants qui vous intéressent en cochant les cases adéquates. Si vous actionnez le bouton "Fichiers..." situé derrière l'une des catégories, vous pouvez également sélectionner les fichiers de votre choix dans cette unité.

Le package Windows est divisé en plusieurs groupes que l'on peut installer séparément

2.7. Modification des fichiers système

Même après l'installation de Windows pour Workgroups, votre ordinateur démarre d'abord dans le système d'exploitation MS-DOS. Ce n'est que depuis ce système que Windows pour Workgroups sera ensuite chargé sur demande. C'est la raison pour laquelle il est nécessaire d'ajouter quelques entrées d'ordre technique dans les fichiers système CONFIG.SYS et AUTOEXEC.BAT de MS-DOS.

Vous disposez dans ce but de trois alternatives.

❶ **Modification automatique**
   Sélectionnez cette option, si vous envisagez de travailler essentiellement avec Windows pour Workgroups, ou si vos connaissances en MS-DOS sont limitées. Dans ce cas, le programme d'installation se charge de modifier lui-même les deux fichiers et réalise des copies des fichiers initiaux auxquelles il attribue les noms CONFIG.OLD et AUTOEXEC.OLD.

❷ **Modification semi-automatique : vous contrôlez les modifications**
Cette option se comporte comme la précédente, mais en signalant au préalable les modifications envisagées afin de vous donner la possibilité de les refuser. Dans ce cas sont également créées les deux copies de sécurité avec lesquelles vous pourrez, en cas de nécessité, restaurer la situation initiale.

❸ **Eviter les modifications : saisies manuelles**
Si vous refusez au programme d'installation l'accès aux deux fichiers système, les commandes complémentaires seront enregistrées dans des fichiers séparés. C'est alors à vous qu'il incombera d'intégrer manuellement ces commandes dans les deux fichiers système. Cette option constitue un bon choix si vous disposez d'une bonne expérience du MS-DOS, et si vous craignez que la simple intégration des commandes pourrait interférer avec d'autres entrées. Lors de la modification ultérieure à la main, vous restez par exemple maître de l'ordre chronologique des instructions dans les fichiers système.

Dans le fichier AUTOEXEC.BAT, vous devez ajouter :

```
NET START
PATH C:\WINDOWS
CALL C:\WINDOWS\net start
C:\WINDOWS\odihlp.exe
LH C:\WINDOWS\SMARTDRV.EXE
```

Dans le fichier CONFIG.SYS, les instructions ajoutées sont les suivantes :

```
DEVICE=C:\WINGRP\HIMEM.SYS
DEVICE=C:\WINGRP\EMM386.EXE I=C800-DFFF RAM
STACKS=12,512
BUFFERS=5,0
FILES=40
LASTDRIVE=Z
DEVICE=C:\WINDOWS\SMARTDRV.EXE /DOUBLE_BUFFER
DEVICE=C:\WINDOWS\IFSHLP.SYS
```

Windows pour Workgroups est maintenant installé et prêt à l'usage. Le programme d'installation n'est toutefois pas encore terminé : il vous propose trois services supplémentaires :

■ Installation d'imprimantes
■ Vérification de l'installation du réseau
■ Intégration de logiciels existants
■ Lecture de textes d'information

2.8.   Installation d'une imprimante

Si vous désirez travailler avec une imprimante, il faut faire savoir au système comment ce périphérique est à gérer, et en particulier les résolutions et modes de fonctionnement qu'il connaît. Ces informations sont contenues dans les gestionnaires (ou pilotes) d'imprimantes.

Pour installer l'imprimante, le programme d'installation active le panneau de configuration, qui est une composante de Windows pour Workgroups. Grâce à lui, vous pouvez sélectionner dans la liste proposée les pilotes d'imprimantes dont vous risquez d'avoir besoin dans votre travail. Ces pilotes seront ensuite copiés depuis les disquettes d'installation sur votre disque dur.

Le panneau de configuration peut aussi être activé par la suite depuis Windows pour Workgroups dans le but d'installer d'autres pilotes. Comme vous pourrez aussi vous connecter à d'autres machines du réseau. Il vous faut alors recourir à nouveau aux disquettes d'installation.

Pour installer des imprimantes locales, dès que vous actionnez le bouton "Ajouter une imprimante" apparaît une liste de tous les pilotes d'imprimantes disponibles. Sélectionnez celui qui convient, et actionnez le bouton "Installer". Suite à cela, le fichier gestionnaire sera copié depuis une disquette d'installation sur le disque dur. Il ne vous reste plus maintenant qu'à affecter un port de connexion à l'imprimante : vous disposez à cet effet de ports série et de ports parallèles.

Il est possible d'installer plus d'une imprimante, car à cet effet il n'y a que des pilotes supplémentaires à copier sur le disque dur. Vous pouvez affecter à chacun de ces pilotes un port de communication spécifique, à condition que votre ordinateur soit équipé d'un nombre suffisant de ports. Ainsi, vous pourrez par la suite travailler simultanément avec plusieurs imprimantes sans qu'il soit nécessaire de déconnecter et reconnecter systématiquement les câbles de liaison.

Vous pouvez aussi affecter un même port à tous les pilotes et définir par la suite, à chaque occasion, le type d'imprimante à utiliser.

Si une imprimante réseau est disponible, le gestionnaire d'installation de Windows pour Workgroups la détecte et vous n'avez alors qu'à confirmez et à continuer votre installation.

Exportation de fichiers d'impression :

Si vous projetez d'exporter des fichiers d'impression à produire sur un autre système informatique, vous devriez installer aussi le pilote de l'imprimante sur laquelle l'impression définitive devra être réalisée. Ne lui affectez toutefois pas un port mais un fichier (option "FILE"). Lorsque vous imprimerez, Windows pour Workgroups enverra les commandes destinées à l'imprimante dans un fichier au lieu de les transmettre vers un port de sortie. Ce fichier peut ensuite être transféré sur un autre système (par exemple au moyen d'une disquette), sur lequel il suffira de l'envoyer à l'imprimante.

2.9.   Vérification du protocole réseau utilisé

Lors de l'installation, Windows pour Workgroups 3.11 détecte automatiquement le type du réseau installé, le nom du groupe de travail auquel vous êtes relié et le nom de votre machine. De cette façon, si vous installez Windows pour Workgroups sur un ordinateur déjà connecté à un réseau, vous pouvez tout simplement confirmez cette boîte de dialogue et passer à l'étape suivante de l'installation.

La détection du réseau est automatique

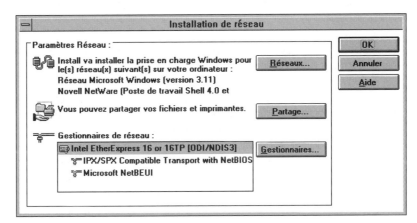

Vous pouvez par la suite par le biais du programme "Installation du Réseau" du groupe "Réseau" vérifiez certains paramètres du protocole réseau utilisés. Si vous êtes sceptique, cliquez sur le bouton "Réseaux" et une nouvelle fenêtre avec une liste déroulante contenant différents types de protocoles réseaux supportés s'affiche.

*Le plus simple
est de laisser
Windows
localiser
lui-même les
logiciels*

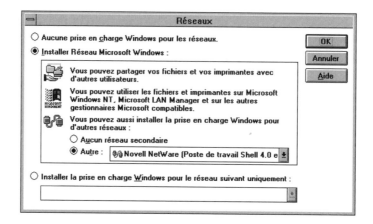

2.10. Intégration de logiciels existants

Les logiciels existants sont généralement reconnus sans difficulté, et pourront par la suite être directement lancés par vos soins sous Windows pour Workgroups.

Cette remarque vaut aussi pour les purs programmes DOS, comme par exemple Word-5. Etant donné que les programmes DOS n'ont toutefois pas été spécialement développés pour Windows pour Workgroups, il leur manque certaines qualités ou caractéristiques, comme par exemple un pictogramme spécifique ou les informations requises pour le fonctionnement multitâches. Le programme d'installation reconnaît automatiquement les programmes DOS les plus répandus, et, le cas échéant, vous demande juste de confirmer leur version et le titre qui convient à chacun d'entre eux. Windows pour Workgroups associe automatiquement à ces programmes le pictogramme manquant, et connaît aussi les paramètres manquants pour leur fonctionnement multitâches. Ces paramètres se trouvent dans le fichier "APPS.INF". A tous les autres programmes DOS, Windows pour Workgroups affecte un pictogramme standard pour le DOS, ainsi que des paramètres par défaut qui, le cas échéant, pourront être adaptés manuellement par la suite.

Dans le cas de plusieurs partitions, la recherche peut être restreinte

Les logiciels reconnus apparaissent dans la colonne de gauche d'une boîte de dialogue. Dans cette sélection, vous pouvez maintenant choisir avec la souris les programmes dont vous souhaitez qu'ils soient utilisables sous Windows pour Workgroups. Sélectionnez les entrées désirées, et actionnez le bouton "Ajouter" ou le bouton "Ajouter tout".

Il peut arriver que plusieurs versions d'un programme se trouvent sur le disque dur, voire plusieurs exemplaires d'un même programme. Cela n'occasionne pas seulement une perte inutile d'espace mémoire, que Windows pour Workgroups pourrait par exemple exploiter pour ses fichiers temporaires de stockage, mais est également la cause de ce que le nom du programme figure en plusieurs exemplaires dans la liste des logiciels reconnus. Vous pouvez alors cliquer successivement dans la liste sur les divers homonymes, afin d'obtenir dans le coin inférieur gauche le chemin d'accès complet de chaque programme, car chaque entrée de la liste est affectée à un programme bien précis du disque dur. Ce n'est que si vous désirez volontairement utiliser en parallèle plusieurs versions d'un même programme que vous devriez intégrer des programmes homonymes dans Windows pour Workgroups. Générale-ment vous devriez localiser la version la plus récente, et n'intégrer que celle-ci.

Vous pouvez aussi rendre des logiciels exploitables sous Windows pour Work-groups par la suite, ce qui permet dans l'immédiat de faire l'impasse sur cette option. Pour une intégration ultérieure, il faudra activer le programme d'instal-lation par l'intermédiaire de l'icône "Windows Installation" du groupe principal.

2.11. Lecture de fichiers d'informations

Il est possible de prendre connaissances d'informations qui n'étaient disponibles qu'après l'impression des guides d'utilisation de Windows pour Workgroups. A cet effet, Windows pour Workgroups active l'application "Bloc-notes" et charge automatiquement le fichier texte approprié.

Ces fichiers de renseignements se trouvent en tous cas comme fichiers textes sur le disque dur et pourront aussi être étudiés par la suite.

Devant chacun de ces services se trouve une case munie d'une croix. Vous pouvez par conséquent sélectionner ces options avec la souris, indépendamment les unes des autres, et les lancer par l'intermédiaire du bouton OK.

Chapitre

3

Démarrer avec Windows pour Workgroups

Windows pour Workgroups est maintenant installé sur votre disque dur. Toutes les composantes de Windows pour Workgroups sont stockés dans un sous-répertoire, en principe C:\WINDOWS. Si durant le processus d'installation vous avez toutefois choisi un autre nom de répertoire, ou si en raison d'un manque de capacité disque Windows pour Workgroups a dû se détourner vers une autre partition du disque dur, il pourra s'agir d'un autre répertoire. Dans la suite de ce livre, nous nous baserons sur le répertoire standard.

Dans ce répertoire se trouve, parmi de nombreux autres fichiers, un programme dont le nom est "WIN.COM", grâce auquel vous pouvez lancer Windows pour Workgroups.

Avec WIN.COM vous pouvez...

- lancer Windows pour Workgroups dans son mode de fonctionnement le mieux adapté
- lancer Windows pour Workgroups dans un mode de fonctionnement de votre choix
- lancer Windows pour Workgroups et activer simultanément un programme
- lancer Windows pour Workgroups, activer un programme et y charger un document
- lancer Windows pour Workgroups et enregistrer un rapport du processus de lancement

Pour pouvoir lancer WIN.COM, il vous faut en principe passer d'abord dans le répertoire, dans lequel se trouve le programme :

```
CD WINDOWS «Entrée»
```

Ensuite, vous pouvez lancer WIN.COM :

```
WIN «Entrée»
```

Si vous avez autorisé le programme d'installation à modifier le fichier DOS AUTOEXEC.BAT, ou si vous aviez opté pour l'installation automatique, DOS intègre automatiquement le répertoire de Windows pour Workgroups dans son chemin de recherche défini par la commande PATH. Dans ce cas, il n'est pas nécessaire de changer de répertoire avec CD : vous pouvez immédiatement entrer "WIN".

3.1.   Particularité du travail en réseau

Au contraire d'un réseau avec serveur, un réseau poste à poste n'utilise pas d'ordinateur particulier en tant que serveur. Dans un système poste à poste, les ordinateurs connectés au réseau sont tous des stations de travail non dédiées. Par conséquent si un ordinateur est par exemple occupé à un calcul complexe, il ne peut pas fournir de données à un autre ordinateur du réseau.

Dans un réseau poste à poste des ordinateurs très différents peuvent en principe entrer en communication. Si vous envisager de connecter des ordinateurs par un réseau poste à poste, il faut les équiper de cartes et de câbles réseau.

Si vous avez connecté une imprimante à un ordinateur du réseau poste à poste sous Windows pour Workgroups, elle peut être utilisée par toutes les stations de travail connectées à condition que l'ordinateur auquel l'imprimante est relié soit en service.

Quand on envoie par exemple des fichiers à l'imprimante du réseau poste à poste, ces derniers sont d'abord stockés sur le disque dur de l'ordinateur auquel elle est reliée avant d'être imprimés.

Il est évident que cela provoque une certaine surcharge dans le système. L'ordinateur par lequel transitent les travaux d'impression travaillera nettement moins vite s'il est utilisé en même temps qu'une station de travail.

L'accès aux données et aux programmes situés sur des disques durs partagés est également simple à réaliser.

Finalement, il faut bien réfléchir à la distribution des services et des données dans un réseau poste à poste. Par exemple, un ordinateur peut être utilisé comme une sorte de serveur en lui connectant l'imprimante et en y déposant toutes les données sensibles comme le calendrier global aux groupes d'utilisateurs. Ainsi vous pouvez veiller à ce que cet ordinateur soit constamment disponible et en service.

Quand on travaille dans un réseau, la notion de session est très importante puisque c'est en ouvrant une session que l'utilisateur accède aux données et aux ressources du réseau.

3.2. Ouverture d'une session de travail

La nouveauté de Windows pour Workgroups par rapport à Windows est justement de permettre à plusieurs utilisateurs de travailler en groupe par le biais d'un réseau. Comment fait le système pour identifier qui est qui? Simplement en affectant des noms aux utilisateurs et aux groupes de travail. Lorsqu'un utilisateur lance Windows pour Workgroups, cela équivaut à l'ouverture d'une session de travail dans la terminologie réseau.

Lors de votre première connexion, le système vous demande de saisir votre identification en inscrivant le nom que vous avez donné au moment de votre initialisation. Le second champ sert à saisir votre mot de passe. Comme vous n'en avez pas encore, saisissez le et validez par "OK". Il est clair que pour assurer la confidentialité de votre mot de passe, vous ne verrez apparaître que des caractères astérisques dans votre mot de passe.

Ouverture d'une session de travail Windows pour Workgroups

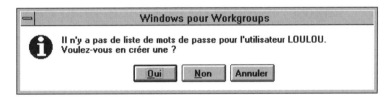

Puisque c'est votre première identification, Windows pour Workgroups vous demande si vous voulez vous inscrire dans sa liste d'utilisateurs. En répondant par l'affirmative, cela vous amène à la vérification de votre mot de passe et à la boîte de dialogue suivante :

Pour vous créer un mot de passe, vous devez le confirmez d'abord

Une fois l'ouverture de session terminée, vous accédez au gestionnaire de programme de Windows pour Workgroups.

L'avantage de disposer de noms d'utilisateurs et de mots de passe, sert principalement dans le cas où des groupes d'utilisateurs sont connectés par un réseau. Si vous n'êtes pas en réseau et que vous avez installé Windows pour Workgroups seulement pour bénéficier des améliorations par rapport à Windows 3.x, vous pouvez simplement annuler l'ouverture d'une session de travail. Vous pourrez travailler sur votre ordinateur sans aucun problème.

Si par contre vous êtes connectés à un réseau, vous aurez accès via votre nom et votre mot de passe aux ressources communes du réseau. Précisons qu'il existe des ressources partageables accessibles par tous les utilisateurs du réseau et des ressources critiques protégés en accès partagés. Si votre identification figure dans la liste des utilisateurs ayant le droit d'utiliser ces ressources protégées, alors vous y aurez accès. Sinon, vous ne pourrez utiliser que des ressources limitées.

Cette protection montre que même si un autre utilisateur essaye d'utiliser une ressource critique depuis votre ordinateur, il n'y arrivera que s'il possède votre mot de passe. C'est la raison pour laquelle le choix du mot de passe est très important et doit être modifié souvent. L'administrateur de votre réseau vous en indiquera la fréquence et la nécessité.

Dans les chapitres suivants, vous trouverez comment créer des fichiers et des répertoires partageables.

3.3. Imposer le mode de fonctionnement de Windows pour Workgroups

En principe, WIN.COM détermine le mode de fonctionnement optimal en fonction de la configuration matérielle. Mais vous pouvez, à l'aide de paramètres complémentaires, décider vous-même du mode dans lequel Windows pour Workgroups doit être lancé. Pour obtenir une liste des options possibles, entrez la ligne suivante :

```
C> WIN /?
```

Le programme délivre alors l'information suivante :

```
WIN [/B] [/N] [/D] [/D: [C] [F] [S] [V] [X] ]
```

Démarrer en mode standard

A l'inverse de Windows, Windows pour Workgroups ne permet pas de démarrage standard. Lorsque vous essayez de lancer le mode standard comme pour Windows, un message d'erreur vous averti que ce n'est pas possible.

Démarrer en mode étendu

Si vous disposez d'un ordinateur de type 80386/486 équipé de moins de 1024 Koctets de mémoire étendue, vous pouvez malgré tout lancer Windows pour

Workgroups en mode étendu, car les conditions pour ce type de fonctionnement se limitent aux seules possibilités du processeur 80386/486. Il en résulte que les possesseurs d'un AT 80286 ne peuvent en aucun cas prétendre utiliser le mode étendu.

Vous forcerez Windows pour Workgroups à démarrer en mode étendu par la ligne de commande :

```
WIN /3
```

L'intérêt de l'activation de ce mode dépend de vos exigences : vous bénéficiez ainsi en effet des avantages du mode étendu, mais subissez une baisse sensible en rapidité d'exécution en raison d'une mémoire à la limite de l'insuffisance. Le coût des chips de mémoire étant de plus en plus réduit, il est préférable d'augmenter la mémoire de votre machine si vous devez travailler en mode étendu, cette option étant alors reléguée au rang de solution de secours.

L'utilisation de cette option sur un ordinateur de type non approprié (par exemple un 80286) interrompt le processus de lancement et ramène dans l'environnement du DOS.

3.4. Lancer Windows pour Workgroups tout en activant un programme

Vous pouvez confier à WIN.COM la tâche de lancer directement un programme à l'issue du lancement de Windows pour Workgroups. A cet effet, il faut écrire le nom du programme derrière WIN dans la ligne de commande :

```
C> WIN nom_du_programme «Entrée»
```

L'activation du programme de traitement de texte Write répondrait par exemple à la syntaxe suivante :

```
C> WIN Write «Entrée»
```

Si le programme concerné ne se trouve pas dans le répertoire de Windows pour Workgroups, il faut mentionner le nom complet du chemin d'accès :

```
C> WIN D:\TTXTS\WORD
```

Si par exemple vous lancez Windows pour Workgroups afin d'écrire rapidement une lettre ou de liquider une autre tâche très spécifique, l'appel que nous décrivons ici est celui qui conviendra le mieux. Si par contre vous envisagez de travailler pendant un temps plus important dans l'environnement d'un programme donné, il est nécessaire d'affecter aux programmes concernés l'attribut d'auto-lancement, ou de procéder à une modification dans le fichier WIN.INI. Les programmes concernés seront alors activés dès le lancement de Windows pour Workgroups. Pour d'autres informations sur le lancement automatique reportez-vous à la section 5.6.

On pourra tirer profit de l'option que nous décrivons ici en créant un ensemble de fichiers batch qui permettront de lancer des applications déterminées. Les fichiers batch sont des fichiers texte constitués d'un ensemble de commandes DOS, caractérisés par l'extension ".BAT", et que l'on peut lancer comme des programmes DOS.

Grâce à une petite collection de fichiers batch on dispose ainsi d'un moyen rapide d'activation pour les applications les plus usitées. En voici quelques exemples :

```
WIN Write (à sauvegarder sous le nom C:\WRITE.BAT)
WIN C:\TTXTS\WORD (à sauvegarder sous le nom C:\WORD.BAT)
WIN C:\TABLEURS\EXCEL (à sauvegarder sous le nom C:\EXCEL.BAT)
```

Vous activerez ensuite les programmes concernés en entrant simplement :

```
Write «Entrée»
Word «Entrée»
```

ou

```
EXCEL «Entrée»
```

Choisir un mode de fonctionnement déterminé :

Vous conservez de toute façon la possibilité d'utiliser les options associées à un mode de fonctionnement déterminé (Cf. section 2.2). Une activation de Write dans le mode standard répond ainsi à la syntaxe :

```
WIN /S Write
```

3.5.   Lancer des programmes avec des fichiers

Si vous désirez simplement éditer une lettre, vous pouvez demander à WIN d'ouvrir, en plus du programme, le document concerné. Procédez à cet effet conformément à la description qui figure dans la section 3.3, et ajoutez derrière le nom du programme le nom complet du chemin d'accès du document. Le document doit évidemment être compatible avec le programme.

```
WIN Write C:\CORRESP\FACTURE
```

Cette instruction lance Windows pour Workgroups, charge Write et ouvre le document "Facture".

3.6. Enregistrer un compte-rendu du processus de lancement

Durant le processus de lancement, Windows pour Workgroups charge les drivers responsables de la gestion des diverses composantes de votre ordinateur. Dans certains cas exceptionnels il peut alors se produire que l'ordinateur se bloque. Ce comportement résulte le plus souvent d'une incompatibilité entre un driver et un composant physique de la machine, ou du fait que certains de ces composants ne réagissent pas comme prévu.

En cas d'incompatibilité entre driver et matériel, c'est qu'une erreur s'est glissée dans le processus d'installation ou qu'un élément technique a été ajouté ou remplacé sur votre machine.

Les erreurs lors de l'installation concernent le plus souvent la spécification erronée de composants physiques (carte vidéo, par exemple) ou relèvent d'une erreur d'analyse de votre système dans le cadre de l'analyse automatique. Ceci ne peut être le cas que si le système se plante dès le premier lancement après l'installation. Si la version actuelle de Windows pour Workgroups a déjà fonctionné correctement entre temps, cette source d'erreur est exclue.

Comme nous l'avons dit dans le premier chapitre, l'analyse du système, que Windows pour Workgroups exécute automatiquement, n'est pas toujours fiable et doit, le cas échéant, être corrigée manuellement. Si vous avez installé Windows pour Workgroups en mode d'installation rapide, il n'est pas exclu que le programme d'installation ait mal identifié certains éléments physiques, ou qu'il ait installé un gestionnaire quelconque sans avoir pu reconnaître l'un de ces éléments.

Une autre source d'erreur réside dans la modification du matériel. Si par exemple, après l'installation de Windows pour Workgroups vous apportez des modifications à l'ordinateur (par exemple le remplacement d'une carte vidéo), il sera éventuellement nécessaire d'adapter les drivers correspondants.

Une troisième source d'erreur est liée à des composants physiques défectueux. Un tel défaut peut se produire en n'importe quelle circonstance.

Afin de vous rendre compte de l'instant auquel Windows pour Workgroups s'est trouvé confronté à des problèmes insolubles durant son lancement, vous disposez de la possibilité d'enregistrer un compte-rendu de tout le processus de lancement. Dans ce cas, Windows pour Workgroups crée un fichier appelé "BOOT-

LOG.TXT", dans lequel les composantes que charge le système sont recensées étape par étape.

Vous activerez le processus d'enregistrement du rapport de lancement en utilisant l'option /B:

```
WIN /B
```

Visualisation d'un protocole de lancement dans l'éditeur

```
─                     Bloc-notes - BOOTLOG.TXT                    ▼ ▲
 Fichier    Edition    Rechercher   ?
[boot]                                                             ▲
LoadStart = system.drv
LoadSuccess = system.drv
LoadStart = keyboard.drv
LoadSuccess = keyboard.drv
LoadStart = mouse.drv
LoadSuccess = mouse.drv
LoadStart = vga.drv
LoadSuccess = vga.drv
LoadStart = mmsound.drv
LoadSuccess = mmsound.drv
LoadStart = comm.drv
LoadSuccess = comm.drv
LoadStart = vgasys.fon
LoadSuccess = vgasys.fon
LoadStart = vgaoem.fon
LoadSuccess = vgaoem.fon
LoadStart = GDI.EXE
LoadStart = FONTS.FON
LoadSuccess = FONTS.FON
LoadStart = vgafix.fon
LoadSuccess = vgafix.fon
LoadStart = OEMFONTS.FON                                          ▼
 ←                                                               → 
```

Comparaison de plusieurs tentatives de lancement :

Si un fichier du nom de "BOOTLOG.TXT" existe déjà, les nouvelles entrées du compte-rendu seront ajoutées à la suite des autres dans ce fichier. Vous pourrez ainsi comparer plusieurs tentatives de lancement. Au début de chaque nouvelle série d'entrées vous trouvez la mention "[BOOT]" précédée d'un numéro d'ordre. Il est judicieux d'effacer régulièrement BOOTLOG.TXT et de créer un nouveau compte-rendu, afin de recenser les modifications apportées au système du point de vue physique ou logiciel.

*Informations
sur le système
à l'aide du
panneau d'aide*

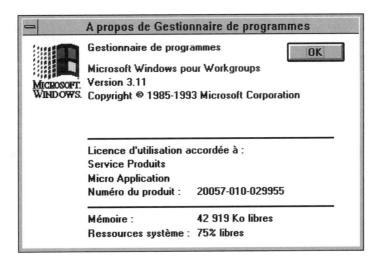

Ainsi, lorsque des problèmes surgiront, il vous suffira de faire créer par Windows pour Workgroups un compte-rendu, qui sera accolé aux premières entrées, puis de procéder à une comparaison afin de détecter l'endroit auquel le processus de lancement a été interrompu. A cet effet, il faudra lire le fichier en utilisant un éditeur de texte ou la commande TYPE du DOS. Notez qu'un fichier de compte rendu est automatiquement généré lors du premier lancement de Windows pour Workgroups.

A la suite du lancement de Windows pour Workgroups, vous pouvez demander à voir le mode de fonctionnement en vigueur. A cet effet, vous pourrez vous servir par exemple de la commande "A propos du gestionnaire de programmes" qui figure dans le menu d'aide du gestionnaire de programmes. Vous pouvez également utiliser dans ce but le programme "WINVER", qui ne figure pas dès l'origine dans les groupes de programmes du gestionnaire de programmes, et qu'il convient d'y installer ultérieurement. Vous trouverez des précisions à ce propos dans la section 5.5.6.

Chapitre

4

Travailler avec Windows pour Workgroups

Windows pour Workgroups est maintenant chargé. Avant de vous présentez à l'écran le gestionnaire de programmes une boîte de dialogue vous invite à saisir des informations qui vous concernent. Avant de nous consacrer aux tâches, fonctions et possibilités de ce dernier dans le chapitre suivant, étudions d'abord la structure de l'environnement graphique et de travail de l'utilisateur.

4.1.   Eléments de commande d'une fenêtre

Windows pour Workgroups organise son aire de travail à l'aide de fenêtres. Chaque fenêtre peut être considérée comme un écran en soi, et propose dans son cadre de nombreux outils que l'on peut manipuler avec la souris afin d'agir sur l'apparence de la fenêtre.

Les groupes d'applications standard, dont le seul groupe principal est ouvert

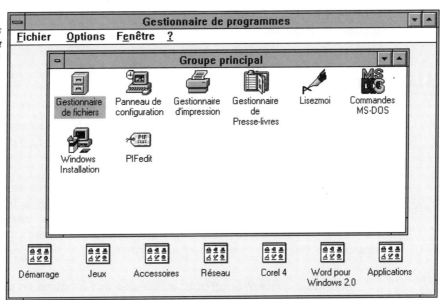

Le premier objet de notre observation est la fenêtre du gestionnaire de programmes, dont nous nous proposons d'analyser les éléments. Ces éléments, vous les retrouverez dans toutes les fenêtres de Windows pour Workgroups : ils en sont les pièces maîtresses.

4.1.1.   La barre de titre

La barre de titre

Le bord supérieur de la fenêtre est appelé Barre de titre, et renferme une information sous forme de texte, comme par exemple le nom de l'application qui se déroule dans cette fenêtre ou le nom du chemin d'un document ouvert. Vous ne disposez d'aucune possibilité pour modifier directement le texte présent dans la barre titre.

Si vous y regardez de plus près, vous constatez que la barre de titre ne constitue pas la limite supérieure de la fenêtre : celle-ci est entourée d'un cadre relativement mince. Cette distinction est extrêmement importante, car aussi bien la barre titre que le cadre peuvent être commandés avec la souris, et leurs fonctions sont totalement distinctes.

4.1.2.   Déplacer une fenêtre

La barre de titre tient lieu de poignée de saisie pour la souris lorsqu'on désire déplacer la fenêtre. Amenez à cet effet le pointeur sur la barre titre et déplacez-le en maintenant le bouton gauche de la souris enfoncé.

Un pourtour de la fenêtre matérialise sa position actuelle. Dès que vous aboutissez à l'emplacement de destination désiré, vous pouvez relâcher le bouton de la souris, et déplacerez ainsi définitivement la fenêtre. Tant que vous n'avez pas encore relâché le bouton de la souris, vous pouvez à tout instant interrompre le déplacement par pression sur la touche «Echap».

Windows pour Workgroups subdivise ses fenêtres en deux catégories :

les fenêtres d'applications et fenêtres de documents. La fenêtre du gestionnaire de programmes est une fenêtre d'application et peut être déplacée dans la totalité de l'aire de travail. Les fenêtres de documents n'ont pas une aussi large amplitude de liberté de déplacement. Leurs mouvements sont limités aux dimensions de la fenêtre de l'application dans laquelle elles "vivent".

On peut aussi déplacer les fenêtres icônifiées (voir plus loin). Etant donné que celles-ci ne possèdent pas de barre titre, c'est toute l'icône qui fait office de poignée de saisie pour la souris.

4.1.3. Réduction et agrandissement

Sur la droite de la barre titre se trouvent deux symboles, caractérisés par une flèche dirigée vers le bas - case de réduction - et une flèche dirigée vers le haut - case d'agrandissement.

Grâce à la case de réduction, on peut rapetisser des fenêtres à la taille d'une icône. On recourt systématiquement à cette possibilité dès que l'on n'a pas besoin la fenêtre à cet instant, mais qu'on sera probablement amené à la réutiliser durant la session de travail courante. Ce procédé apporte un gain de surface utile appréciable dans l'aire de travail.

Une fenêtre icônifiée peut à nouveau être ressuscitée par double-clic. Elle réapparaît alors dans sa taille précédente.

La case d'agrandissement porte une fenêtre à sa taille maximale. Une fenêtre d'application est alors aussi grande que la zone de travail, et une fenêtre de document remplit entièrement la fenêtre de l'application à laquelle elle appartient. Cette technique de maximisation sera utilisée lorsque vous aurez à travailler pendant une période assez longue avec un même programme. Dans ce cas, il serait ridicule de ne pas tirer parti de la totalité de l'aire de travail.

Une fenêtre portée à sa taille maximale ne possède plus de case d'agrandissement. Celle-ci est remplacée par la case de restauration, caractérisée par deux flèches verticales de sens contraire. A l'aide de ce bouton l'on peut instantanément rétablir la taille précédente de la fenêtre, dès lors qu'on n'a plus besoin de l'affichage plein écran. La commutation entre l'exploitation de l'aire de travail intégrale et le multifenêtrage normal ne nécessite donc que deux clics de souris et vous devriez en faire un usage intensif.

4.1.4. Le menu Système

Chaque fenêtre possède le même menu Système

A l'extrême gauche de la barre titre se trouve une icône carrée munie d'un tiret horizontal. Il s'agit là de la case système sur laquelle on peut agir avec la souris comme sur un bouton. Lorsqu'on clique sur ce bouton, le menu Système s'ouvre. Lorsqu'on double-clique sur ce bouton, la fenêtre se ferme.

Fermeture par double-clic :

La fonction de fermeture au moyen d'un double clic est une manipulation de souris qui équivaut à activer la commande "Fermeture" du menu. Par l'intermédiaire du clavier, vous pouvez aussi utiliser la combinaison de touches «Ctrl»+«F4». Si la fenêtre concernée est une fenêtre d'application, cette application sera par la même occasion fermée. Si de plus l'application est le premier programme lancé sous Windows pour Workgroups, c'est à dire le plus souvent le gestionnaire de programmes, l'action ferme également Windows pour Workgroups et vous revenez dans l'environnement DOS.

Le menu Système est le pupitre de commande de la fenêtre. C'est ici que se trouvent toutes les commandes qui agissent directement sur la fenêtre. La plupart de ses fonctions sont toutefois accessibles aussi à l'aide de la souris par l'intermédiaire d'un élément de commande, procédé bien plus agréable à l'utilisation. Voyons pour commencer les commandes du menu Système :

Commandes du menu système

Restauration   Rétablit la taille initiale de la fenêtre. Applicable à des fenêtres qui ont été réduites à la taille d'icônes, ou agrandies à leur taille maximale.

Déplacement   Déplacement d'une fenêtre ou d'une icône de fenêtre à l'aide des touches directionnelles du clavier

Dimension   Modification de la taille de la fenêtre avec le clavier

Réduction   Réduit la taille d'une fenêtre à une icône. Equivaut à la case de réduction prévue pour la souris.

Agrandissement   Porte la fenêtre à sa taille maximale. Equivaut à la case d'agrandissement prévue pour la souris

Fermeture   Ferme la fenêtre. Lorsqu'il s'agit d'une fenêtre d'application, cette application sera par la même occasion fermée, elle aussi. Equivaut à appliquer un double clic sur la case du menu système.

Basculer vers...   Ouvre la liste des tâches, depuis laquelle ont peut accéder à d'autres programmes ouverts à cet instant. Permet d'autre part de réorganiser les fenêtres et icônes présentes dans l'aire de travail.

Fenêtre suivante   N'existe que pour les fenêtre de documents. Permet de passer les fenêtres de documents en revue, y compris celles réduites à la taille d'une icône.

Edition   N'existe que pour des applications non Windows pour Workgroups en mode étendu, et sert essentiellement à la transmission de données.

Paramètres   N'existe que pour des applications non Windows pour Workgroups en mode étendu, et permet d'accéder aux options de fonctionnement multitâches.

Polices   N'existe que pour des applications non Windows pour Workgroups en mode étendu et permet de définir des polices pour la visualisation de caractères dans la fenêtre DOS.

Sous-menu "Edition"

Marque   Permet de sélectionner du texte avec le clavier.

Copie entrée   Copie le texte sélectionné dans le presse-papiers de Windows pour Workgroups

Collage   Insère dans la fenêtre sélectionnée le texte contenu dans le presse-papiers

Défilement   Fait défiler le contenu de la fenêtre

Pour sélectionner une commande de menu, ouvrez d'abord le menu Système comme nous l'avons décrit plus haut, puis cliquez sur l'intitulé de la commande concernée, ou sélectionnez le à l'aide des touches fléchées et actionnez la touche «Entrée».

Raccourcis-clavier

Certaines commandes sont associées à des combinaisons de touches, habituellement qualifiées de raccourcis-clavier. Ces commandes peuvent être activées sans qu'à cet effet il soit nécessaire d'ouvrir le menu. Il suffit de presser simultanément les touches indiquées. Généralement, les commandes les plus usitées sont toujours associées à des combinaisons de touches. Les combinaison de touches constituent le moyen le plus rapide pour accéder à des commandes.

Les combinaisons de touches ne fonctionnent que si vous vous trouvez en-dehors du menu. Dès que le menu est ouvert, seule la sélection par clic de souris ou au moyen des touches directionnelles est possible pour les commandes.

Modifier l'exécution d'une commande :

Si au lieu de cliquer sur une commande vous cliquez une nouvelle fois sur la case système, ou à l'extérieur du menu, dans l'aire de travail, le menu système se referme. Vous pouvez ainsi interrompre l'exécution d'une commande.

4.1.5.   Modifier la taille de la fenêtre

Lorsque vous y regardez de près, vous voyez qu'un cadre fin entoure intégralement la fenêtre et délimite discrètement ses sommets.

Lorsque vous positionnez le pointeur sur un coin de la fenêtre, il se transforme en une double flèche diagonale, laissant deviner sa fonction : le bouton gauche de la souris étant maintenu enfoncé, on peut ainsi faire varier la taille de la fenêtre à la fois horizontalement et verticalement.

Lorsque vous positionnez le pointeur sur l'un des côtés du cadre de la fenêtre, il prend l'apparence d'une double flèche horizontale ou verticale. De cette manière, l'on ne peut déformer la fenêtre que dans une seule direction.

A chacune de ces opérations, la taille courante de la fenêtre est visualisée par son pourtour, et la fenêtre ne sera modifiée définitivement que lorsque vous relâcherez le bouton de la souris. Entre temps, l'opération peut être interrompue par pression sur la touche «Echap».

Réduction en icône d'une fenêtre :

La taille minimale d'une fenêtre est généralement conçue de manière à ce que tous les éléments de commande puissent juste être représentés correctement, et correspond à des dimensions d'environ 5 cm x 2,,5 cm. Une fenêtre de si petite taille est totalement inexploitable pratiquement, et c'est pourquoi il vaut mieux ne pas réduire une fenêtre gênante à sa taille minimale, mais plutôt l'icônifier en cliquant sur sa case de réduction. Suite à cela, elle occupera encore moins de place, et un double clic suffira à rétablir sa taille précédente.

Notez toutefois qu'il n'est pas possible d'agrandir ou de réduire toutes les fenêtres.

4.1.6.   Barres de défilement

Les barres de défilement n'apparaissent que si elles sont vraiment nécessaires

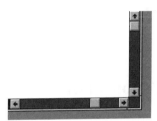

Si une fenêtre est trop petite pour représenter intégralement son contenu, Windows pour Workgroups y installe automatiquement des barres de défilement. Celles-ci apparaissent sur la droite et au bas de la fenêtre.

Grâce à l'ascenseur qui peut défiler dans chaque barre, vous pouvez choisir la portion du contenu de la fenêtre qui doit réellement y être visualisé. A cet effet, vous vous rendrez avec la souris sur ce sélecteur, que vous déplacerez en maintenant le bouton gauche de la souris enfoncé. Il existe quelques techniques pour parcourir rapidement un document avec la souris :

Ligne par ligne   Cliquez sur l'un des symboles de flèches situés aux extrémités de la barre de défilement. Si vous maintenez le bouton de la souris enfoncé, le contenu de la fenêtre défile de façon continue, ligne par ligne

Fenêtre par fenêtre   Cliquez au-dessus ou au-dessous du sélecteur dans la barre de défilement verticale, ou à gauche ou à droite du sélecteur dans la barre de défilement horizontale.

Si, par la suite, la fenêtre est agrandie au point de pouvoir représenter l'intégralité de son contenu, les barres de défilement en sont automatiquement retirées, ou alors elles sont affichées sur fond gris pour signaler qu'elles sont inactives.

Avec le clavier :

Ligne par ligne   Actionner les touches fléchées

Fenêtre   Touches «PgUp» et «PgDn» pour le défilement vertical,
par fenêtre   Combinaisons de touches «Ctrl»+«PgUp» et «Ctrl»+«PgDn»
                   pour le défilement horizontal

Le curseur texte peut d'autre part être amené à un emplacement déterminé dans des fichiers texte par simple pression sur une touche :

Début de ligne   touche «Origine»

Fin de ligne   touche «Fin»

Début du texte   combinaison de touches «Ctrl»+«Origine»

Fin du texte   combinaison de touches «Ctrl»+«Fin»

4.2.   Fenêtres d'applications

Chaque programme que vous lancez sous Windows pour Workgroups possède sa propre fenêtre : la fenêtre d'application. Celle-ci peut être déplacée sur toute l'aire de travail. Les fenêtres d'applications sont facilement reconnaissables : elles possèdent toutes une barre de menus située juste au-dessous de la barre titre, et dans laquelle les commandes de l'application sont regroupées d'après des fonctions de nature semblable.

4.2.1.   La barre des menus

*Seules les
fenêtres
d'applications
possèdent une
barre de
menus
au-dessous de
la barre titre*

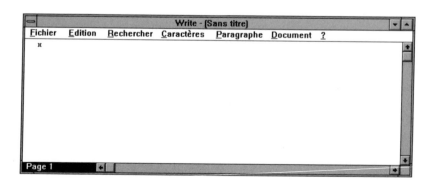

Le gestionnaire de programmes est une application. Il possède donc, lui aussi, une barre de menus. Le mode d'emploi du menu est semblable à celui décrit dans la section 4.1.4 pour le menu système. Lorsque vous cliquez sur l'intitulé d'un menu avec la souris, une liste de sélection de commandes s'ouvre à l'écran. Vous lancerez une commande en cliquant sur son nom.

Le plus souvent, une lettre est soulignée dans chaque entrée de menu. Au lieu de cliquer sur celle-ci, vous pouvez actionner la touche correspondant à cette lettre afin d'activer la commande. Il faut toutefois qu'à cet instant vous vous trouviez déjà dans la barre des menus. Si par conséquent vous désirez ouvrir le menu "Fichier" du gestionnaire de programmes, vous pouvez soit cliquer sur le terme "Fichier" dans la barre des menus, soit passer dans la barre des menus par pression sur «Alt» et appuyer sur «F».

Conventions

Si à cet instant une commande du menu n'est pas accessible, elle est affichée en gris (elle est inactivée). Rien n'empêche alors que l'on clique sur son intitulé, mais cette action ne déclenche aucune fonction.

Les commandes en gris ne sont actuellement pas activables

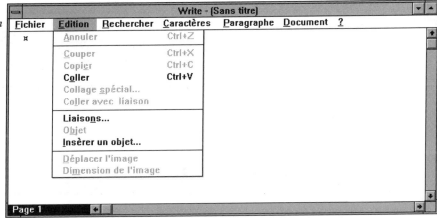

Certaines commandes de menus fonctionnent comme des interrupteurs à deux positions. Un coche signale que la commande est active. Une nouvelle sélection de cette même commande la désactive, et le coche disparaît.

Lorsque l'intitulé d'une commande est suivi de points de suspension, c'est qu'avant l'exécution de la commande s'ouvrira une boîte de dialogue dans laquelle il sera nécessaire de définir des options ou fournir des spécifications. C'est par exemple le cas pour l'ouverture d'un fichier : avant le chargement doit nécessairement s'ouvrir une boîte de dialogue, dans laquelle l'utilisateur spécifiera le nom du fichier qu'il désire charger.

Derrière la commande peut être indiquée une combinaison de touches. Celle-ci permet de lancer la commande sans ouvrir préalablement le menu. Cette manipulation est bien plus rapide que l'utilisation de la souris.

Si derrière l'intitulé d'une commande figure un petit triangle, c'est qu'il ne s'agit pas là d'une véritable commande, mais d'une mention générale derrière laquelle se cache une nouvelle liste de sélection comportant au moins deux autres commandes. Cette nouvelle liste de sélection est appelée sous-menu.

4.3.   Fenêtres de documents

A l'exemple de WinWord : Plusieurs fenêtres de documents se partagent une fenêtre d'application

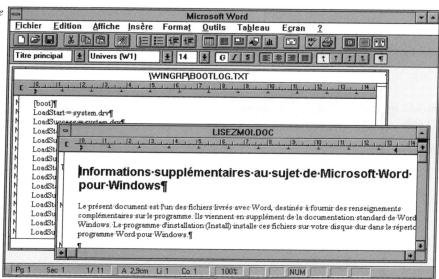

Une application peut ouvrir des fenêtres de documents supplémentaires. Comme le nom permet de le supposer, il est ainsi possible de disposer de plusieurs documents ouverts simultanément.

Les fenêtres de documents ne possèdent pas de barre de menus, car toutes les commandes de l'application qui permettent d'agir sur un document se trouvent dans la barre des menus de la fenêtre de l'application, et une barre des menus supplémentaire n'occasionnerait qu'une perte de place. Alors que les fenêtres d'applications "vivent" dans l'aire de travail, dans laquelle elles peuvent être librement déplacées, l'univers des fenêtres de documents se limite à la surface de la fenêtre de l'application dans laquelle elles ont été créées.

Plein écran :

Vous pouvez toutefois offrir plus de place aux fenêtres de documents, en agrandissant simplement la fenêtre de l'application. Si vous portez la fenêtre d'application à sa taille maximale (celle de l'aire de travail) au moyen de sa case d'agrandissement toute la surface de l'écran sera également exploitable par les fenêtres de documents.

4.4. Les boîtes de dialogue

Les boîtes de dialogue constituent un cas particulier. Ce sont des fenêtres qui ne renferment ni texte, ni graphisme, mais le plus souvent un grand nombre d'éléments de commande. Les boîtes de dialogue apparaissent systématiquement lorsqu'avant d'exécuter une commande il est nécessaire de définir pour celle-ci certains paramètres ou options. Conformément à la description qui figure dans la section 4.2.1, les commandes dont l'intitulé est suivi de points de suspension dans un menu, sont toutes suivie d'une boîte de dialogue.

Des boîtes de dialogue peuvent toutefois aussi apparaître indépendamment de l'appel d'une commande à l'écran. C'est par exemple le cas lorsque l'application adresse à l'utilisateur un avertissement ou une demande de confirmation.

Windows pour Workgroups dispose d'un nombre non négligeable de boîtes de dialogue standard auxquelles vous serez fréquemment confronté. Lorsque, par exemple, vous désirez sauvegarder un fichier pour la première fois, alors apparaît systématiquement la boîte de dialogue "Enregistrer sous" indépendamment de l'application depuis laquelle cette commande avait été activée. Une boîte de dialogue comporte d'autre part quelques éléments complémentaires qui lui confèrent non seulement un aspect plus consistant, mais également une convivialité accrue.

Voici les éléments d'une boîte de dialogue :

Boutons

Trois boutons, dont celui de gauche est repéré et qui peut être activé par pression sur «Return»

Les boutons d'une boîte de dialogue réagissent comme les boutons d'une fenêtre aux clics de souris. Mais leur activation par le clavier est encore plus rapide : généralement, l'un des boutons d'une boîte de dialogue est toujours entouré d'une ligne pointillée. Ce bouton peut alors être actionné par pressions sur la touche «Entrée», et correspond à l'option la plus fréquemment choisie par l'utilisateur. A l'aide de la touche de tabulation, vous pouvez toutefois aussi amener ce petit cadre dans le bouton suivant, et activer celui-ci par pression sur la touche «Entrée». Si une lettre est soulignée dans l'intitulé d'un bouton, une pression sur cette lettre équivaut à une action sur le bouton concerné.

Cases à cocher

Sélectionner des paramètres grâce aux cases à cocher

☐ Initialisation complète
☒ Vérification des pistes formatées

Lorsqu'il s'agit de sélectionner plusieurs fonctions dans une liste, Windows pour Workgroups utilise des cases à cocher. Il s'agit là de petites cases carrées dans lesquelles on peut placer une croix. Ces boutons agissent comme des commutateurs : à chaque clic de souris ils passent de l'état actif à l'état inactif, et vice versa. Les cases à cocher sont totalement indépendantes les unes des autres.

Si une lettre est soulignée dans l'intitulé d'une case à cocher, il est possible de commander celle-ci au clavier par pression simultanée sur la touche «Alt» et sur celle correspondant à la lettre en question.

Boutons d'options (ou Boutons radio)

Dans un même groupe, seul un bouton radio peut être actif

○ 160 Ko, 40 pistes, 1 face, 8 secteurs
○ 180 Ko, 40 pistes, 1 face, 9 secteurs
○ 320 Ko, 40 pistes, 2 faces, 8 secteurs
○ 360 Ko, 40 pistes, 2 faces, 9 secteurs
◉ 1.2 Mo, 80 pistes, 2 faces, 15 secteurs
○ 720 Ko, 80 pistes, 2 faces, 9 secteurs
○ 1.44 Mo, 80 pistes, 2 faces, 18 secteurs

Le fonctionnement des boutons d'options est légèrement différent. A la place d'un carré, chaque bouton est cette fois représenté par un cercle qui, lorsque l'option est active, contient un point noir. Les boutons d'options ne sont pas autonomes, mais réunis en groupes. Dans chaque groupe ne peut être activée qu'une seule option à la fois. Un clic de souris sur une autre option d'un même groupe n'active pas seulement la nouvelle option, mais désactive aussi l'option qui était active jusque là. C'est la raison pour laquelle les boutons d'options sont également appelés "boutons radio" (en anglais "RadioButtons"). Ils fonctionnent en effet comme des touches de stations présélectionnées d'un poste radio : lorsqu'on en enfonce un, celui qui était enfoncé jusque là est éjecté.

Zones de listes déroulantes

Une zone de
liste déroulante

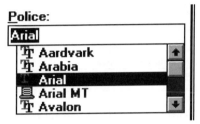

Les zones de listes déroulantes (en anglais, ComboBox) constituent une alternative aux boutons radio. Elles renferment les options disponibles sous forme d'une liste plus ou moins longue qui s'ouvre dès que l'on clique sur la zone avec la souris. Suite à cela il est possible de sélectionner dans la liste une option en cliquant sur l'entrée appropriée. Après cette manipulation, la liste se referme automatiquement. Il ne reste alors plus que la zone d'une seule ligne dans laquelle dans laquelle est mentionné l'intitulé de l'option qui vient d'être sélectionnée.

Les zones de listes déroulantes sont systématiquement utilisées lorsque la palette des options proposées est assez volumineuse. Grâce à la technique d'ouverture et fermeture par déroulement, les zones de listes sont plus économes en surface que les boutons radio, dont la fonction est la même.

Si dans une zone de liste déroulante se trouvent plus d'entrées que la taille de la liste déroulée ne permet d'en afficher, Windows pour Workgroups y installe automatiquement une barre de défilement à l'aide de laquelle on peut faire défiler le contenu de la liste.

Zones de listes

*Entrée zone de
liste*

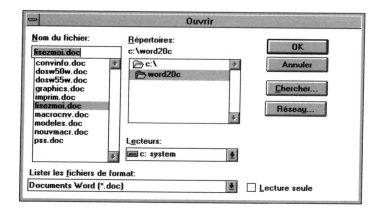

Les zones de listes (en anglais ListBox) se comportent comme les zones de listes déroulantes, à la différence qu'on ne peut ni les ouvrir, ni les fermer. En fait, elles sont toujours présentées ouvertes, et nécessitent donc plus de place. Ce type de construction est utilisé dans toutes les situations où il est souhaitable que l'utilisateur dispose dans les plus brefs délais d'une vue d'ensemble de toutes les possibilités qui lui son offertes. Sont souvent organisées de cette manière les listes d'options très longues.

Les zones de listes peuvent, elles aussi, être agrémentées d'une barre de défilement.

Dans une zone de liste, vous ne pouvez en principe sélectionner qu'une seule entrée. Dans certains cas exceptionnels - lors de la spécification des applications à intégrer à l'environnement Windows pour Workgroups, par exemple - il peut toutefois se produire aussi que plusieurs entrées puissent être sélectionnées simultanément.

Zones d'édition

*Le contenu
d'une zone
d'édition est,
au départ,
toujours
sélectionné
pour pouvoir
être écrasé*

Les zones d'édition (ou zones de saisie de texte) sont destinées à accueillir des caractères alphanumériques. Lorsqu'une zone d'édition est vide, un tiret vertical clignote sur sa gauche : le curseur texte (aussi appelé "marque d'insertion"). Il matérialise l'emplacement auquel vous pouvez à cet instant entrer du texte.

Si la zone d'édition contient une proposition par défaut, celle-ci est intégralement sélectionnée. Pour valider le texte proposé tel quel, il suffit d'appuyer sur la touche «Entrée».

Si vous désirez remplacer ce texte, entrez simplement votre nouvelle chaîne de caractères. Etant donné que l'ancien texte était automatiquement sélectionné, il se trouve entièrement écrasé dès la saisie du premier caractère que vous entrez. Vous pouvez toutefois aussi effacer ce texte à l'aide de la touche «Suppr».

Si vous désirez simplement modifier ou allonger le texte proposé, il faut commencer par actionner une touche fléchée afin de neutraliser la sélection du texte. Suite à cela le curseur texte pourra être amené avec les touches fléchées à l'emplacement de la modification ou de l'insertion, et vous pourrez effacer du texte à l'aide de «Backspace», ou entrer du texte supplémentaire.

Avec la souris, vous pouvez aussi restreindre la sélection intégrale du texte implicite à une partie de celui-ci. A cet effet, placez le pointeur au début de la nouvelle sélection et, en maintenant le bouton gauche de la souris enfoncé, glissez-le jusqu'à la fin de la sélection désirée. Une sélection d'un mot sera obtenue par double clic sur le mot concerné.

Quitter une boîte de dialogue :

Les boîtes de dialogue se referment automatiquement dès que toutes les spécifications nécessaires y ont été faites et que l'un des boutons de commande de cette boîte de dialogue a été actionné. Si, pendant que vous travaillez dans une boîte de dialogue, vous constatez que vous n'êtes pas en mesure d'entrer les spécifications nécessaires, vous avez intérêt à interrompre l'exécution de la commande. Il est inutile, voire dangereux, d'effectuer des saisies de valeurs ou des choix d'options uniquement pour sortir de la boîte de dialogue. Actionnez plutôt le bouton d'annulation, que vous trouverez parmi les boutons de commande de la boîte de dialogue, ou appuyez sur la touche «Echap». Une autre solution consiste à double-cliquer sur la case système de la boîte de dialogue afin de la fermer.

4.5. Raccourcis de clavier

Travailler avec Windows pour Workgroups sans souris est tout bonnement une ineptie. Même pour les laptops et les notebooks on propose sur le marché des trackballs à fixation rigide comme substitut de souris. Bien qu'il soit également possible d'assurer par l'intermédiaire du clavier toutes les fonctions qui, en principe, sont commandées par la souris, nous allons vous montrer sur un exemple combien une telle manipulation peut gagner en complexité lorsqu'on opte pour le clavier. Si, par exemple, on désire modifier la taille d'une fenêtre, il suffit, avec la souris, comme nous l'avons décrit plus haut, de positionner le pointeur sur l'un des sommets de la fenêtre et de déplacer la souris jusqu'à ce que la fenêtre atteigne la taille désirée. Avec le clavier, le processus n'est pas du tout du même genre ! Jugez plutôt :

❶ A l'aide de la combinaison de touches «Alt»+«Echap», il faut se déplacer parmi les fenêtres d'applications jusqu'à ce que soit sélectionnée celle que l'on recherche. Si vous désirez agrandir une fenêtre de document, il vous faut recourir à une autre combinaison de touches.

❷ Actionnez «Alt»+«Espace» afin d'ouvrir le menu système. S'il s'agit d'une fenêtre de document, c'est à nouveau une autre combinaison de touches qu'il faudra employer.

❸ Dans le menu, sélectionnez avec les touches fléchées la commande Agrandissement, puis actionnez «Entrée».

❹ Modifiez la taille de la fenêtre avec les touches fléchées.

❺ Achevez le processus par une pression sur «Entrée».

Comme vous pouvez le constater, de nombreuses étapes sont nécessaires, et de plus elles sont différentes selon que l'on travaille sur une fenêtre d'application ou sur une fenêtre de document. Etant donné que, dans un tel cas, le clavier ne présente aucun avantage par rapport à la souris, et qu'on peut considérer que tous les systèmes sont, de nos jours, équipés d'une souris, nous n'avons pas jugé utile dans ce livre de présenter les manipulations de clavier qui correspondent aux diverses techniques de souris.

Il n'en demeure pas moins que certaines combinaison de touches permettent d'agir plus vite qu'avec la souris, et que celles-ci constituent un complément efficace dans le travail avec la souris. Celles-ci seront systématiquement mentionnées dans le texte. Voici d'ailleurs, en avant goût, une liste des combinaisons de touches qui pourront être utilement employées dans le cadre de Windows pour Workgroups :

Gestion des fenêtres

«Alt»+«Echap»	Passe dans l'application suivante (l'ordre chronologique étant celui dans lequel les applications ont été lancées)
«Alt»+«Tab»	Passe dans l'application utilisée précédemment. Pendant que «Alt» est enfoncé, vous pouvez actionner plusieurs fois «Tab» pour accéder à toutes les applications disponibles. Le nom de l'application sélectionnée est visualisé dans une fenêtre pendant que «Alt» est enfoncé.
«Ctrl»+«Echap»	Affiche la liste des tâches. A partir de là vous pouvez passer dans un autre programme, ou forcer la fermeture d'une tâche.
«Impr»	Copie le contenu de l'écran actuel dans le presse-papiers
«Alt»+«Impr»	Copie le contenu de la fenêtre actuelle dans le presse-papiers
«Alt»+«Entrée»	Assure le basculement entre affichage plein écran et affichage dans une fenêtre d'une application DOS (ne fonctionne qu'en mode 386 étendu)
«Alt»+«Espace»	Ouvre le menu système d'une fenêtre d'application
«Alt»+«-»	Ouvre le menu système d'une fenêtre de document
«F1»	Lance l'aide contextuelle, si elle existe
«Alt»+«F4»	Quitte l'application en cours, ou ferme sa fenêtre
«Ctrl»+«F4»	Ferme la fenêtre de document courante
Touches fléchées	Circuler parmi les icônes d'un groupe d'applications. Suivant la commande sélectionnée dans le menu système, assurent le déplacement ou la modification de taille de la fenêtre
«Echap»	Annule l'opération en cours

Gestion des menus

«Alt» ou «F10»	Active la barre des menus. Une deuxième action la désactive
Touche fléchée droite/gauche	Sélectionne un menu dans la barre des menus
Touche fléchée haut/bas	Sélectionne une commande dans un menu ouvert
«Entrée»	Active la commande sélectionnée
«Echap»	Ferme le menu courant

Touche du clavier principal	Active une commande (le caractère représenté par la touche est souligné dans l'intitulé de la commande)

Gestion des boîtes de dialogue

«Tab»	Passe à l'élément de commande suivant dans la boîte de dialogue
«Maj»+«Tab»	Comme la commande précédente, mais avec mouvement en sens contraire
Touches fléchées	Permet de passer d'une option à une autre dans un même groupe
«Alt»+«Caractère»	Raccourci-clavier permettant d'accéder à un élément de commande donné. Le caractère correspond à celui qui est souligné dans le nom de l'élément de commande
«Origine»	Passe au premier caractère dans une zone d'édition, ou au premier élément dans une liste
«Fin»	Comme ci-dessus, mais permet de se rendre derrière le dernier caractère d'une zone d'édition ou sur le dernier élément d'une liste
«Alt»+«Flèche bas»	Ouvre une zone de liste déroulante
«PgUp»/«PgDn»	Fait défiler une liste d'une page vers le haut ou le bas
«Espace»	Active un élément d'une liste, ou coche une case. Une seconde action lève à nouveau la sélection.
«Ctrl»+«:»	Sélectionne tous les éléments d'une liste
«Maj»+«touche fléchée»	Modifie caractère par caractère la sélection d'un texte
«Maj»+«Origine»	Etend la sélection jusqu'au premier caractère d'un texte, ou neutralise la sélection
«Maj»+«Fin»	Comme ci-dessus, mais en se référant au dernier caractère du texte
«Entrée»	Exécute une commande, ou valide l'élément sélectionné dans une liste comme paramètre et exécute la commande
«Alt»+«F4»	Ferme une boîte de dialogue, quelle que soit la circonstance

Gestion de texte

«Touches fléchées»	Déplacement caractère par caractère dans le texte
«Ctrl»+«Flèche droite/gauche»	Déplacement mot par mot vers la droite ou la gauche
«Origine»	Va au début d'une ligne
«Fin»	Va à la fin d'une ligne
«PgUp»	Tourne une page d'écran vers le haut
«PgDn»	Tourne une page d'écran vers le bas
«Ctrl»+«Origine»	Va au début d'un texte
«Ctrl»+«Fin»	Va à la fin d'un texte
«Backspace»	Efface le caractère situé à la gauche du curseur, ou efface le texte sélectionné
«Suppr»	comme ci-dessus, mais efface le caractère situé à la droite du curseur
«Maj»+«Suppr»	Efface le texte sélectionné et le place dans le presse-papiers ("couper")
«Ctrl»+«X»	comme ci-dessus
«Ctrl»+«Inser»	Copie le texte sélectionné dans le presse-papiers ("copier")
«Ctrl»+«C»	comme ci-dessus
«Maj»+«Inser»	Insère le contenu du presse-papiers à la position courante du curseur
«Ctrl»+«V»	comme ci-dessus
«Ctrl»+«Z»	Annule la dernière opération ("Undo")
«Alt»+«Backspace»	comme ci-dessus
«Maj»+«touches fléchées»	Sélectionne/désélectionne du texte caractère par caractère
«Maj»+«PgUp»/«PgDn»	Sélectionne une page d'écran
«Maj»+«Origine»	Sélectionne/désélectionne depuis la position du curseur jusqu'au premier caractère de la ligne
«Maj»+«Fin»	comme ci-dessus, mais jusqu'au dernier caractère de la ligne
«Ctrl»+«Maj»+«Origine»	Sélectionne le texte depuis la position du curseur jusqu'au début du texte
«Ctrl»+«Maj»+«Fin»	Comme ci-dessus, mais jusqu'à la fin du texte
«Ctrl»+«Maj»+«flèche droite/gauche»	Sélectionne/désélectionne le mot situé à gauche ou à droite du curseur

Chapitre

5

Le gestionnaire de programmes

Le gestionnaire de programmes joue un rôle essentiel dans l'utilisation de Windows pour Workgroups. C'est en effet par son intermédiaire que seront lancées toutes les applications Windows, sans compter que le gestionnaire de programmes permet aussi d'organiser logiquement toutes ces applications. Lorsque vous lancez Windows pour Workgroups, sa fenêtre se trouve immédiatement dans l'aire de travail : il n'est donc pas nécessaire d'activer le gestionnaire de programmes au début d'une session de travail.

Réduction du Gestionnaire de programmes à l'état d'icône :

Si la fenêtre du gestionnaire de programmes vous gène, et si par exemple vous désirez faire démarrer immédiatement vos applications par lancement automatique, ou si à la suite du lancement d'un programme vous estimez ne plus avoir besoin du gestionnaire de programmes, alors sélectionnez la commande "Réduire à l'utilisation" dans le menu Options. La fenêtre du gestionnaire de programmes sera alors réduite à la taille d'une icône dès que vous lancerez une autre application. Si par la suite vous avez à nouveau besoin du gestionnaire de programmes, il faudra restaurer sa fenêtre en appliquant un double clic sur l'icône.

Mention dans le fichier SYSTEM.INI

Une mention dans le fichier SYSTEM.INI définit le programme que Windows pour Workgroups doit lancer en priorité. En principe se trouve derrière le descripteur "SHELL=" la mention "PROGMAN.EXE", qui représente le gestionnaire de programmes. Conformément à ce qui est décrit dans le chapitre 16.3, on peut toutefois aussi mentionner à cet endroit d'autres programmes, comme par exemple le gestionnaire de fichiers. Unique condition à remplir par un tel programme : être capable de lancer d'autres programmes, sinon vous perdez le bénéfice des possibilités de fonctionnement multi-tâches de Windows pour Workgroups, et vous ne pouvez plus travailler qu'avec ce seul programme. Pour lancer implicitement le gestionnaire de fichiers à la place du gestionnaire de programmes, il faut transformer, dans le fichier SYSTEM.INI, la ligne :

```
SHELL=PROGMAN.EXE
```

en

```
SHELL=WINFILE.EXE
```

Vous pouvez utiliser à cet effet le programme REGEDIT.EXE (Cf. section 5.5.6).

5.1.   Groupes de programmes

Consacrons-nous d'abord aux apparences : dans la fenêtre d'application vous trouvez quelques icônes, dont les intitulés sont les suivants :

Groupe principal
Applications
Jeux
Accessoires
Démarrage
Réseau

Chacune de ces six icônes est une fenêtre réduite que vous pouvez ouvrir au moyen d'un double clic. Le gestionnaire de programmes travaille par conséquent, dans sa fenêtre d'application, avec six fenêtres de documents. Ni les icônes des fenêtres de documents, ni une fenêtre ouverte ne peuvent être extraites de la fenêtre d'application du gestionnaire de programmes

Chacune des six fenêtres de documents représente un groupe d'applications. Par analogie aux menus, dans lesquels les commandes portant sur un même sujet sont regroupées sous un même intitulé, le gestionnaire de programmes réunit des applications de même nature dans des groupes d'applications. Si vous ouvrez une fenêtre de document au moyen d'un double clic, vous y trouvez d'autres icônes qui, elles représentent des applications. Un double clic appliqué à l'une de ces icônes lance l'application correspondante. En fait, seul le groupe d'applications "Démarrage" constitue une exception : au départ, il ne contient aucune icône d'application.

Voici une récapitulation rapide des six groupes implicites :

Groupe principal

Contient des utilitaires pour la gestion de Windows pour Workgroups. Le nom "Groupe principal" est un peu mal choisi, car les programmes qui s'y trouvent ne constituent de loin pas l'essentiel de ce qui touche au travail avec Windows pour Workgroups. Mais ceux-ci n'en constituent pas moins le noyau interne de Windows pour Workgroups. Dans ce groupe se trouve également un fichier du nom de "LISEZMOI.WRI", qui renferme des informations importantes relatives à Windows pour Workgroups.

Accessoires

Se trouvent dans ce groupe toutes les applications fournies gratuitement avec Windows pour Workgroups.

Jeux

De même que dans le groupe "Accessoires", vous trouverez ici des programmes de jeu fournis gratuitement avec Windows pour Workgroups.

Applications

Dans ce groupe sont réunis tous les programmes que Windows pour Workgroups a pu localiser dans votre ordinateur durant le processus d'installation. C'est à vous qu'il incombera par la suite de réunir en d'autres groupes d'applications avec des noms plus explicites les applications initialement rassemblées dans ce groupe. Ce groupe d'applications n'existe que si, durant l'installation, vous avez demandé à Windows pour Workgroups de rechercher des applications sur votre disque dur.

Démarrage

Ce répertoire sert à exécuter automatiquement des programmes donnés à la suite du lancement de Windows pour Workgroups. Tous les programmes présents dans ce groupe seront ainsi lancés immédiatement après Windows pour Workgroups.

Réseau

Ce groupe renferme les nouveaux outils nécessaires pour le travail en groupe dans un réseau. Toutes les icônes sont nouvelles par rapport à Windows. Parmi ces utilitaires réseau, vous trouverez les icônes "Installation du réseau", "Mail", "Schedule+", "Service d'accès distant", "O/F de session", "Observateur de réseau", Winpopup", "Compteur" et "Conversation". Chacune de ses composantes est décrite dans le chapitre consacrés au groupe "Réseau".

Les icônes d'applications que vous voyez dans le gestionnaire de programmes ne sont que des références aux programmes auxquels elles sont associées. Elles servent uniquement à répartir des programmes en groupes, indépendamment de leur position réelle dans le système des fichiers du DOS. En fait, on peut imaginer que les icônes d'applications sont des cartons signalétiques : lorsqu'on l'efface, ou si on le déplace dans un autre groupe d'applications, cela n'a aucune répercussion sur la position à laquelle les programmes correspondants sont stockés dans l'ordinateur. Rien ne change donc dans le gestionnaire de fichiers quoiqu'il se produise dans le gestionnaire de programmes.

Avant la version 3.1, il fallait, pour un démarrage automatique, mentionner à la main les programmes dans le fichier WIN.INI. Cette possibilité existe toujours, et est décrite dans le chapitre 16. Elle ne présente toutefois aucun avantage par rapport au groupe Démarrage.

5.2.   Lancer des programmes

Ouvrez le groupe de programmes dans lequel le programme recherché est supposé se trouver. Si son icône s'y trouve, il suffit de lui appliquer un double clic pour lancer l'application.

Une icône a perdu son programme :

Lors du lancement d'un programme via une icône, il se peut que Windows pour Workgroups vous retourne un message d'erreur indiquant que le programme n'a pas pu être localisé. Il se peut alors que cette application ait été effacée. Dans ce cas, l'icône est obsolète, et il convient de l'effacer (Cf. section 5.5.3). Mais il est également possible que le programme ait été renommé et/ou déplacé dans un autre répertoire, le nom de son chemin d'accès ayant alors changé. Dans ce cas, il faut mettre l'icône à jour, avec les nouvelles spécifications. Cliquez à cet effet sur l'icône concernée, et sélectionnez la commande Fichier/Propriétés. Vous obtenez alors la possibilité d'entrer le nom du nouveau chemin d'accès, ou de le déterminer à l'aide du bouton Parcourir.

Si vous ne retrouvez pas l'icône de cette manière, il vous faut dans un premier temps la rechercher dans d'autres groupes d'applications. Si votre recherche est couronnée de succès, vous devriez transférer cette application dans un autre groupe de programmes afin de la localiser au premier coup d'oeil à la prochaine occasion. Dans les paragraphes qui suivent, nous allons vous présenter la procédure à suivre.

Lancer un programme sans passer par son icône

Si vous n'êtes parvenu à localiser le programme recherché dans aucun des groupes de programmes, mais que vous connaissez le répertoire et le nom sous lequel il est enregistré sur le disque dur, activez la commande Fichier/Exécuter du gestionnaire de programmes. Apparaît alors une petite boîte de dialogue, dans laquelle vous pourrez entrer le nom du chemin d'accès complet du programme. Le bouton Réduire à l'utilisation vous permet de préciser si l'application devra immédiatement être lancée sous forme icônifiée. Une pression sur le bouton OK charge et lance le programme indiqué. Vous trouverez des précisions à ce propos dans la section 5.2.1. Vous devriez toutefois envisager d'affecter au programme une icône dans le gestionnaire de programmes, afin qu'à l'avenir vous puissiez lancer l'application concernée depuis l'un des groupes de programmes.

Un programme peut être activé sans passer par son icône, à l'aide de son chemin

Lancement d'un programme depuis le gestionnaire de fichiers

Si vous n'avez pu trouver le programme recherché dans aucun des groupes de programmes, et que vous ne connaissez pas non plus l'emplacement où il se trouve sur le disque dur, le recours au gestionnaire de fichiers reste votre unique possibilité. Celui-ci permet d'effectuer des recherches dans tout le système de fichiers de l'ordinateur, et aussi de lancer un programme. Il n'en demeure pas moins qu'à la suite d'une localisation réussie, il sera préférable d'affecter au programme une icône dans le gestionnaire de programmes.

5.2.1. Lancer des programmes sans recourir à des icônes

Nous venons de dire que le gestionnaire de programmes est capable de lancer des programmes sans que ceux-ci se trouvent dans l'un de ses groupes de programmes. A cet effet il est nécessaire de spécifier le programme concerné d'une autre façon.

La commande Fichier/Exécuter ouvre une petite boîte de dialogue dans laquelle vous pouvez entrer la ligne de commande requise pour lancer le programme. En principe, il faut y saisir le nom complet du chemin d'accès du programme. Grâce au bouton "Parcourir", vous pouvez toutefois aussi extraire directement le programme de l'arborescence des fichiers, et le sélectionner au moyen d'un double clic sur son nom.

Windows recherche le nom de l'application, si vous ne vous en souvenez plus

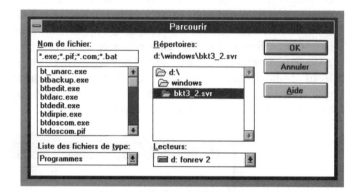

La possibilité de lancer des programmes sans recourir à une icône n'est généralement qu'une solution de secours à laquelle on fait appel pour activer un programme rarement utilisé. Il vaut mieux intégrer les programmes aux groupes d'applications en leur affectant une icône. La procédure à suivre à cet effet est décrite dans la section 5.5.4.

5.3. Maintien de l'ordre dans le gestionnaire de programmes

Etant donné que les six fenêtres de documents doivent se partager la surface de la fenêtre d'application, l'existence de plusieurs fenêtres de documents ouvertes simultanément peut engendrer des chevauchements d'où toute clarté serait absente. Dans ce cas, deux commandes du menu "Fenêtre" seront très utiles.

Réorganiser les groupes d'applications

Seule la barre de titre de chaque fenêtre est visible - La fenêtre active occupe le premier plan

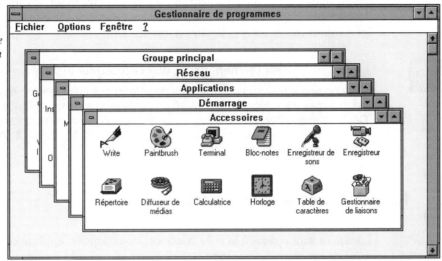

La commande "Cascade" dispose les groupes d'applications de manière à ce que seuls la barre titre et le bord gauche d'une fenêtre soient visibles, le reste étant masqué par la fenêtre suivante. On peut ainsi identifier toutes les fenêtres par leurs barres titres sur un minimum de surface. Pour amener au premier plan une fenêtre, il suffit dans ce cas de cliquer sur sa barre titre.

Mosaïque

Toutes les fenêtres se partagent la surface, chacune étant rapetissée

L'option "Mosaïque" dispose les groupes d'applications côte à côte, et les uns sous les autres. Cette fonction ne présente un véritable intérêt que si le nombre des groupes d'applications ouverts n'est pas trop important. En effet, les fenêtres des groupes d'applications seront dans ce cas réduites à une taille permettant de les disposer toutes dans la fenêtre d'application.

Rangement grâce aux raccourcis-clavier :

Vous pouvez également accéder aux deux fonctions au moyen de raccourcis-clavier : «Maj»+«F4» dispose les fenêtres en "Mosaïque", et «Maj»+«F5» en "Cascade". Ces raccourcis-clavier ne fonctionnent que si la fenêtre d'application du gestionnaire de programmes est sélectionnée. Si tel n'est pas le cas, il vous faut d'abord l'activer par un clic de souris sur ou dans la fenêtre.

Ranger les icônes de documents

Lorsqu'ils sont réduits à la taille d'icônes, les groupes d'applications du gestionnaire de programmes peuvent être déplacés sur toute la surface de la fenêtre de l'application. La fonction "Réorganiser les icônes" du menu Fenêtre permet de ranger les icônes de documents au bas de la fenêtre de l'application.

Ranger les icônes de programmes

Les icônes de programmes qui figurent dans les groupes de programmes ne peuvent pas être rangées à des endroits quelconques tant que la fonction "Réorganisation automatique" est active dans le menu "Options", c'est à dire repérée par un coche. Cette option maintient quasi automatiquement l'ordre dans les groupes d'applications en positionnant les icônes de programmes sur un quadrillage invisible.

5.4. Créer, supprimer et renommer des groupes d'applications

Les six groupes d'applications du gestionnaire de programmes ne sont que des propositions par défaut, et il est possible d'y ajouter des groupes supplémentaires. Parallèlement au système de fichiers du DOS, dans lequel vous créez des sous-répertoires, vous devriez également créer de nouveaux groupes de programmes dans le gestionnaire de programmes, dès que vous installez sur votre disque dur des logiciels supplémentaires qui ne correspondent à aucune des catégories existantes.

Créer des groupes d'applications

La commande Fichier/Nouveau ouvre une boîte de dialogue. Sélectionnez-y l'option "Groupe de programmes", puis actionnez le bouton OK. L'autre option proposée, "Programme", ajoute un nouveau programme dans un groupe d'applications existant, sujet que nous aborderons plus loin.

Les informations pour le groupe d'applications Accessoires

Apparaît alors la boîte de dialogue "Propriétés de groupe". Entrez dans la zone "Nom" le nom du nouveau groupe d'applications. Ce nom apparaîtra par la suite dans la barre titre du nouveau groupe d'applications, ou au-dessous de son icône. Choisissez un intitulé le plus explicite possible, caractérisant bien les propriétés communes à tous les programmes présents dans ce groupe d'applications. Il n'est pas nécessaire de remplir la seconde zone d'édition, intitulée "Fichier de groupe". A partir du nom que vous avez saisi, Windows pour Workgroups génère lui-même un nom de groupe sous lequel ce groupe d'applications sera enregistré dans un fichier. Ce n'est que si vous désirez spécifier explicitement un nom de fichier pour le groupe qu'il est nécessaire de remplir cette deuxième zone d'édition.

La saisie dans la zone "Nom" n'est pas soumise aux restrictions qui s'appliquent aux noms des fichiers DOS. Windows pour Workgroups veille par contre à créer à partir de ce nom une désignation DOS explicite, ne dépassant pas huit caractères, dans la zone d'édition inférieure. Vous pouvez par conséquent donner un nom de longueur quelconque aux groupes d'applications, dans lequel peuvent aussi se trouver des espaces et des caractères particuliers. Il est même possible de créer plusieurs groupes d'applications portant le même nom. Etant donné qu'un groupe d'applications ne peut renfermer qu'un maximum de 40 icônes, plusieurs groupes d'applications de même nom permettent de réunir un plus grand nombre de programmes sous une même désignation générale. Si vous êtes curieux, Windows pour Workgroups vous permet de connaître le nom de fichier DOS qu'il a attribué au groupe d'applications à partir du nom que vous aviez saisi : cliquez sur l'icône du groupe d'applications concerné, et activez la commande Fichier/Propriétés.

Pour achever la création du groupe de programmes, actionnez le bouton OK ou la touche «Entrée». Le nouveau groupe d'applications va être créé et se trouvera dans la fenêtre d'application du gestionnaire de programmes.

Supprimer des groupes d'applications

Réduisez d'abord le groupe d'applications à la taille d'une icône, puis sélectionnez l'icône en cliquant sur son symbole avec la souris. Apparaît alors le menu système du groupe d'applications. Sélectionnez maintenant la commande "Fichier/Supprimer" du gestionnaire de programmes. Le groupe d'applications sera détruit à la suite d'une demande de confirmation.

Lorsque vous détruisez une icône de groupe de programmes comme nous l'avons décrit plus haut, toutes les icônes de programmes qui se trouvent dans ce groupe seront, elles aussi, effacées. Vous pouvez toutefois répartir préalablement les icônes de programmes dans les autres groupes d'applications afin de les préserver de l'effacement. Toujours est-il que, sur le disque dur, les programmes ne sont aucunement affectés par cette manipulation. Vous ne risquez donc pas d'effacer des applications lorsque dans le gestionnaire de programmes vous supprimez des icônes de programmes.

Lorsque vous appliquez la commande "Fichier/Supprimer" à un groupe d'applications ouvert, elle agira sur l'icône d'application sélectionnée dans ce groupe à cet instant. Tant qu'il y a des icônes de programmes dans un groupe d'applications, l'une d'entre elles est toujours sélectionnée. C'est pourquoi il n'est pas possible de supprimer un groupe d'applications ouvert. Vous pouvez, il est vrai, effacer successivement toutes les icônes de programmes du groupe. Dès que toutes les icônes d'applications sont retirées, vous pouvez, en dernier lieu, supprimer le groupe d'applications qui, à cet instant, est vide. Mais cette procédure est longue et inutile.

Renommer des groupes d'applications

Si une erreur s'est glissée dans le nom d'un groupe d'applications lors de sa spécification, ou si vous désirez modifier ce nom par la suite, il convient d'utiliser la commande "Propriétés" du menu Fichier.

Pour procéder au changement de nom, il faut que le groupe d'applications soit réduit à la taille d'une icône, ou qu'il ne renferme aucune icône de programme, sinon la commande "Propriétés" sera appliquée à une icône d'application.

Apparaît alors une boîte de dialogue dans laquelle est mentionné l'ancien nom du groupe d'applications. Ecrasez celui-ci par la nouvelle désignation et actionnez le bouton OK ou la touche «Entrée». L'intitulé de ce groupe d'applications change immédiatement.

Si un groupe d'applications est muni de l'attribut de protection en écriture, il n'est pas possible de le modifier. Même un changement de nom est alors interdit. Vous trouverez des précisions sur la protection en écriture dans la section 6.7.8.

Modifier l'ordre chronologique des groupes d'applications

L'ordre chronologique des groupes d'applications dans la fenêtre du gestionnaire de programmes n'est pas fixe, et peut être modifiée en fonction de vos besoins. C'est ainsi que des groupes fréquemment utilisés, ou des groupes concernant des sujets apparentés devraient par exemple être rapprochés dans un souci d'accroissement de la clarté.

Pour modifier l'ordre chronologique des groupes d'applications, il faut d'abord réduire en icône tous les groupes d'applications. Les icônes pourront ensuite être redisposées dans la surface du gestionnaire de programmes avec la souris. La commande "Réorganiser les icônes" du menu Fenêtre sera ensuite utilisée pour assurer l'alignement des icônes. Pour finir, il faut activer l'option "Enregistrer la configuration en quittant" du menu Options en la munissant d'un coche. Dès que vous quitterez alors Windows pour Workgroups, le nouvel ordre chronologique des icônes de programmes sera enregistré dans de fichier système PROG-MAN.INI et entrera en vigueur au prochain lancement de Windows pour Workgroups.

Modification directe :

Vous pouvez également apporter directement les modifications dans PROGMAN.INI afin de changer l'ordre chronologique des groupes de programmes. Chargez à cet effet le fichier PROGMAN.INI dans le bloc-notes du groupe Accessoires. Dans la boîte de dialogue de la commande Fichier/Ouvrir, n'oubliez pas de remplacer le critère de sélection "*.TXT" par "*.INI". PROGMAN.INI se trouve dans le répertoire de Windows pour Workgroups. Dans ce fichier se trouve, entre autres, le bloc de texte suivant :

```
[Groups]
Group1=C:\WINDOWS\GROUPEPO.GRP
Group2=C:\WINDOWS\ACCESSOI.GRP
Group3=C:\WINDOWS\JEUX.GRP
Group4=C:\WINDOWS\DÉMARRAO.GRP
Group5=C:\WINDOWS\APPLICAT.GRP
Group6=C:\WINDOWS\RESEAU.GRP
```

Pour modifier l'ordre chronologique, il faut intervertir les positions des entrées qui figurent derrière "Order=". Notez enfin que les modifications apportées au fichier INI n'entreront en vigueur qu'au prochain lancement de Windows pour Workgroups.

Etant donné que la modification directe d'un fichier INI est délicate, voire dange-
reuse, pour un néophyte, il est préférable de recourir au système de réorganisation
faisant appel à la souris que nous avons décrit plus haut.

5.5.   Travailler avec des icônes de programmes

Les icônes de programmes sont en quelque sorte les cartes de visite des
applications qui sont réparties dans le gestionnaire de programmes. Elles
renferment toutes les informations nécessaires au lancement du programme :
l'adresse du programme sous forme du nom de son chemin d'accès, son nom et
le répertoire dans lequel sont stockées toutes ses données.

Vous pouvez retirer des icônes d'applications du gestionnaire de programmes,
en ajouter de nouvelles, ou les transférer dans un autre groupe d'applications.

*Le programme
a été soit
renommé, soit
éffacé*

Il peut arriver qu'une icône correspondant à un programme se trouve encore dans
les groupes d'applications alors que le programme concerné a été supprimé ou
renommé par le gestionnaire de fichiers. Cette rupture de liaison entre l'icône et le
programme n'est alors mise à jour que lorsqu'on tente de travailler avec l'icône. Dans
ce cas, Windows pour Workgroups renvoie en message d'erreur.

5.5.1.   Déplacer des icônes de programmes dans un autre groupe

Vous pouvez réorganiser le gestionnaire de programmes en transférant des
icônes de programmes d'un groupe dans un autre. Ouvrez à cet effet le groupe
d'applications dans lequel se trouvait jusque là l'icône d'application, ainsi que le
groupe de programmes cible, dans lequel vous désirez transférer l'icône. Déplacez
à présent l'icône d'application de l'ancien groupe vers le nouveau en plaçant le
pointeur sur l'icône concernée, et en le tirant dans le nouveau groupe d'applications tout en maintenant le bouton gauche de la souris enfoncé. Relâchez ensuite
le bouton de la souris.

L'icône de l'application ne se trouve maintenant plus que dans le nouveau groupe
d'applications, et n'apparaît plus dans l'ancien.

5.5.2. Copier des icônes de programmes

Une autre technique de déplacement consiste à recourir à la copie. Il faut l'utiliser si vous désirez insérer une icône d'application dans un nouveau groupe sans le retirer de l'ancien. Le gestionnaire de programmes génère dans ce but une seconde icône, semblable à la première.

La procédure à suivre est la même que pour le déplacement d'une icône d'application, si ce n'est qu'en plus du bouton gauche de la souris, il faut également maintenir enfoncée la touche «Ctrl» du clavier.

Ouvrez à nouveau les deux groupes d'applications et amenez le pointeur sur l'icône d'application à copier. Maintenez à présent enfoncés le bouton gauche de la souris ainsi que la touche «Ctrl»,et positionnez le pointeur dans le groupe de programmes cible. Vous pouvez ensuite relâcher les deux touches.

Il n'y a que quelques rares situations dans lesquelles il soit nécessaire de dupliquer des icônes de programmes (voir la description du groupe de Démarrage, dans la section 5.6). En principe, les noms des groupes d'applications devraient être choisis suffisamment explicites pour que les programmes puissent être localisés facilement. Une telle organisation serait rapidement détruite par une multiplication intempestive des icônes de programmes identiques. Une révision, et, le cas échéant, une réorganisation du gestionnaire de programmes est le plus souvent préférable. A cela s'ajoute le fait que les groupes d'applications ne peuvent contenir qu'un maximum de 40 icônes de programmes et que les icônes doublées sont alors à l'origine d'une perte de place non négligeable.

5.5.3. Supprimer des icônes de programmes

Si vous n'avez plus besoin de pouvoir accéder à un programme, ou lorsque vous désirez supprimer un doublon, vous pouvez détruire l'icône d'une application. Rappelons que cette opération n'affecte en rien l'organisation du support de stockage, et ne provoque pas l'effacement du programme proprement dit. Vous pouvez réinstaller sans difficulté par la suite l'icône de l'application concernée.

Ouvrez le groupe d'applications et cliquez sur l'icône d'application. Son menu système s'ouvre. Dans le menu Fichier du gestionnaire de programmes, sélectionnez la commande "Supprimer". L'icône sera retirée à la suite d'une demande de confirmation.

5.5.4. Créer des icônes de programmes

Avant de créer une icône pour une application, réfléchissez au groupe d'applications dans lequel vous désirez l'installer. Le cas échéant, vous pourrez être amené à créer un nouveau groupe d'applications. Vous pouvez également déplacer ultérieurement l'icône de l'application dans un autre groupe de programmes. Les étapes nécessaires à la création d'une nouvelle icône de programme sont les suivantes :

❶ Ouvrir le groupe d'applications

❷ Activer la boîte de dialogue "Propriétés de programme"

❸ Remplir la zone d'édition "Ligne de commande"

❹ Le remplissage des autres zones d'édition est facultatif

❺ Actionner le bouton OK

Ouvrir le groupe d'applications

Ouvrez d'abord le groupe d'applications dans lequel doit être insérée la nouvelle icône d'application. En l'absence de cette précaution, la nouvelle icône d'application sera implantée dans le groupe d'applications sélectionné à cet instant. Il existe toujours un groupe d'applications sélectionné.

Activer la boîte de dialogue "Propriétés de programme"

Sélectionnez alors dans le menu Fichier la commande "Nouveau". Le commutateur d'options est immédiatement positionné sur "Programme". Il ne vous reste donc plus qu'à actionner le bouton OK ou la touche «Entrée».

Apparaît alors la boîte de dialogue "Propriétés de programme".

Accès plus rapide aux "Propriétés de programme" :

Un moyen plus rapide pour accéder à cette boîte de dialogue consiste à double-cliquer sur un emplacement vide du groupe d'applications, alors que vous maintenez la touche «Alt» enfoncée.

Remplir la zone "Ligne de commande"

Seule une zone, "Ligne de commande", doit impérativement être remplie, avec spécification du nom complet du chemin d'accès et de l'intitulé du fichier-programme. Cette ligne est la même que celle que vous saisiriez si vous désiriez lancer le programme sous DOS. Ainsi, pour la calculatrice de Windows pour Workgroups, cette ligne aurait par exemple la syntaxe suivante :

```
C:\WINDOWS\CALC.EXE
```

Si vous ne connaissez pas par coeur le nom du chemin d'accès, vous pouvez rechercher le programme dans le système de fichiers du disque dur. Actionnez à cet effet le bouton "Parcourir". Apparaît alors une boîte de dialogue répartie sur deux colonnes.

Les éléments de commande de la colonne de gauche permettent de définir le type de fichier à localiser. A cet effet, les jokers de recherche sont mentionnés dans la zone d'édition au sommet de la fenêtre. En principe, le critère de recherche inclut toutes les extensions de fichiers pouvant caractériser un programme. Ne sont par exemple pas accessibles par ce critère les documents ou les fichiers graphiques. Vous pouvez modifier les critères de recherche à la main, ou en sélectionner d'autres dans la zone de liste déroulante qui figure dans le bas de la colonne. Au milieu de la colonne est affichée une liste contenant tous les fichiers du répertoire actif, et qui satisfont au critère de recherche mentionné.

Contrairement aux programmes, un document ne peut être intégré au gestionnaire de programmes que si préalablement vous l'avez rattaché à un programme capable de le représenter. Les liaisons de ce type concernent toujours un ensemble de fichiers de même extension. Pour plus de détails sur les liaisons, reportez-vous à la section 6.8.

La colonne de droite concerne les répertoires. Le répertoire courant y est indiqué au sommet. Au-dessous de celui-ci se trouve une zone visualisant l'arborescence des répertoires. La dernière icône représentant un dossier ouvert désigne le répertoire courant avec tous ses sous-répertoires, dont les icônes en forme de dossier sont encore fermées. La première icône de cette zone de liste désigne l'unité disque. Entre ces deux éléments se trouvent en général d'autres répertoires. En cliquant sur le répertoire situé juste au-dessus du répertoire courant (c'est à dire sur l'avant dernière icône représentant un dossier ouvert) vous aboutissez dans le niveau de répertoires immédiatement supérieur. De cette manière, on peut atteindre le niveau le plus élevé, le lecteur, et de là redescendre dans d'autres répertoires. Au-dessous de l'arborescence des répertoires se trouve une zone de liste déroulante, dans laquelle vous pouvez sélectionner une autre unité disque.

Choisissez l'application désirée en utilisant d'abord les éléments de commande de droite et en sélectionnant le répertoire dans lequel se trouve le programme, puis en sélectionnant le programme proprement dit dans la liste de la colonne de gauche. Actionnez ensuite le bouton OK ou la touche «Entrée». Une autre solution consiste à double-cliquer sur l'entrée de liste concernée : vous évitez ainsi les autres manipulations de touches.

Les groupes d'applications sont non seulement capables de gérer des applications, conformément aux descriptions qui précèdent, mais aussi des documents représentés par des icônes. Le fichier "LISEZMOI.WRI" présent dans le groupe principal en est un exemple : il renferme des informations importantes concernant Windows pour Workgroups. Vous pouvez le lancer de la même façon qu'un programme, par double clic. Windows pour Workgroups active d'abord le programme de traitement de texte "Write", puis y charge le texte du fichier. Si vous désirez intégrer des documents dans le gestionnaire de programmes, il faut d'abord modifier le critère de recherche au sommet de la colonne de gauche. Dans ce but, modifiez explicitement (à la main) le suffixe du type de fichier que vous désirez charger (dans notre exemple, "*.WRI"), ou, dans la zone de liste déroulante, au pied de la colonne de gauche, activez le joker de sélection générale ("*.*"). Rappelons ici que seuls peuvent être intégrés à un groupe de programmes les documents préalablement liés à une application.

Des fichiers
PIF

Pifedit - _DEFAULT.PIF	▼ ▲

Fichier   Mode   ?

Nom du programme: _DEFAULT.BAT

Titre de la fenêtre:

Paramètres optionels:

Répertoire initial:

Mémoire vidéo: ⦿ Texte   ◯ Basse résolution   ◯ Haute résolution

Mémoire requise: Ko nécessaires 128   Ko Désirés   640

Mémoire paginée (EMS): Ko nécessaires 0   Ko maximum 1024

Mémoire étendue (XMS): Ko nécessaires 0   Ko maximum 1024

Ecran: ⦿ Plein écran   Exécution: ☐ Arrière-plan
                 ◯ Fenêtré   ☐ Exclusive
☒ Fermeture de la fenêtre   Extensions...

Appuyez sur F1 pour l'Aide sur Nom du programe.

Lancement des fichiers PIF :

Parmi les programmes exécutables, on compte également les fichiers PIF qui lancent une application DOS. Toute application DOS nécessite un fichier PIF. On peut soit lancer le programme DOS, qui chargera alors le fichier PIF correspondant, soit lancer le fichier PIF qui alors chargera le programme DOS. Si l'application DOS concernée ne doit pas travailler avec le fichier standard _DEFAULT.PIF, il vaut mieux lancer le fichier PIF approprié plutôt que le programme DOS lui-même. Vous serez ainsi assuré que seront utilisés les paramètres PIF qui conviennent. Si le fichier PIF porte un autre nom que le programme DOS, il est indispensable de lancer le fichier PIF. Lorsque vous lancez en effet un programme DOS, il recherche d'abord un fichier PIF de même nom et utilise _DEFAULT.PIF s'il ne trouve pas ce fichier.

Définir d'autres options

Windows pour Workgroups a maintenant rempli la zone "Ligne de commande" conformément à vos spécifications. Les trois autres zones d'édition sont encore vides. Vous pouvez les remplir, sans toutefois y être contraint.

Dans la zone "Nom", vous pouvez donner au programme un nom explicite, indépendant du nom du fichier programme, qui figurera par la suite comme intitulé au-dessous de l'icône de l'application. Si vous laissez cette zone vide, Windows pour Workgroups concevra lui-même un intitulé sur la base du nom du fichier programme.

Définir le répertoire de travail

La zone "Répertoire de travail" est utile pour le stockage des données du programme. Windows pour Workgroups passe alors, immédiatement après l'activation du programme, dans ce répertoire. Si vous laissez cette zone vide, Windows pour Workgroups enregistrera les données dans le répertoire dans lequel se trouve le programme. Cette solution n'est pas conseillée : mieux vaut toujours séparer les fichiers de données des fichiers programmes.

Dans la zone "Touche de raccourci" vous pouvez entrer une lettre ou un chiffre. En association avec «Ctrl»+«Alt» vous pourrez ainsi passer immédiatement à cette application lorsque plusieurs programmes fonctionnent simultanément.

Autre raccourci-clavier :

La combinaison de touches ne lance pas le programme, mais n'assure que le basculement vers des applications déjà ouvertes. A la place des combinaisons de touches «Ctrl»+«Alt»+«Caractère» vous pouvez aussi utiliser les combinaisons «Ctrl»+«Maj»+«Caractère» qu'il convient alors d'entrer explicitement dans la zone "Touche de raccourci". Pour les applications DOS qui fonctionnent sous Windows pour Workgroups, vous pouvez aussi définir des combinaison de touches à l'aide de l'éditeur PIF. Si des raccourcis-clavier sont définis à la fois dans l'éditeur PIF et dans le gestionnaire de programmes, ce sont les spécifications contenues dans le gestionnaire de programmes qui sont prioritaires.

A la demande de l'utilisateur, le programme pourra être réduit à la taille d'une icône immédiatement après son lancement. A cet effet, il faut cliquer dans la ligne "Réduire à l'utilisation" afin de cocher la case correspondante. Cette option est particulièrement utile lorsque vous demandez un lancement automatique du programme : à la suite du lancement toutes les applications nécessaires seront activées sans intervention supplémentaire de la part de l'utilisateur, et seront accessibles sous forme d'icônes dans l'aire de travail. La technique de lancement automatique des programmes est décrite dans la section 5.6.

Pour finir, cliquez sur le bouton OK ou appuyez sur la touche «Entrée». La nouvelle icône d'application apparaît dans le groupe d'applications qui était ouvert au départ.

Si vous ne vous sentez pas encore de taille à remplir les zones d'édition dans la boîte de dialogue "Propriétés de programme", vous pouvez prendre exemple sur des icônes de programmes existantes : cliquez sur une icône d'application, et sélectionnez dans le menu Fichier la commande "Propriétés". Suite à cela, vous voyez apparaître la boîte de dialogue "Propriétés de programme", entièrement remplie, qui correspond à cette icône. De cette manière vous disposerez d'un modèle pour apporter des modifications éventuelles à vos propres définitions.

5.5.5. Modifier des icônes de programmes

Vous pouvez modifier l'apparence d'une icône d'application en lui affectant un nouveau graphisme. Cette opération pourra être utile surtout pour des applications non Windows pour Workgroups.

Plusieurs icônes sont disponibles pour les gestionnaires de programmes et de fichiers

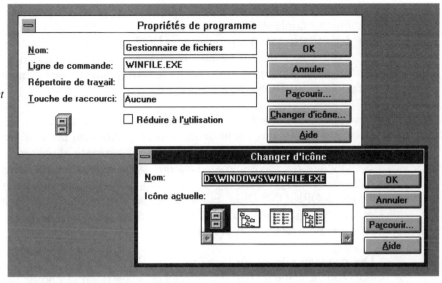

Cliquez sur l'icône d'application que vous désirez modifier, et sélectionnez dans le menu Fichier la commande "Propriétés". Apparaît à nouveau la boîte de dialogue "Propriétés de programme". Cliquez à présent sur le bouton "Changer d'icône". Une nouvelle boîte de dialogue s'ouvre à l'écran.

Le symbole actuel se présente dans une petite zone de sélection. Dans la zone d'édition qui la surmonte figure le nom du fichier qui est associé à ce pictogramme. S'il s'agit d'une pure application Windows pour Workgroups, vous trouvez le plus souvent à cet endroit le nom proprement dit de l'application. Les applications Windows pour Workgroups contiennent en principe le pictogramme qui leur est destiné. Il est préférable de ne pas le modifier.

MORICONS.DLL ne renferme que des icônes, et est prévu pour des applications DOS

Il n'en va pas de même pour les applications DOS qui, d'origine, n'intègrent pas un tel pictogramme. Vous disposez alors de deux possibilités : affecter à l'application l'icône standard pour les programmes DOS, ou choisir un pictogramme parmi ceux que propose Windows pour Workgroups dans un fichier spécialement prévu à cet effet. Dans ce fichier, dont le nom est "MORICONS.DLL", se trouvent de nombreuses icônes pour les applications DOS les plus connues.

Si durant l'installation vous avez demandé à Windows pour Workgroups de localiser les applications présentes sur votre disque dur, des icônes appropriées ont déjà été affectées aux programmes DOS, sans que vous n'ayez eu à intervenir. Si toutefois vous désirez installer ultérieurement des programmes DOS dans le gestionnaire de programmes, ceux-ci se verront affectés de l'icône standard pour les applications DOS.

Si vous cliquez sur le bouton "Changer d'icône" pour un fichier DOS, Windows pour Workgroups se plaint généralement d'abord du fait que l'application ne propose pas sa propre icône. Ensuite, il propose d'utiliser une icône du gestionnaire de programmes. Dès que vous vous retrouvez dans la boîte de dialogue "Changer d'icône", écrivez dans la zone d'édition "Nom" le nom de fichier "MORICONS.DLL". Etant donné que la proposition par défaut "...PROG-MAN.EXE" est sélectionnée, il ne vous reste plus dans ce but qu'à entrer le nouveau nom (avec chemin d'accès).

Dès que vous cliquez sur le bouton OK, Windows pour Workgroups charge le nouveau fichier d'icônes. Dans celui-ci, vous pourrez choisir une icône plus explicite pour votre application DOS.

Icônes particulières :

En général, les icônes ne sont que des éléments confortatifs destinés à l'utilisateur. Pour Windows pour Workgroups, le choix de l'icône que vous associez à un programme est sans importance. Vous pouvez par conséquent affecter des picto-grammes personnaliser à tous les fichiers programme, et même aux pures applications Windows pour Workgroups, en spécifiant dans la boîte de dialogue "Changer d'icône" le nom d'un fichier contenant le pictogramme de votre choix. Les limites de tels choix ne sont dictées que par votre goût.

5.5.6.   Accès à des programmes système

Le programme d'installation de recense pas dans le gestionnaire de programmes tous les programmes qui se trouvent sur le disque dur. Quelques programmes système restent en principe tenus "secrets". Etant donné que vous avez appris dans la section 4.5 comment associer des programmes à des icônes de programmes, vous pouvez, en cas de nécessité, intégrer également les programmes suivants dans le gestionnaire de programmes. La meilleure solution consiste à les implanter dans le "Groupe principal".

Dans le répertoire de Windows pour Workgroups :

REGEDIT.EXE

L'éditeur de registration

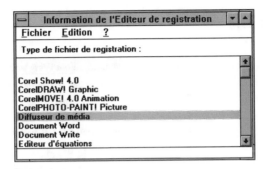

A l'aide de ce programme, vous pouvez spécifier le programme qui doit être lancé lorsqu'on clique sur un fichier de document.

WINHELP.EXE

Le programme d'aide

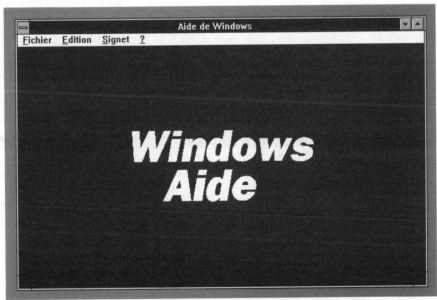

Le système d'aide de Windows pour Workgroups est présent sous forme d'un programme autonome. Lorsque vous le chargez, vous pouvez parcourir tous les fichiers d'aide, c'est à dire même ceux dont les programmes ne sont pas actifs à cet instant. Sélectionnez la commande "Fichier/Ouvrir". Les fichiers d'aide possèdent tous l'extension "HLP". A la suite du chargement d'un tel fichier, vous pouvez, comme d'habitude, cliquer sur des mots clés et prendre connaissance des explications correspondantes.

WINVER.EXE

Déterminer
rapidement la
version de
Windows à
l'aide de
WINVER.EXE

Moyen rapide pour déterminer la version de Windows pour Workgroups et son mode de fonctionnement.

Dans le répertoire System :

SYSEDIT.EXE

Editer les
quatre fichiers
système les
plus importants

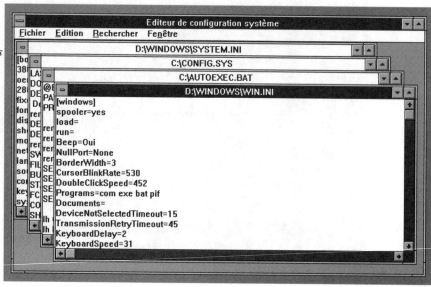

Prévu pour les utilisateurs avertis, SysEdit fonctionne comme le bloc notes, mais charge automatiquement les fichiers système :

```
SYSTEM.INI
WIN.INI
AUTOEXEC.BAT,
CONFIG.SYS, et
PROTOCOL.INI
```

Contrairement aux autres programmes dont il est question, SYSEDIT.EXE ne se trouve pas dans le répertoire de Windows pour Workgroups, mais dans son sous-répertoire SYSTEM.

5.5.7. Installer des applications par la suite

Installez les nouvelles applications à l'aide de leur programme d'installation, ou copiez les fichiers depuis la disquette dans un nouveau répertoire sur votre disque dur.

Activez ensuite le programme "Windows Installation" du groupe principal. Une boîte de dialogue vous présente les paramètres actuels du système. Sélectionnez la commande "Installer les applications" du menu Options.

*Demander à
Windows de
localiser des
applications*

Vous pouvez maintenant soit entrer explicitement le nom du chemin d'accès au sous-répertoire dans lequel vous avez copié le nouveau programme, soit demander à Windows pour Workgroups de le rechercher sur une partie de votre disque dur.

Si vous n'avez installé qu'un unique programme, il est plus avantageux d'indiquer à Windows pour Workgroups le nom du chemin d'accès. Vous pouvez à cet effet également actionner le bouton de commande "Parcourir", de manière à pouvoir accéder au sous-répertoire concerné à l'aide de l'arborescence des fichiers. Lorsque vous spécifiez le répertoire, vous pouvez aussi indiquer à Windows pour

Workgroups, le groupe d'applications dans lequel le nouveau programme devra être installé.

Si vous avez installé plusieurs programmes, laissez Windows pour Workgroups balayer les diverses partitions de votre disque dur. Il s'agit là de la même procédure que celle que suit Windows pour Workgroups automatiquement durant son processus d'installation, lorsque vous lui demandez de localiser les applications. Tous les programmes susceptibles de fonctionner sous Windows pour Workgroups seront ensuite affichés dans une liste. Pour les programmes DOS il vous faudra, le cas échéant, confirmer à la main le nom et la version. Dans la liste des logiciels détectés, vous pouvez intégrer dans l'environnement de Windows pour Workgroups les entrées qui vous intéressent, en cliquant sur leurs noms puis en activant le bouton "Ajouter". L'activation du bouton "Ajouter tout" assure l'incorporation de toutes les entrées. Les nouveaux programmes seront automatiquement placées dans le groupe de programmes "Applications".

5.6. Lancement automatique de programmes

Les programmes que vous utilisez régulièrement peuvent automatiquement être activés par Windows pour Workgroups, dès que Windows pour Workgroups est chargé. Dans ce but, il faut que les icônes des programmes concernés soient reportés de leur groupe d'applications dans le groupe d'applications Démarrage. Le déplacement d'icônes de programmes est décrit dans la section 5.5.1.

Copier une icône d'application :

Une telle translation retire l'icône d'application de son groupe d'applications initial. En principe, cela n'est pas gênant, puisque le programme est de toute façon lancé automatiquement et qu'un autre accès à cette icône pourrait donc être inutile. Si toutefois il s'agit d'un programme pouvant être activé plusieurs fois simultanément, de manière à ce que plusieurs de ses versions fonctionnent parallèlement (comme par exemple PaintBrush et Write), ou lorsqu'on referme, dans le cadre d'une session de travail, une application lancée automatiquement et que l'on désire la réactiver par la suite alors que l'icône d'application ne se trouve plus à sa place habituelle, des difficultés sont à craindre. Il est donc préférable de copier les icônes de programmes dans le groupe d'applications Démarrage, plutôt que de les déplacer. La technique de copie d'icônes de programmes est décrite dans la section 5.5.2. Le processus de copie présente un autre avantage : dès lors que l'on n'a plus besoin qu'une application soit lancée automatiquement, il suffit de retirer son icône du groupe Démarrage, alors que dans la technique de déplacement, il faut d'abord la repositionner dans son groupe d'origine... Et il n'est pas rare qu'à cet instant on ne se souvienne plus de quel groupe il s'agissait.

Une technique alternative pour lancer automatiquement un programme consiste à modifier le fichier WIN.INI à l'aide de l'éditeur SYSEDIT.EXE. Dans ce fichier dont nous avons parlé plus haut, se trouvent les deux entrées

```
LOAD=
```

et

```
RUN=
```

Entrez derrière le signe d'égalité les chemins d'accès complets des programmes - mais sans l'extension - qui doivent être lancés automatiquement. Plusieurs programmes seront, dans cette syntaxe, séparés par un espace. Exemple :

```
LOAD=WRITE PAINTBRUSH
```

charge aussi bien Write que PaintBrush.

La différence entre "LOAD" et "RUN" réside dans le fait que tous les programmes situés derrière "LOAD=" seront chargés, lancés et icônifiés, alors que ceux derrière "RUN=" seront chargés, lancés, mais présentés dans une fenêtre ouverte.

L'agenda est par exemple un programme que l'on peut charger en le réduisant à l'utilisation, afin qu'il puisse afficher les messages de rappels de rendez-vous qui y sont enregistrés. L'horloge par contre pourrait, à chaque initialisation, être affichée en permanence dans une petite fenêtre.

5.7. Les programmes DOS sous Windows pour Workgroups

Les applications Windows pour Workgroups et DOS peuvent fonctionner côte à côte. Pour qu'un programme DOS puisse fonctionner sous Windows pour Workgroups, il faut enregistrer dans un fichier PIF (PIF=Program Information File) les informations de fonctionnement multi-tâches manquantes, et ce pour chaque programme concerné.

Si vous déclarez une application DOS à Windows pour Workgroups, à l'aide du programme d'installation de Windows pour Workgroups (Cf. section 5.5.7), un fichier PIF lui est automatiquement affecté. Si le programme DOS est une application connue de Windows pour Workgroups il recevra un fichier PIF et une icône de programme qui lui sont parfaitement adaptés. Si par contre Windows pour Workgroups n'a pas été en mesure d'identifier le programme DOS, il lui attribue un fichier PIF standard, qu'il sera éventuellement nécessaire d'adapter pour bénéficier d'une qualité optimale de fonctionnement. Le programme ne reçoit d'autre part que l'icône standard des applications DOS.

5.7.1.   Lancer l'environnement du DOS

Windows pour Workgroups propose un programme, "Commande DOS", dans le groupe principal. Celui-ci appelle l'interpréteur de commandes DOS, "COMMAND.COM", et amène l'utilisateur dans l'environnement du DOS.

Trouver COMMAND.COM :

Si l'écran du DOS n'apparaît pas comme vous êtes en droit de vous y attendre, c'est probablement que Windows pour Workgroups ne parvient pas à localiser le programme "COMMAND.COM". Dans ce cas, il vous faut ouvrir le fichier PIF "DOSPRMPT.PIF" dans l'éditeur PIF du groupe principal, et entrer le nom de chemin approprié dans la zone "Nom du programme", si COMMAND.COM se trouve dans un répertoire autre que le répertoire principal. Une autre solutions consiste à définir la variable COMSPEC, dans le fichier CONFIG.SYS, qui devra renfermer le chemin d'accès exact à COMMAND.COM. Par exemple :

```
SET COMSPEC=C:\DOS\COMMAND.COM
```

Affichage plein écran et affichage dans une fenêtre

Etant donné que les programmes DOS (et par conséquent aussi l'interpréteur de commandes du DOS) ne sont pas prévus pour un fonctionnement multi-tâches, ces programmes considèrent qu'ils doivent travailler dans toute l'aire de travail, compte tenu de la résolution de la carte graphique utilisée. Les applications DOS ne sont pas capables de réduire leur aire de travail. C'est pourquoi, sous Windows pour Workgroups, ils sont en principe affichés sur la totalité de l'écran : celle-ci est entièrement mise à la disposition du DOS.

A présent, les applications DOS tournent aussi bien en mode texte qu'en mode graphique dans une fenêtre Windows

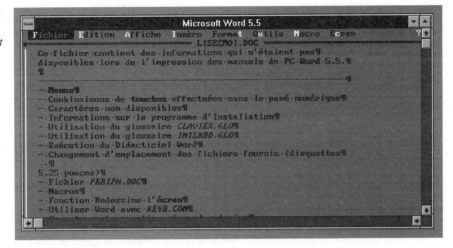

Dans le mode 386 étendu, il est d'autre part possible de faire fonctionner les applications DOS dans une fenêtre. Le procédé est lent, et peut, il est vrai, générer des problèmes, car quelques applications DOS refusent de fonctionner dans ce mode d'affichage et se mettent en attente jusqu'à ce que l'on passe en affichage plein écran à l'aide de la commande "Propriétés" du menu Fichier. On peut également utiliser à cet effet la combinaison de touches «Alt»+«Entrée».

Saisie de commandes DOS

Vous pouvez travailler comme d'habitude avec le DOS-Shell et l'utiliser pour activer d'autres programmes DOS. Vous devriez toutefois éviter toutes les commandes qui agissent directement sur le disque dur, car Windows pour Workgroups mémorise dans un tampon les données du disque dur, et vous risquez alors d'en perdre une partie. En fait, mieux vaut éviter toutes les commandes qui accèdent aux structures internes du DOS.

Parmi ces commandes, il y a :

Commandes DOS proscrites

```
ASSIGN, JOIN, SUBST, SHARE
FASTOPEN
FDISK, CHKDSK, RECOVER
MODE,
BACKUP, RESTORE
```

Lorsque vous désirez à nouveau quitter l'interpréteur DOS, entrez :

```
EXIT «Entrée»
```

Denise Vary

Il n'est pas possible d'achever la saisie des commandes DOS par double clic sur la case système de la fenêtre. Dans le menu système, l'entrée Fermeture est affichée en gris. Il n'existe aucun moyen d'éviter la saisie de la commande "Exit".

5.7.2. Les fichiers PIF

Les fichiers PIF peuvent être lus et modifiés à l'aide de l'éditeur PIF, qui se trouve dans le groupe principal du gestionnaire de programmes. Celui-ci permet aussi de créer de nouveaux fichiers PIF.

La lecture de fichiers PIF peut être très instructive, en particulier si l'on est curieux de connaître le fonctionnement interne d'un programme. Le cas échéant, on pourra même optimiser certains paramètres. Les programmes DOS pour lesquels Windows pour Workgroups n'a pas pu localiser un fichier PIF spécifique travaillent avec le fichier standard "_DEFAULT.PIF". Il peut être avantageux de créer pour ces programmes des fichiers PIF parfaitement adaptés, avec des paramètres personnalisés.

Lecture de fichiers PIF

Activez l'éditeur PIF (icône Pifedit) et ouvrez un fichier par l'intermédiaire de la commande "Fichier/Ouvrir". Les nombreuses zones de saisie de l'éditeur PIF se remplissent automatiquement avec les paramètres du fichier ouvert. Si vous travaillez dans le mode 386 étendu, vous disposez d'une page supplémentaire de paramètres par l'intermédiaire du bouton "Extensions...".

Au cas où vous envisageriez de modifier des paramètres, sachez que vos modifications ne prendront effet qu'après la sauvegarde des nouveaux paramètres. Sélectionnez à cet effet la commande "Enregistrer" du menu Fichier.

En cas d'incertitude, ou si vous désirez procéder à des tests, vous pouvez également enregistrer le fichier PIF modifié sous un autre nom. Sélectionnez à cet effet la commande "Enregistrer sous...". Les modifications sauvegardées dans le nouveau fichier ne prendront pas effet si vous lancez le programme comme d'habitude, car dans ce cas c'est de toute façon le fichier PIF original qui sera utilisé. Il faut dans ce cas appeler le nom du nouveau fichier PIF comme s'il s'agissait d'un programme. Sélectionnez à cet effet la commande "Exécuter" dans le menu Fichier du gestionnaire de programmes, ou créez une icône d'application conformément à la description qui figure dans la section 4.5.4. Vous pouvez alors lancer le programme directement depuis le gestionnaire de programmes. Il peut s'avérer judicieux d'agrémenter un même programme de plusieurs fichiers PIF. Cela peur permettre, par exemple, de lancer alternativement le programme en mode plein écran ou dans une fenêtre.

Créer un nouveau fichier PIF

Vous pouvez à cet effet, soit activer la commande "Nouveau", et remplir les zones d'édition avec les paramètres appropriés, soit sélectionner un fichier PIF existant comme modèle de départ (par exemple _DEFAULT.PIF) et y apporter les modifications nécessaires. Pour finir, le fichier devra dans les deux cas être sauvegardé au moyen de la commande "Enregistrer sous...", avec le nom de votre choix.

Ne modifiez jamais "_DEFAULT.PIF" sans enregistrer ensuite le fichier sous un autre nom. Etant donné que ce fichier est affecté à tous les programmes DOS qui ne disposent pas d'un fichier PIF spécifique, une modification des paramètres implicites pourrait faire en sorte que ce fichier ne soit plus compatible avec les autres programmes DOS.

5.7.3. Les paramètres d'un fichier PIF

L'éditeur PIF est agrémenté d'une remarquable fonction d'aide, qui vous fournit les instructions nécessaires pour chaque champ de paramètre. Sélectionnez simplement à cet effet la zone concernée, et actionnez «F1».

Dans la zone "Nom du programme" se trouve le nom du fichier auquel s'applique le fichier PIF courant. Il doit s'agir d'un fichier programme d'extension .COM, .EXE ou .BAT. Si celui-ci ne se trouve pas dans le répertoire de Windows pour Workgroups, c'est le nom complet de son chemin d'accès qui devra être indiqué.

Dans la zone "Titre de la fenêtre" vous pouvez indiquer l'intitulé du programme, qui n'a qu'une valeur descriptive. Si par la suite l'application fonctionnera en mode 386 étendu dans une fenêtre de Windows pour Workgroups, alors son titre apparaîtra dans la barre titre de la fenêtre, comme pour les véritables programmes Windows pour Workgroups. Notez également que le nom du programme figure alors dans la liste des tâches, et qu'on peut y accéder lorsqu'on bascule entre les applications par la combinaison de touches «Alt»+«Tab».

Dans la zone "Paramètres optionnels", vous pouvez spécifier des commutateurs supplémentaires qui, qualitativement et quantitativement, dépendent du programme concerné. Le plus souvent, ils sont de la forme "/"+Lettre ou Chiffre, ou alors représentent le nom d'un document qui, suite à cette spécification, pourra être chargé directement.

Si dans cette zone vous entrez un point d'interrogation, alors apparaît à chaque lancement du programme une boîte de dialogue dans laquelle vous serez invité à spécifier le(s) paramètre(s). Vous conservez ainsi une certaine marge de manoeuvre, puisque le lancement ne sera pas attaché à des paramètres fixes, et pourrez malgré tout faire en sorte que le programme ne soit pas nécessairement lancé sans indications complémentaires.

Le répertoire dans lequel le programme est enregistré doit, quant à lui, être mentionné dans la zone "Répertoire initial".

Suivant la nature du programme, on peut réserver un volume variable de mémoire d'affichage. Les pures applications texte se contentent à cet effet des 2 Koctets d'une page de texte, alors que les affichages graphiques de haute résolution requièrent bien plus de mémoire. Dans le mode standard vous avez le choix entre les options Texte et Graphiques/Texte multiple. Dans le mode 386 étendu les options disponibles sont Texte, Basse résolution et Haute résolution.

Mémoire

En mode étendu quelques zones de paramétrage s'ajoutent aux précédentes. C'est ainsi qu'il est possible d'indiquer la taille de mémoire principale avec laquelle le programme fonctionne au mieux. Il est d'autre part possible de mettre à sa disposition de la mémoire paginée (EMS). Certains programmes ne sont en effet capables de "collaborer" qu'avec ce type de mémoire, et ne supportent pas la mémoire étendue.

L'extension de mémoire normale fonctionne en mémoire étendue, adressable de façon linéaire au-delà de la limite de 1 Moctet. Le principe de la mémoire paginée date du temps où le mode réel et le processeur 8086 réduisaient le nombre des adressages possibles, seule une petite plage de mémoire pouvant être reportée dans la zone de mémoire adressable au-dessous de la limite du Mégaoctet. Si vous travaillez avec un ordinateur équipé du processeur 80286, et si vous avez besoin pour vos programmes de cette ancienne mémoire de type "EMS", il faudra ajouter dans votre machine une carte d'extension appropriée. Les possesseurs d'un 80386 ou d'un modèle supérieur ont la tâche plus facile : ce processeur est capable de "déguiser" en totalité ou en partie la mémoire étendue en mémoire paginée.

Grâce à un bouton radio, l'on peut définir en mode étendu, si le programme doit être ouvert dans une fenêtre ou en mode plein écran.

Avantage et désavantage de l'affichage dans une fenêtre

L'avantage de l'affichage dans une fenêtre réside dans la simplicité de l'échange de données avec d'autres programmes via le presse-papiers. On peut d'autre part basculer rapidement dans d'autres applications Windows pour Workgroups fonctionnant parallèlement. La présentation plein écran présente l'avantage que l'application DOS est exécutée dans son environnement habituel et dispose de plus de place pour travailler. Par l'intermédiaire de la combinaison de touches «Alt»+«Echap» on peut à tout instant basculer vers les autres applications.

En mode étendu vous pouvez également spécifier si l'application DOS doit fonctionner en arrière-plan ou en exclusivité. Si vous optez pour l'exécution Exclusive, elle se comportera comme une application DOS dans le mode standard : le temps de fonctionnement lui sera entièrement réservé, alors que toutes les autres applications DOS ou Windows pour Workgroups présentes en arrière-plan seront arrêtées. Si vous optez pour Arrière-plan, l'application DOS se conformera aux instructions que vous mentionnerez dans la deuxième page de l'éditeur PIF, concernant la répartition du temps de travail du microprocesseur (voir plus loin).

Multitâche

En principe, vous ne devriez choisir l'option Exclusive que si les capacités de votre ordinateur ne suffisent pas à travailler à une vitesse convenable avec l'application DOS. Ce choix vous fait en effet perdre toutes les aptitudes multi-tâches du mode étendu. Dans l'article suivant, qui traite des paramètres contenus dans la deuxième page de l'éditeur PIF, vous trouverez des précisions sur les principes du fonctionnement multi-tâches en mode étendu.

Possibilités du mode étendu

Si vous travaillez dans le mode 386 étendu, vous disposez encore d'autres paramètres, dans la deuxième page de ce formulaire (accessible par le bouton "Extensions..."). Ceux-ci sont nécessaires car, dans ce mode, les programmes DOS se voient affecté des possibilités de fonctionnement multi-tâches : Alors que dans le mode standard les programmes DOS ne fonctionnent que s'ils se trouvent au premier plan, vous pouvez, dans le mode 386 étendu, attribuer à chaque application DOS une priorité, comme pour les programmes Windows pour Workgroups, définissant le temps imparti à l'application lorsqu'elle ne se trouve pas au premier plan.

Les valeurs de priorité pour le fonctionnement en premier plan et arrière-plan peuvent être comprises entre 0 et 10000, et ne seront utilisées que si un programme la tâche de ce programme n'est pas "exclusive".

5.7.4.   Création automatique de PIF

Les programmes DOS les plus connus sont automatiquement munis par Windows pour Workgroups d'un fichier PIF parfaitement adapté. Si vous désirez installer un programme sous Windows pour Workgroups, il suffit de recourir à la fonction "Installer les applications" du programme "Windows Installation" figurant dans le groupe principal du gestionnaire de programmes.

Les informations dont Windows pour Workgroups a besoin à cet effet sont regroupées dans un fichier dont le nom est "APPS.INF" (= "Information sur les applications").

Si vous désirez adapter un programme de votre composition, ou un programme dont le guide est incomplet, il ne reste qu'un moyen : effectuer des essais avec les valeurs de l'éditeur de PIF. Dans ce cas, il peut être bon de se référer à des applications présentes dans la liste des logiciels connus, et qui s'approchent le plus du programme inconnu dans leur manière d'utiliser les ressources du système. Vous pourrez alors procéder à des tests à partir de cet ensemble de valeurs par défaut.

Le fichier APPS.INF n'est lié à aucun programme, et ne peut par conséquent pas être lancé au moyen d'un double clic. Il faudra par exemple activer Write, commuter le critère de sélection sur Texte, passer dans le répertoire système de Windows pour Workgroups et entrer "APPS.INF" dans la zone d'édition. L'éditeur du bloc-notes n'est pas capable de charger ce fichier, car pour lui, il est trop volumineux.

Vous trouverez ci-après la partie de la liste contenant les réglages PIF des fichiers DOS les plus connus..

La signification des entrées est la suivante :

```
; (0) Exe file =
; (1)  PIF-Name
; (2)  Window Title
; (3)  Startup Directory
; (4)  Close Window on Exit flag
; (5)  File from which to extract icon (default is Progman.exe)
; (6)  Icon number (default is 0)
; (7)  Standard PIF settings section (default is [std_dflt])
; (8)  Enhanced PIF settings section (default is [enha_dflt])
; (9)  Ambiguous EXEs section (Other applications with same EXE
name)
; (10) Optimized PIFs section
```

Voici les entrées de la liste:

```
123.COM      = 123     ,"Lotus 1-2-3",,cwe,,3,std_gra_256,enha_123c
123.EXE      = 123     ,"Lotus 1-2-3
3.1",,cwe,moricons.dll,50,std_123,enha_123,amb_123
ABPI.COM     = ABPI    ,"ACCPAC BPI",,cwe,moricons.dll,30,,enha_BPI
ACAD.EXE     = ACAD    ,"Autocad",,cwe,,16,std_ACAD,enha_ACAD
ACAD386.BAT  = ACAD386 "Autocad (Batch
File)",,cwe,,16,std_ACAD386,enha_ACAD386
ACCESS.COM   = ACCESS  ,"PFS:
Access",,cwe,,5,std_ACCESS,enha_ACCESS,amb_access
ACCESS.EXE   = ACCESS  ,"Access pour DOS - 1 Emulator
installiert",,cwe,moricons.dll,101,,enha_ACCESS1,opt_access
ADMIN.EXE    = ADMIN   ,"Microsoft Mail -
Admin",,cwe,moricons.dll,99,std_admin,enha_admin,amb_admin
AGENDA.EXE   = AGENDA  ,"Lotus
Agenda",,cwe,moricons.dll,52,std_AGENDA,enha_AGENDA
AP.EXE       = AP      ,"APPLAUSE II
1.5",,cwe,moricons.dll,17,std_AP,enha_AP,amb_AP
B.EXE        = B       ,"Brief 3.1",,cwe,,2,std_B31,enha_B31,amb_b
BASIC.COM    = BASIC   ,"Microsoft
Basic",,cwe,,6,std_gra_64,enha_nfp_64
BASICA.EXE   = BASICA  ,"Microsoft Advanced
Basic",,cwe,,6,std_basica,enha_nfp_80
BC.EXE       = BC      ,"Borland C++
IDE",,cwe,moricons.dll,23,std_BBC,enha_BBC,amb_bbc
BOOKS.EXE    = BOOKS   ,"Microsoft
Bookshelf",,cwe,,13,std_gra,enha_nfp,amb_books
CADD.EXE     = CADD    ,"Generic CADD",,cwe,,16,std_CADD,enha_CADD
CALC.EXE     = CALC    ,"WPOffice
Calculator",,cwe,moricons.dll,69,std_CALC,enha_CALC,amb_calc
CHART.COM    = CHART   ,"Microsoft
Chart",,cwe,,19,std_CHART,enha_CHART,amb_chart
CL.EXE       = CL      ,"Microsoft C Compiler
6.0",,,moricons.dll,3,std_CL,enha_CL,amb_cl
CLOUT.EXE    = CLOUT   ,"Microrim R:Base
Clout",,cwe,,4,std_CLOUT,enha_CLOUT
```

5.8. Travailler avec plusieurs programmes

Etant donné que le gestionnaire de programmes permet d'activer plusieurs programmes en même temps, des encombrements sur l'aire de travail sont à craindre. Un principe fondamental consiste par conséquent à icônifier toutes les fenêtres inutiles à un instant donné, en cliquant sur leur bouton de réduction.

Si vous maintenez «Alt» enfoncée et appuyez rapidement sur «Tab», une petite fenêtre apparaît au centre de l'écran, dans laquelle sont mentionnés le nom et l'icône d'une application en cours d'exécution. Une nouvelle pression sur «Tab» affiche l'application suivante de la liste des tâches. Vous pouvez ainsi faire défiler tous les programmes ouverts à cet instant. Dès que vous atteignez le programme dans lequel vous désirez passer, relâchez la touche «Alt». Suite à cela, la fenêtre d'information disparaît, et Windows pour Workgroups passe dans l'application indiquée. Etant donné que cette technique fonctionne aussi pour les applications non Windows pour Workgroups, cette possibilité simple permet d'accéder rapidement à n'importe quelle application ouverte, même si l'aire de travail est surchargée par de nombreuses fenêtres superposées.

5.9. Quitter le gestionnaire de programmes

Vous pouvez fermer le gestionnaire de programmes en activant la commande "Fermeture" de son menu système, ou par la combinaison de touches «Alt»+«F4», ou encore en double cliquant sur la case système, dans le coin supérieur gauche de la fenêtre. Etant donné que le gestionnaire de programmes est le coeur de Windows pour Workgroups, la fermeture du gestionnaire de programmes provoque la fin de Windows pour Workgroups. Cela s'accompagne de quelques conséquences : tous les programmes en cours seront automatiquement quittés. Les applications DOS ne seraient toutefois pas quittées correctement, car comme il s'agit d'applications non Windows pour Workgroups, elles ne sont pas munies d'une fonction de fermeture compatible avec Windows pour Workgroups. C'est pourquoi Windows pour Workgroups invite généralement l'utilisateur à fermer lui-même les applications DOS encore ouvertes.

Fermeture des applications DOS par l'utilisateur :

Dans votre propre intérêt, prenez l'habitude de fermer vous-même toutes les applications DOS en cours de fonctionnement, avant de quitter le gestionnaire de programmes, sinon vous risquez de perdre des données. Certains programmes DOS n'actualisent en effet leurs données qu'en mémoire, et n'enregistrent les modifications sur le disque dur que lorsque vous les quittez conformément à leur mode d'emploi. En principe, Windows pour Workgroups intègre une barrière de sécurité pour prévenir toute fermeture intempestive d'un programme DOS : il est impossible de quitter Windows pour Workgroups tant qu'un programme DOS fonctionne. Un avertissement est adressé à l'utilisateur, avec demande de fermer les applications concernées.

Quand vous quittez Windows pour Workgroups après avoir terminé votre travail, cela signifie que vous allez quitter votre session de travail. Comme d'autres utilisateurs peuvent être en train d'utiliser des fichiers ou des ressources de votre ordinateur, par conséquent ils ne pourront plus y accéder. Donc s'il y a des utilisateurs qui utilisent vos ressources, un message d'avertissement s'affichera sur votre écran vous informant de la situation. Pour pouvez obtenir les informations sur les données ou les ressources utilisées, et bien plus encore au moyen du programme spécial "Observateur réseau" du groupe "Réseau".

Si vous quittez quand même Windows pour Workgroups au moment où d'autres utilisateurs travaillent sur des données issues de votre ordinateur, cela risque de conduire à des pertes de données considérables.

5.10. Les commandes clavier du gestionnaire de programmes

Voici la récapitulation des combinaison de touches applicables au gestionnaire de programmes, et qui dans certains cas constituent un complément appréciable de la souris.

touches fléchées	Permet de circuler parmi les icônes d'un groupe d'applications
«Ctrl» +«Tab	Permet de circuler parmi les groupes d'applications
«Ctrl«+«F6»	comme ci-dessus
«Entrée»	Ouvre un groupe d'applications ou, lorsqu'une icône est sélectionnée dans un groupe application, lance le programme correspondant à cette icône
«Ctrl»+«F4»	Ferme la fenêtre de groupe sélectionnée
«Alt»+«F4»	Quitte Windows pour Workgroups
«Maj»+«F4»	Dispose en mosaïque toutes les fenêtres de groupes ouvertes
«Maj»+«F5»	Comme ci-dessus, mais avec disposition en cascade

Chapitre

6

Le gestionnaire de fichiers

Grâce au gestionnaire de fichiers, vous pouvez maîtriser toutes les tâches se rapportant à des supports de stockage de données : Qu'il s'agisse de formater des disquettes, de copier des fichiers, de naviguer dans le système de fichiers de votre disque dur ou sur d'autres ordinateurs du réseau, le gestionnaire de fichiers sera votre intermédiaire privilégié.

Lancer le gestionnaire de fichiers

Vous lancerez le gestionnaire de fichiers, comme tout autre programme, depuis le gestionnaire de programmes. Son icône d'application se trouve dans le groupe principal, et il suffit de lui appliquer un double clic.

Lorsque vous lancez le gestionnaire de fichiers pour la première fois, il contient une fenêtre de répertoire. Celle-ci est répartie sur deux colonnes et présente dans sa moitié gauche les répertoires et sous-répertoires du disque dur. Le répertoire courant apparaît sélectionné dans cette "arborescence". Dans la colonne de droite se trouve la liste de tous les fichiers présents dans ce répertoire. La tâche de la fenêtre de répertoire consiste à vous donner une vue d'ensemble de tous les fichiers d'une mémoire de masse.

Vous pouvez ouvrir plus d'une fenêtre de répertoire et choisir parmi plusieurs types de visualisation. Mais avant d'aborder les multiples options du gestionnaire de fichiers, consacrons-nous à ses éléments essentiels.

Le nouveau visage du gestionnaire de fichiers

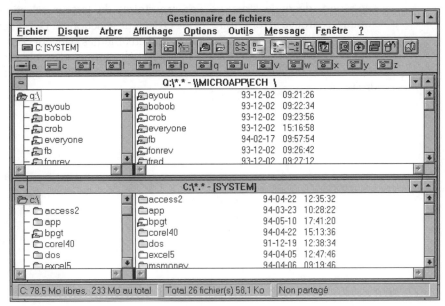

6.1.   Changer d'unité

Dans une fenêtre de répertoire ne sont recensés que les répertoires et fichiers d'une seule unité. Pour pouvoir accéder à d'autres fichiers, il faut donc d'abord changer de lecteur.

Les icônes de lecteurs : celle qui est encadrée désigne l'unité sélectionnée

Dans le coin supérieur gauche se trouve la liste des icônes représentant les divers lecteurs que vous pouvez sélectionner. Les mémoires de masse sont représentées par différents symboles pouvant représenter des lecteurs de disquettes, des disques durs, des disques virtuels, des unités d'un réseau et des CD-ROMs. L'unité sélectionnée est entourée d'un cadre fin. Pour changer d'unité, cliquez simplement sur une autre icône. Lorsque vous cliquez sur un lecteur de disquettes, veillez à ce qu'une disquette y soit déjà introduite, sinon Windows pour Workgroups vous retournera un message d'erreur.

6.2.   L'arborescence des répertoires

L'arborescence des répertoires, dans la colonne de gauche de la fenêtre de répertoire, décrit la structure des répertoires du lecteur sélectionné. A son sommet se trouve le répertoire racine du lecteur sélectionné. Depuis celui-ci, vous pouvez accéder à ses sous-répertoires, qui eux-mêmes peuvent contenir d'autres sous-répertoires. Le répertoire courant est sélectionné, et symbolisé par l'icône représentant un classeur ouvert. Ses fichiers sont récapitulés dans la colonne de droite.

Une vision globale grâce à l'arborescence des répertoires

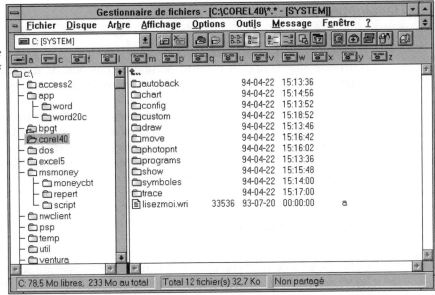

Vous pouvez visualiser le contenu d'un autre répertoire en sélectionnant son icône dans l'arborescence des répertoires. Appliquez-lui dans ce but un simple clic de souris. Par double clic vous obtiendrez de plus l'affichage d'autres sous-répertoires.

Dans le cas de répertoires partageables, les dossiers sont représentés différemment. Les manipulations quant à elles restent les mêmes dans le cas de vos dossiers ou de ceux qui se trouvent dans des répertoires partagés.

6.2.1. Divers modes de visualisation de répertoires

Le gestionnaire de fichiers propose un ensemble d'options permettant de définir le point auquel l'affichage de l'arborescence des répertoires doit être détaillé. En principe, depuis le répertoire racine, seul le niveau suivant de sous-répertoires est affiché. A la suite d'un double clic sur l'icône de l'un de ces répertoires vous aboutirez dans d'autres sous-répertoires.

Les commandes qui régissent les options de développement de l'arborescence des répertoires se trouvent dans le menu "Arbre".

Développer un niveau

A l'aide de cette commande vous visualiserez tous les sous-répertoires du répertoire sélectionné. Il n'existe aucune commande de menu dont le nom pourrait être "Occulter le niveau suivant", et qui neutraliserait cette la commande.

Un double clic sur une icône de répertoire agit comme un commutateur : si les sous-répertoires n'ont pas encore été affichés, le gestionnaire de fichiers les porte à l'écran. Si les sous-répertoires sont déjà affichés, le gestionnaire de fichiers les retire de l'arbre. Avec la souris, vous avez donc la possibilité de neutraliser la commande "Développer un niveau".

Développer une branche

Cette commande n'affiche pas seulement le sous-répertoire suivant, mais tous les sous-répertoires, du répertoire sélectionné, quelle que soit la profondeur de leur niveau.

Vous retirerez de l'affichage cette chaîne de sous-répertoires à l'aide de la commande "Réduire une branche".

Développer tous les niveaux

La commande "Développer tout" concerne l'arborescence complète des répertoires, quel que soit le répertoire sélectionné lorsque vous l'activez. Elle agit par conséquent comme si vous appliquiez simultanément à tous les répertoires la commande "Développer une branche" : tous les répertoires qui existent sur la mémoire de masse sont portés à l'affichage. Ce mode de fonctionnement est utile lorsqu'on recherche un répertoire déterminé, ou lorsqu'on désire se faire une idée globale de l'organisation d'un disque dur.

Occulter des niveaux :

Il n'existe aucune commande qui réduise tous les niveaux en même temps. Une solution consiste à double-cliquer deux fois sur le répertoire racine. Le premier double clic retire tous les sous-répertoires de l'affichage, et le deuxième double clic affiche les sous-répertoires du niveau suivant. Vous pouvez ainsi revenir à votre point de départ.

Indiquer l'arborescence

Cette option agit comme un commutateur, et peut être désactivée par une seconde sélection. Les icônes de répertoires contenant d'autres sous-répertoires seront marquées d'un repère.

Une icône de répertoire sera munie d'un signe de soustraction si celui-ci renferme des sous-répertoires et si ceux-ci sont déjà affichés dans l'arborescence. Elle sera munie d'un signe d'addition lorsque les sous-répertoires sont cachés. Vous pouvez représenter les sous-répertoires d'un répertoire repéré par le signe "Plus" en double cliquant sur son icône.

6.3. La liste des fichiers

Dans la colonne de droite se trouve la liste de tous les fichiers présents dans le répertoire sélectionné et satisfaisant à un critère de sélection déterminé. Devant chaque nom de fichier se trouve une icône, grâce à laquelle le type de fichier est immédiatement reconnaissable : répertoire, fichier de document ou programme.

Les fichiers de documents peuvent être caractérisés par deux icônes différentes : une caricature de feuille de papier vierge désigne un document simple, et une feuille de papier munie de lignes représente un document lié à une application. De tels documents peuvent être ouverts au moyen d'un double clic. Pour plus de précisions sur les liaisons de fichiers, reportez-vous à la section 6.8.

Vous ne disposerez d'une vue d'ensemble actualisée de tous les fichiers présents dans un lecteur que si vous activez préalablement la fonction "Actualiser" du menu Fenêtre. Elle ordonne une relecture du catalogue des fichiers d'une mémoire de masse. Si vous travaillez non seulement avec Windows pour Workgroups, mais aussi avec des applications DOS, il se peut que certains fichiers fraîchement enregistrés ne soient pas affichés automatiquement parce que l'application n'aura pas signalé au gestionnaire de fichiers les modifications dont elle est à l'origine. Le raccourci clavier correspondant à cette fonction est la touche de fonction «F5».

6.3.1. Modifier le critère de sélection

Le critère de sélection par défaut est le joker "*.*", auquel satisfont tous les fichiers. Vous pouvez, en modifiant le critère de sélection, restreindre l'affichage des fichiers. Un critère de sélection valide se compose de deux chaînes de caractères séparées par un point. La première chaîne de caractères peut comporter un maximum de huit caractères, et correspond au nom du fichier. La deuxième chaîne de caractères peut comporter un maximum de trois caractères, et représente l'extension du fichier. Les caractères de substitution (jokers) auxquels vous pouvez faire appel sont l'astérisque ("*") et le point d'interrogation ("?"). L'astérisque remplace toute la chaîne de caractères qui pourrait éventuellement figurer à l'endroit où il est placé. Le point d'interrogation symbolise un caractère unique situé à l'emplacement qu'il occupe. Exemples :

```
PCTOOLS.*
```

sélectionne PCTOOLS.EXE, PCTOOLS.PIF, PCTOOLS.COM, PCTOOLS.TXT

```
A*.*
```

sélectionne tous les fichiers commençant par "A"

```
TEST?.*
```

sélectionne tous les fichiers, commençant par "TEST" et dont le nom se compose de cinq caractères, soit par exemple TEST1.TXT, TEST2.TXT, TEST3.TXT, mais pas TEST10.TXT

Si vous travaillez avec plusieurs fenêtres de répertoires, le critère de sélection ne s'applique qu'à une seule fenêtre. La fenêtre concernée est toujours celle qui est sélectionnée. Vous pouvez ainsi ouvrir plusieurs fenêtres, et leur affecter des critères de sélection différents, afin par exemple de visualiser les noms des programmes indépendamment de ceux des documents, et réciproquement.

A utiliser avec circonspection : tous les fichiers ne sont pas affichés

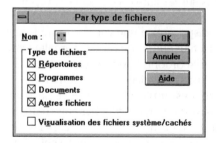

La commande "Par type de fichier" du menu "Affichage" permet de définir un nouveau critère de sélection . Si par exemple vous entrez ici "*.BMP", la liste des fichiers ne représentera plus que les documents Paintbrush présents dans le répertoire sélectionné.

Le critère de sélection contenu dans la zone d'édition est le premier et le plus important des critères. Tous les fichiers qui satisfont à cette condition pourront encore être filtrés au moyen de quatre cases de contrôle. Si la case "Répertoires" est désactivée, les sous-répertoires ne seront pas affichés. Si la case "Programmes" n'est pas active, tous les fichiers munis des extensions .EXE, .COM,

.PIF et .BAT seront occultés. Si la case "Documents" est désactivée, tous les fichiers liés à une application seront retirés de l'affichage. Enfin, si "Autres fichiers" n'est pas actif, tous les autres fichiers seront occultés.

L'objectif de ces cases à cocher n'est pas de faire concurrence au critère de sélection ou de le renforcer, bien que ceci puisse en être une conséquence. Il est toutefois plus judicieux de travailler soit avec le critère de sélection, soit avec les cases à cocher. Essayez par conséquent de vos en tenir à la règle suivante : Si vous entrez un critère de sélection différent de "*.*", toutes les cases à cocher devraient être actives. Si par contre vous désirez travailler avec des cases à cocher, entrez le critère de sélection "*.*" et n'activez que les cases correspondant aux fichiers que vous voulez voir. Bien que l'effet combiné soit utilisable par l'utilisateur averti de la manière que nous avons décrite plus haut, il est généralement plus déconcertant que profitable pour le débutant.

Tous les fichiers sélectionnables :

Vous devriez le plus rapidement possible restaurer le critère de sélection s'appliquant à tous les fichiers, et activer toutes les cases à cocher. En l'absence de cette précaution, des malentendus sont à craindre. Etant donné que le gestionnaire de fichiers enregistre en principe vos paramètres lorsque vous le quittez, afin de les réutiliser lors de son prochain lancement, les fichiers affichés lors de votre prochaine session de travail seraient ceux qui répondraient à votre critère de sélection précédent. On oublie souvent cette particularité qui s'assortit d'un effet de surprise désagréable lorsqu'on constate que certains fichiers manquent sur une mémoire de masse. Le critère de sélection courant est affiché dans la barre titre de la fenêtre de répertoire. Si par conséquent il devait vous arriver de déplorer l'absence de fichiers, vous devriez d'abord vérifier le critère de sélection qui y figure.

6.3.2. Rechercher des fichiers

Plus la capacité d'un disque dur est importante, plus vous risquez de ne pas parvenir à localiser en un clin d'oeil un programme donné. Grâce à la fonction de recherche, vous pouvez demander au gestionnaire de fichiers de localiser un fichier donné, ou un groupe de fichiers à l'aide d'un critère de recherche.

La commande "Rechercher" du menu Fichier renvoie une boîte de dialogue dans laquelle vous pouvez entrer le critère de recherche. Si vous désirez rechercher un fichier bien précis, il convient d'entrer le nom du fichier avec son extension (mais sans chemin d'accès, évidemment, puisque vous ne le connaissez pas).

Rechercher

Rechercher : `*.cdr`   **OK**

A partir de : `C:\COREL40`   **Annuler**

                 ☒ Rechercher dans tous les sous-répertoires   **Aide**

Dans la zone "A partir de" est automatiquement mentionné le répertoire courant. Si vous laissez cette entrée tel quel, la fonction n'effectuera la recherche que dans ce répertoire et ses sous-répertoires. Si de plus la fonction "Rechercher dans tous les répertoires" est désactivée, la recherche sera même limitée au répertoire courant.

Si vous désirez élargir la recherche au maximum, entrez dans la zone "A partir de" le répertoire racine de l'unité disque sur laquelle la recherche doit être effectuée, et laissez active la fonction "Rechercher dans tous les répertoires".

L'étendue du domaine d'application de la fonction de recherche est limitée à un lecteur.

Lancer la recherche

Actionnez le bouton OK, pour démarrer la recherche. Si la durée de la recherche devait vous sembler trop longue, vous pouvez à tout instant l'arrêter par pression sur la touche «Esc». Le résultat est affiché dans une liste, dans laquelle sont mentionnés tous les fichiers répondant au critère de recherche, avec leur chemin d'accès complet. Si aucun fichier ne satisfait au critère de recherche Windows pour Workgroups renvoie un message pour vous en informer. La fenêtre prévue pour la liste n'apparaît alors pas.

6.3.3.   Sélection manuelle de fichiers

Avant de pouvoir exécuter des opérations sur des fichiers, comme par exemple l'effacement ou la copie, il vous faut définir les fichiers qui devront y être soumis. Dans ce but, il est nécessaire de "sélectionner" des fichiers.

Copier simultanément plusieurs fichiers

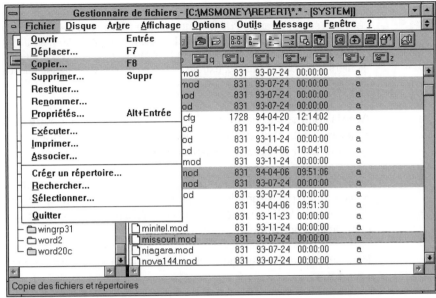

La sélection manuelle de fichiers s'effectue par clic de souris. Dès que vous cliquez sur une nouvelle icône de fichier, l'ancienne sélection est neutralisée.

Vous pouvez sélectionner plusieurs fichiers consécutifs en sélectionnant le premier fichier comme nous l'avons décrit plus haut, et en cliquant ensuite sur le dernier fichier du groupe tout en maintenant la touche «Maj» enfoncée.

Pour sélectionner plusieurs fichiers non consécutifs, sélectionnez d'abord l'un d'entre eux, puis appliquez des clics de souris sur les suivants en maintenant la touche «Ctrl» enfoncée.

6.3.4. Sélection automatique de fichiers

Il est possible de sélectionner automatiquement des fichiers possédant une caractéristique commune. La commande "Sélectionner" du menu Fichier est prévue à cet effet.

Entrez dans la zone d'édition le critère de sélection. Avec le bouton "Sélectionner", vous appliquerez le critère de sélection aux noms de fichiers du répertoire courant. Vous pouvez appliquer successivement au même répertoire plusieurs critères de sélection qui se complètent.

"Désélectionner" retire de la sélection tous les fichiers satisfaisant au critère de sélection.

Cette dernière fonction est équivalente à la fonction "Sélectionner", si ce n'est qu'elle lève une sélection au lieu de la mettre en place. Vous pouvez ainsi neutraliser votre dernière sélection, ou utiliser la fonction dans l'esprit de "tout sauf...". Sélectionnez d'abord tous les fichiers à l'aide du critère universel "*.*" puis désélectionnez les fichiers que vous souhaitez extraire de la sélection en activant le bouton "Désélectionner".

Avec la commande "Fermeture" du menu système de la fenêtre de dialogue, vous achevez la sélection et revenez dans la fenêtre de répertoire. Tous les fichiers que vous aviez sélectionné y seront affichés en inverse vidéo.

Vous pouvez ainsi effacer des groupes d'applications, les copier ou les déplacer. Sélectionnez par exemple, de temps en temps, toutes les copies de sécurité d'extension "BAK" (critère de sélection "*.BAK") et supprimez-les afin de regagner de l'espace disque.

Pour supprimer les sélections, il suffit de cliquer sur un fichier dans la fenêtre de répertoire.

6.3.5.   Affichage d'informations sur les fichiers

Par défaut, le gestionnaire de fichiers n'affiche que les noms des fichiers enregistrés dans le répertoire courant. Mais vous pouvez lui demander de visualiser d'autres informations.

Informations détaillées sur les fichiers

La fonction "Détails de fichiers" du menu "Affichage" visualise, en plus du nom de chaque fichier, la date et l'heure de la dernière modification, ainsi que les attributs du fichier et sa taille en octets. Les attributs de fichier signalent si celui-ci est caché, ou protégé en écriture, s'il s'agit d'un fichier système ou si son bit d'archivage est armé.

Visualiser certains détails de fichiers

Grâce à la commande "Affichage/Autres détails..." vous pouvez choisir les informations dont vous désirez qu'elles soient affichées parmi les quatre suivantes : Taille du fichier, Date de la dernière modification, Heure de la dernière modification au Attributs de fichier

Afficher le nom

La commande "Affichage/Nom" représente le réglage par défaut. Seuls les noms de fichiers sont affichés.

6.3.6. Trier des fichiers

En principe, les informations sur les fichiers sont triées d'après l'ordre alphabétique des noms. Ce procédé est intéressant lorsqu'on recherche un fichier dont on connaît le nom. Mais le tri alphabétique n'est pas toujours le plus utile : si vous recherchez un graphisme, le tri d'après le type de fichier est préférable, car il permet de voir en un clin d'oeil les noms de tous les graphismes sans être contraint de vérifier à chaque fois l'extension. Lorsque vous êtes confronté à des problèmes d'espace mémoire, le tri d'après la taille est intéressant pour détecter les fichiers dont la suppression serait la plus judicieuse. Un tri d'après la date de dernière modification est intéressant si vous avez l'intention de "faire le ménage" du disque dur en supprimant les données antédiluviennes, ou lorsque vous recherchez la version la plus récente d'une lettre.

Le visage du gestionnaire de fichiers peut être remodelé

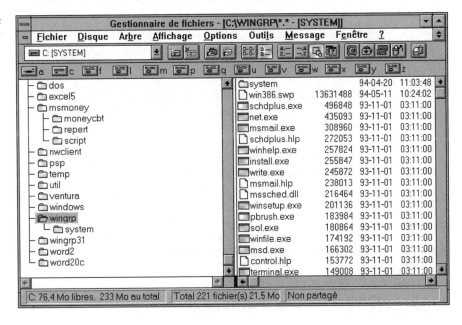

Dans le menu "Affichage" vous disposez des quatre commandes "Trier par nom", "Trier par type", "Trier par taille" et "Trier par date" qui ordonnent les entrées en conséquence.

6.3.7.   Lancer des programmes

Vous pouvez lancer directement des programmes depuis le gestionnaire de fichiers en double-cliquant sur l'icône correspondante dans la liste des fichiers.

Lorsque vous double-cliquez sur une icône de répertoire, ce sous-répertoire s'ouvre à l'écran. Un double clic sur la flèche qui figure au sommet de la liste des fichiers vous ramène dans le répertoire supérieur.

"Lancer" des documents liés

Lorsque vous double-cliquez sur un document, c'est d'abord l'application à laquelle est lié ce document qui se trouve lancée, puis le document concerné sera automatiquement chargé dans cette application.

Si vous double-cliquez sur un document non lié, un message d'erreur est renvoyé, signalant qu'aucun programme n'est associé à ce document. Vous pouvez corriger ce défaut en établissant une liaison entre ce fichier et une application appropriée. Pour d'autres informations à ce propos, reportez-vous à la section 6.8.

6.3.8.   Imprimer des documents

Il est possible d'imprimer des fichiers liés à l'aide de la commande "Imprimer" du menu Fichier. Ceci ne fonctionne que si le programme lié au fichier dispose d'une fonction d'impression.

Il est impossible d'imprimer des fichiers non liés à l'aide de la fonction "Imprimer", car l'opération nécessite une interprétation correcte des données qui se trouvent dans le fichier. Cette tâche ne peut être assumée que par le programme approprié.

Une alternative à la commande "Imprimer" est décrite dans la section 5.6.4 consacrée à la méthode "Glisser et Déplacer".

6.4.   Divers modes d'affichage

La fenêtre de répertoire comporte, en principe, sur sa gauche, l'arborescence des répertoires, et sur sa droite, la liste des fichiers contenus dans le répertoire sélectionné. Vous pouvez aussi restreindre l'affichage à l'une des deux listes, solution avantageuse lorsque le système de fichiers est particulièrement volumineux et que vous désirez avoir sous les yeux l'arborescence intégrale des répertoires, ou si l'arborescence ne vous est pas de grand intérêt et que vous préférez voir tous les noms de fichiers dans une liste entièrement visible.

Les commandes nécessaires se trouvent dans le menu Affichage et portent les noms "Arborescence seulement" et "Répertoire seulement". Avec la commande "Arborescence et répertoire", vous revenez au mode de présentation standard.

L'icône représentant deux colonnes de fichiers, permet de visualiser les fichiers des répertoires et sous répertoires par noms seulement et en colonnes de telle sorte à être visibles dans la fenêtre. L'icône à droite, permet de retrouver la visualisation précédente.

6.4.1. Modifier la subdivision

Dans une fenêtre à deux colonnes, on peut déplacer horizontalement la ligne de séparation située entre les colonnes. Vous pouvez ainsi réduire la largeur d'une colonne au profit de l'autre. Positionnez à cet effet la souris sur le trait de séparation des deux colonnes. Le pointeur se transforme en une double flèche. Si à présent vous maintenez enfoncé le bouton gauche de la souris, vous pouvez redéfinir la frontière entre les colonnes à l'aide du pointeur en forme de double flèche.

A l'aide de la commande "Fractionner" du menu Affichage, il est possible de partager en deux une fenêtre à une seule colonne. Dans la nouvelle colonne réapparaît alors le complément de ce qui était affiché jusque là, c'est à dire l'arborescence ou la liste des noms de fichiers. Cette opération est par conséquent presque équivalente à la commande "Arborescence et répertoire".

6.4.2. Autres options

Demandes de confirmation

La commande "Confirmation..." du menu Options permet de supprimer les demandes de confirmation. Par défaut, tous les types de demandes de confirmation sont actifs.

Les demandes
de
confirmation
sont
importantes
pour le
débutant

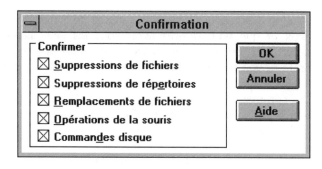

"Suppressions de fichiers" vous avertit avant l'effacement définitif d'un fichier. Il n'existe en principe aucun moyen de restaurer des fichiers à la suite d'un effacement.

"Suppressions de répertoires" demande confirmation avant la destruction d'un répertoire. Lorsque vous supprimez un répertoire, vous perdez tous les fichiers contenus dans ce répertoire, ainsi que tous les sous-répertoires dont l'origine est dans ce répertoire.

"Remplacements de fichiers" vous avertit avant de sauvegarder un fichier sous le nom d'un fichier qui existe déjà.

"Opération de la souris" demande confirmation avant d'exécuter une opération sur des fichiers commandée par déplacement d'icônes avec la souris. Il arrive souvent aux néophytes de ce périphérique de déplacer des icônes par inadvertance. En l'absence d'une demande de confirmation, les conséquences d'un tel acte peuvent être catastrophiques.

"Commandes disque" avertit l'utilisateur avant un formatage ou une copie d'une mémoire de masse. La première de ces opération s'accompagne d'une perte irrémédiable de données, et la seconde peut durer un temps non négligeable.

Le bien fondé des avertissements de ce type est évident. Il convient de ne les désactiver qu'après mûre réflexion. Certains motifs vraiment justifiés seraient par exemple un grand nombre d'opérations sur des fichiers avec la souris, où les demandes de confirmation répétées seraient gênantes. En cas d'opération de ce type, on pourrait désactiver les avertissements pour la durée de l'opération, mais il faudrait ensuite les réactiver sans tarder.

Polices

Le gestionnaire de fichiers est en mesure d'accéder à toutes les polices du système et peut par conséquent proposer d'autres types de caractères pour ses fenêtres de répertoires grâce à la commande "Police..." du menu Options.

*Toutes les
polices du
système sont
disponibles*

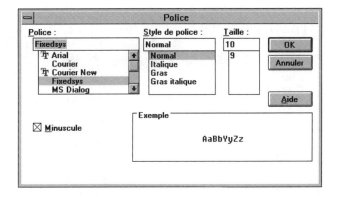

La boîte de dialogue qui s'ouvre suite à cette commande renferme les catégories standards pouvant caractériser une police : le nom de la police définit les caractéristiques fondamentales d'une police. Ce nom caractérise aussi la "famille de polices". Le style des polices concerne des attributs tels que le gras ou l'italique, et représente le plus souvent une police spécifique pour chaque attribut. Ces polices sont les "membres" de la famille de polices. La taille des caractères est exprimée en "points" et peut être comprise entre 8 et 36 points. Seules des valeurs entières sont possibles. Les valeurs décimales ne sont pas prises en compte. Les tailles normales de caractères sont celles comprises entre 10 et 12 points.

Polices TrueType

Dans la liste des familles de polices, certaines entrées sont repérées par un double T. Il s'agit là des nouvelles polices TrueType. TrueType a été développé par Microsoft pour concurrencer le standard "PostScript", actuellement le plus répandu, et présente des caractéristiques analogues, en particulier une apparence de haute qualité associée à des possibilités quasi illimitées d'agrandissement.

Dès que vous procédez à un changement dans l'une des trois listes de sélection, la zone Exemple visualise immédiatement la nouvelle police qui en résulte. Vous pouvez par conséquent procéder à des essais avant de choisir définitivement la nouvelle police pour l'appliquer au gestionnaire de fichiers.

Un changement de police se répercute sur toutes les fenêtres de répertoires du gestionnaire de fichiers. Il n'est toutefois pas possible de combiner plusieurs polices.

Choix d'une autre police d'affichage

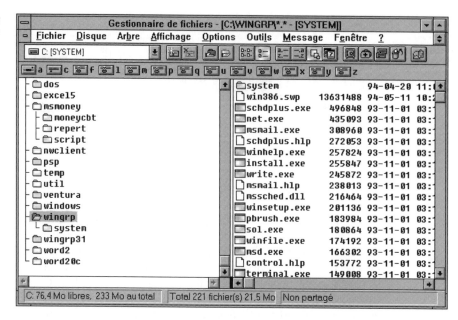

Police adaptée :

Pour ce qui concerne l'affichage à l'écran, il est habituellement rapide de trouver une police adaptée. Les caractères d'une taille inférieure à 8 points sont généralement illisibles, et les polices de plus de 15 points sont difficiles à lire. Mais les nombreuses variantes de polices trouvent tout leur intérêt lorsque, par exemple, vous désirez imprimer l'arborescence des répertoires ou le contenu d'un répertoire. L'imprimante utilise à cet effet (dans le cadre de ses possibilités) la police active.

Barre d'état

Des informations précieuses au prix d'une perte de surface

Dans la dernière ligne de la fenêtre du gestionnaire de fichiers est, en principe, affichée une barre d'état dans laquelle sont retournées des informations relatives à l'opération en cours sur des fichiers. Vous pouvez désactiver la barre d'état au profit des fenêtres de répertoires afin de gagner en surface. Sélectionnez dans ce but la commande "Barre d'état" dans le menu Options. Une nouvelle activation de cette commande remet la barre d'état en place.

La barre d'état peut être extrêmement utile. Elle affiche, sans intervention particulière de votre part, l'espace disque disponible, dès que vous sélectionnez un répertoire. Lorsque vous cliquez sur un fichier, vous connaissez immédiatement son volume en octets.

Sauvegarde des options

La configuration actuelle du gestionnaire de fichiers ne sera sauvegardée que si la fonction "Enregistrer la configuration en quittant" du menu Options est active. Dans le cas contraire, tous vos réglages disparaissent dès que vous fermez le gestionnaire de fichiers, et lors de son prochain lancement, il se présentera de la même manière qu'au début de sa précédente activation.

Réduire à l'utilisation

Cette option nous est déjà apparue dans le gestionnaire de programmes, mais ici, son fonctionnement est légèrement différent : lorsqu'elle est active, le gestionnaire de fichiers immédiatement sera immédiatement réduit à la taille d'une icône à la suite de son lancement. Cela peut être utile lorsqu'il a été déplacé dans le groupe Démarrage, ou si à la place du gestionnaire de programmes vous préférez utiliser le gestionnaire de fichiers comme "Shell". Le gestionnaire de fichiers est ainsi accessible en cas de besoin, sans risquer d'être masqué par les fenêtres d'autres applications, ou sans masquer lui-même d'autres fenêtres.

6.5. Travailler avec plusieurs fenêtres

La fenêtre de répertoire se comporte de la même façon qu'une fenêtre de document normale : vous pouvez l'afficher en mode plein écran ou la réduire à la taille d'une icône. Cela ne présente évidemment un intérêt qu'en association avec d'autres fenêtres. En fait, vous pouvez ouvrir théoriquement un nombre illimité d'autres fenêtres de répertoires.

La commande "Nouvelle fenêtre" du menu Fenêtre crée une nouvelle fenêtre de répertoire possédant la même structure que la fenêtre active précédente. C'est en particulier dans des opérations de fichiers comme la copie ou le déplacement qu'il est utile de travailler avec deux fenêtres de répertoires pouvant tenir lieu de fenêtre source et de fenêtre de destination.

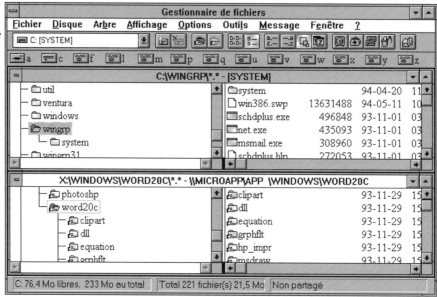

Répertoires source et cible pour une copie à l'aide de deux fenêtres

La gestion des fenêtres de répertoires s'effectue de la même façon que pour les fenêtres normales : dans le menu Fenêtre sont proposés, comme d'habitude, les modes d'affichage "Cascade" et "Mosaïque". Lorsque les fenêtres sont disposées en cascade, un clic de souris sur la fenêtre désirée suffit à l'amener au premier plan. Lorsqu'une fenêtre de répertoire devient inutile, vous pouvez la fermer comme d'habitude par un double clic sur la case système ou au moyen de la commande "Fermeture" du menu système de la fenêtre.

6.6. Glisser & déplacer : opérations sur les fichiers à l'aide de la souris

La technique du "glisser & déplacer" est une spécificité de tous les environnements utilisateur modernes : avec la souris, vous déplacez une icône sur un autre symbole, puis la libérez (à la manière des gouttes d'un compte-gouttes, d'où "drag" et "drop"). Vous déclenchez ainsi des opérations plus ou moins complexes sur des fichiers par un simple clic de souris.

Ouvrir une fenêtre source et une fenêtre cible

Etant donné qu'une fenêtre de répertoire n'est capable de représenter que les répertoires d'une seule unité disque, vous devriez, pour certaines opérations sur des fichiers, ouvrir une deuxième fenêtre de répertoire. Généralement, le travail avec deux fenêtres facilite les opérations de déplacement et de copie. Disposez-les de manière à ce qu'elles soient toutes deux visibles (par exemple avec la fonction "Mosaïque horizontale" du menu Fenêtre). Activez à présent dans la première fenêtre le répertoire source, dans lequel se trouve le fichier à copier ou à déplacer, et dans la deuxième fenêtre le répertoire cible.

Icônes de lecteurs

Les icônes de lecteurs tiennent lieu, elles aussi, de boutons de commande pour la souris. Pour copier, par exemple, le contenu d'une disquette dans un répertoire du disque dur, sélectionnez d'abord le répertoire désiré du disque dur, puis passez dans le lecteur de disquette. Sélectionnez-y les fichiers à copier, ou utilisez le répertoire racine. Tirez-le jusque sur l'icône du disque dur et relâchez le bouton de la souris.

6.6.1. Copie de fichiers et de répertoires

Vous copierez un fichier ou tout un répertoire en positionnant le pointeur sur l'icône correspondante et en la tirant jusque sur l'icône du répertoire de destination tout en maintenant le bouton de la souris enfoncé. Vous pouvez également la tirer jusque dans la liste des fichiers du répertoire de destination. Lâchez alors le bouton de la souris. Mais attention : si vous déplacez des fichiers à l'intérieur d'une même unité disque, ceux-ci ne seront pas copiés, mais simplement déplacés. Pour les copier, il faut, pendant le déplacement de l'icône, appuyer sur la touche «Ctrl» en même temps que sur le bouton gauche de la souris. Lorsque vous tirez des icônes d'un lecteur dans un autre, ou à l'intérieur d'un même répertoire c'est automatiquement la fonction de copie qui est activée. L'apparence du pointeur vous montre si l'opération courante est une copie ou un déplacement : en mode de copie, l'icône en forme de classeur est munie d'un signe d'addition.

Copier des groupes entiers de fichiers :

Vous pouvez aussi copier ou déplacer en une seule opération tout un groupe de fichiers. Sélectionnez préalablement les fichiers désirés comme nous l'avons décrit dans les sections 6.3.3 et 6.3.4.

6.6.2. Déplacement de fichiers et de répertoires

Vous pourrez être amenés à réorganiser la distribution de fichiers ou de répertoires. Dans ce cas il suffit de les déplacer d'un endroit à un autre.

Procédez comme nous l'avons décrit dans la section 6.6.1. Lorsque vous déplacez des symboles à l'intérieur d'un même lecteur, c'est automatiquement la fonction de déplacement qui est active. Si vous désirez déplacer des icônes d'un lecteur vers un autre, il faut appuyer sur la touche «Maj» en plus du bouton de la souris afin de basculer de la fonction de copie à celle de déplacement.

6.6.3. Placer des programmes ou des fichiers dans le gestionnaire de programmes

Il est tout aussi simple d'introduire des programmes ou des documents dans les groupes d'applications du gestionnaire de programmes. Sélectionnez à cet effet le programme ou document désiré dans le gestionnaire de fichiers, et tirez son icône dans un groupe d'applications du gestionnaire de programmes ou sur une icône de groupe de programmes. Le pointeur se transforme en un panneau d'interdiction dès qu'il se trouve dans une zone de l'aire de travail dans laquelle l'icône ne peut pas être installée.

Des documents ne peuvent être insérés dans un groupe de programmes que s'ils sont liés à un programme capable de les représenter. Les groupes d'applications ne peuvent en effet contenir que des fichiers exécutables, et seuls les documents liés sont considérés comme tels. Vous trouverez des renseignements plus complets sur les liaisons dans la section 6.8.1.

6.6.4. Transmettre des fichiers à des programmes

La technique Drag & Drop présente encore d'autres facettes : elle permet de communiquer des fichiers à des programmes en cours d'exécution. Si par exemple le traitement de textes "Write" fonctionne en arrière-plan, il suffit de tirer un document Write depuis le gestionnaire de fichiers sur l'icône de l'application Write pour charger le document. Vous pouvez aussi amener l'icône de document dans la fenêtre ouverte de Write.

Imprimer par Drag & Drop

La complexité que peuvent atteindre les opérations simples à exécuter par la technique du glisser/déplacer est parfaitement mise en évidence par le gestionnaire d'impression. Lorsqu'il fonctionne en arrière-plan, il suffit d'amener une icône appropriée (texte ou graphisme) depuis le gestionnaire de fichiers sur l'icône du gestionnaire d'impression. Suite à cela sera lancée l'application capable de représenter le document. Ce document sera immédiatement chargé avec activation de la fonction d'impression. A l'issue de l'impression tous les programmes et documents qui sont intervenus dans ce processus seront refermés. Il n'existe pas de moyen plus simple ou plus rapide pour imprimer un fichier.

6.7. Travailler avec des mémoires de masse

Dans le menu Disque se trouvent toutes les commandes prévues pour l'entretien et le travail avec des mémoires de masse.

6.7.1. Formater des disquettes

Comme vous le savez, il est nécessaire de formater les disquettes que vous achetez avant de les utiliser pour la première fois. Cette tâche est prise en charge par la commande "Formater une disquette...".

Définissez d'abord le lecteur dans lequel vous envisagez de formater. Suite à cela, Windows pour Workgroups propose une valeur dans la zone "Capacité", valeur qu'il est possible de réduire de moitié lorsqu'il s'agit d'une disquette de simple densité.

Seules des disquettes peuvent être formatées

Formatage rapide

Dans le groupe Options, vous pouvez indiquer d'autres spécifications. C'est ainsi que vous y définirez le nom de la disquette (pas de spécification = pas de nom). Si vous désirez créer une disquette amorçable permettant d'initialiser le système, il faut cocher la case "Créer une disquette système". Dans ce cas, les fichiers MS-DOS nécessaires seront copiés sur la disquette avec l'attribut "caché". Ce groupe propose de plus la possibilité d'un "Formatage rapide". Cette option ne fonctionne que si la disquette avait déjà subi un premier formatage, lorsque par exemple vous désirez la vider pour l'utiliser à d'autres fins. Notez que le formatage rapide ne détecte pas les secteurs défectueux, et il faut donc que vous soyez sûr de la qualité physique de la disquette. Si les conditions précédentes sont remplies, la disquette sera formatée en un temps sensiblement plus court qu'avec la simple commande Format du DOS.

Formatage de disquettes :

Avant de formater une disquette, assurez-vous qu'elle ne contient pas de données importantes. Celles-ci seraient automatiquement détruites par le formatage. C'est la raison pour laquelle le formatage de disques durs n'est pas possible avec la commande "Formater une disquette...". Un nouveau disque dur doit être formaté à l'aide des commandes DOS. A cet effet, il est indispensable de quitter Windows pour Workgroups, puisque pendant son fonctionnement, le recours à des commandes DOS sensibles à la durée ou intervenant sur le fonctionnement interne de l'ordinateur est interdit. Le stockage temporaire de nombreux registres et données pourrait en effet être à l'origine de situations conflictuelles, et comme Windows pour Workgroups s'approprie aussi une partie du temps système lorsqu'il tourne en arrière-plan, le fonctionnement des processus sensibles à la durée pourrait être défectueux.

Protection des données

Le recours au formatage rapide n'est possible que si la disquette a déjà été formatée une première fois avec la même densité. Dans le cas contraire, Windows pour Workgroups retourne un message d'erreur. Cette technique se contente de réécrire les informations système de la disquette, ce qui permettra, le cas échéant, de restaurer les données initiales contenues dans la disquette à l'aide des utilitaires appropriés. C'est là un point important au sens de la protection des données : seule une disquette formatée "normalement", sans recourir au formatage rapide, ne contient plus de données.

6.7.2. Création de disquettes système

La commande "Créer une disquette système..." commence par formater une disquette, puis y copie les fichiers système de MS-DOS. De telles disquettes permettront ensuite d'initialiser des ordinateurs MS-DOS.

L'activation de cette commande équivaut à celle de formatage d'une disquette avec l'option "Créer une disquette système".

Si Windows pour Workgroups ne parvient pas à localiser les fichiers système, il renvoie un message d'erreur.

6.7.3. Attribution d'un nom à une mémoire de masse

Chaque mémoire de masse - disquette de même que disque dur - peut se voir affecté un nom d'une longueur maximale de onze caractères. Activez à cet effet la commande "Nommer un disque..." du menu Disque. Le nom utilisé jusque là apparaît alors dans la zone d'édition de la boîte de dialogue qui s'ouvre à l'écran, et vous pouvez le modifier ou le remplacer.

Le fait que dans le cadre du processus de formatage d'une disquette la saisie d'un nom est facultative (Cf. section 6.7.1) laisse supposer que pour la plupart des opérations sur des fichiers, ce nom n'est pas important. Il existe toutefois certains programmes qui en ont besoin pour pouvoir charger les fichiers appropriés durant leur installation à partir de disquettes qu'ils identifient justement grâce à leur nom.

6.7.4. Copie de disquettes

Il est très facile de copier le contenu de disquettes à l'aide du gestionnaire de fichiers. Sélectionnez la commande "Copier une disquette..." du menu Disque, un message de garde s'affiche vous avertissant des danger d'une telle opération. La copie d'autres mémoires de masse comme les disques durs, les disques amovibles ou les bandes magnétiques n'est pas aussi simple. Dans ce cas, il est nécessaire de copier individuellement tous les fichiers.

Message d'avertissement pour lors de la copie de disquettes

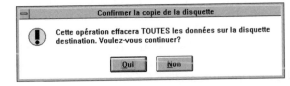

Lorsque vous acceptez les risques de copie de disquettes, vous êtes guidés dans la copie avec des messages vous indiquant l'ordre des choses.

Premier message pour vous guider dans la procédure de copie de disquettes

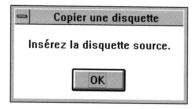

Protection en écriture lors de la copie :

Par mesure de sécurité, veillez à ce que les disquettes source soient protégées en écriture : sur les disquettes de 3 1/2", le verrou en plastique doit être repoussé vers le haut de manière à libérer le trou de l'habillage, et sur les disquettes de 5 1/4" l'encoche latérale doit être masquée au moyen d'un adhésif opaque. Quand à la disquette cible, elle ne doit évidemment pas être protégée contre l'écriture.

Il n'est pas nécessaire que la disquette de destination soit formatée. Le cas échéant, la fonction de copie formatera la disquette pendant la copie. Notez toutefois que toutes les données présentes sur la disquette de destination avant la copie seront irrémédiablement perdues.

6.7.5. Créer un nouveau répertoire

Les sous-répertoires servent à organiser les données sur votre disque dur. Vous devriez impérativement recourir à cette possibilité. Lorsque par exemple vous installez un nouveau programme, vous avez intérêt à lui affecter un répertoire spécifique. Non seulement ce procédé permet de regrouper les fichiers qui ont un rapport entre eux, mais si par la suite vous désirez effacer le programme, il suffira de supprimer le sous-répertoire concerné. La plupart des programmes d'installation créent automatiquement un nouveau sous-répertoire. Lorsque l'application de dispose pas de son propre programme d'installation, il vous faut créer vous-même un sous-répertoire à son intention, puis y recopier les fichiers à partir de la disquette. La même remarque vaut pour les données : votre courrier privé devrait être séparé du courrier professionnel ou des documents d'un autre utilisateur au moyen de sous-répertoires.

La commande "Créer un répertoire..." du menu Fichier crée un nouveau sous-répertoire. Ce nouveau sous-répertoire sera installé dans le répertoire sélectionné. Sélectionnez par conséquent, avant d'activer cette commande, le répertoire qui convient. Vous pouvez évidemment aussi déplacer par la suite le nouveau répertoire à un autre endroit du système de fichiers par la technique de Drag & Drop (Cf. section 6.6.2).

6.7.6. Renommer des fichiers et des répertoires

Il est parfois nécessaire de donner un autre nom à des fichiers ou des répertoires. Sélectionnez à cet effet d'abord l'icône correspondante, puis activez la commande "Renommer" du menu Fichier.

Les noms de fichiers se composent de huit caractères, d'un point et d'une extension de trois caractères. Habituellement, on n'affecte aux répertoires ni le point, ni l'extension.

Caractères particuliers interdits

Le nom et l'extension d'un fichier ou d'un répertoire peut comporter tous les caractères, à l'exception des suivants :

Point (.), Virgule (,), Double point (:), Point virgule (;),
Trait vertical (|), Antislash (\), Signe de fraction (/),
Crochets ([]), Guillemets ("), Signe d'égalité (=)

Il s'agit en effet là de caractères particuliers remplissant des fonctions spéciales. Leur utilisation dans des noms de fichiers ou de répertoires peut engendrer des conséquences inattendues.

L'extension d'un nom de fichier est très importante et caractérise le type du fichier. Vous ne devriez par conséquent jamais modifier une extension sinon il se pourrait que le fichier ne soit plus reconnu comme programme, ou, s'il s'agit d'un document, qu'il ne puisse plus être chargé.

Veillez à ne renommer que les répertoires que vous avez créés vous-même. Si vous changez les noms de répertoires de Windows pour Workgroups ou d'autres programmes, des difficultés majeures sont à craindre, car ces programmes risquent de ne plus parvenir à localiser les chemins de certains de leurs fichiers système. Ces derniers seraient alors inaccessibles à Windows pour Workgroups.

6.7.7. Suppression de fichiers et de répertoires

Avec la commande "Supprimer" du menu Fichier, vous pouvez effacer des fichiers et des répertoires, dans la mesure où leur attribut de protection en écriture n'est pas armé. Dans ce cas, il convient d'abord de retirer cet attribut à l'aide de la commande "Propriétés..." (voir aussi la section 6.7.8).

Sélectionnez le fichier ou le répertoire à effacer dans le gestionnaire de fichiers, et activez ensuite la commande. Le bouton OK lance le processus de suppression. Rappelons que, contrairement à ce qui se passe en DOS, un répertoire sera effacé même s'il contient des fichiers ou d'autres répertoires. Ceux-ci seront détruits en même temps.

6.7.8. Mise en place d'attributs de fichiers

La commande "Propriétés" du menu Fichier fournit des informations supplémentaires sur les fichiers et les répertoires. Sélectionnez à cet effet l'icône du répertoire ou du fichier concerné dans le gestionnaire de fichiers, puis activez la commande. L'opération est plus rapide avec une combinaison de touches : sélectionnez l'icône et actionnez la touche «Entrée» en maintenant enfoncée la touche «Alt».

Définir des attributs de fichiers à l'aide de cases à cocher

Propriétés pour PROGMAN.EXE	
Nom du fichier : PROGMAN.EXE	OK
Chemin d'accès : C:\WINDOWS	Annuler
Dernière modification : 92-03-10 12:00:00	
Version : 3.10	Ouvert par...
Copyright : Copyright © Microsoft Corp. 1991-1992	Aide
Taille : 116 336 octets	

Attributs
☐ Lecture seule   ☐ Fichier caché
☒ Fichier archive   ☐ Fichier système

Informations sur la version

Description du fichier	Gestionnaire de programme de Windows
Langue	
Nom d'origine du fichier	
Nom du produit	
Nom interne	
Organisation	
Version du produit	

Dans la partie supérieure de la boîte de dialogue sont affichées les informations habituelles, que vous pouvez aussi visualiser dans la fenêtre de répertoire : nom, taille, date de dernière modification et chemin d'accès.

La partie inférieure est plus intéressante. Elle concerne les quatre attributs possibles pour un fichier :

Lecture seule

Lorsque cet attribut est actif, il n'est pas possible de supprimer le fichier ou le répertoire. Tous les fichiers importants devraient être protégés de cette façon. Si vous désirez effacer le fichier par la suite, il suffira de retirer cet attribut.

Fichier archive

Lorsque vous modifiez un fichier, le système d'exploitation lui affecte cet attribut. Certains programmes de sauvegarde lisent cette information et peuvent ainsi sauvegarder de manière sélective les fichiers qui ont effectivement été modifiés depuis une sauvegarde précédente. En cas de backup régulier du disque dur, le gain de temps ainsi réalisé est appréciable. Après la sauvegarde d'un fichier, le programme de backup désarme cet attribut. Si le fichier concerné ne subit aucune modification d'ici la prochaine sauvegarde, il ne sera pas intégré au backup suivant.

Dans le mode de visualisation "Détail des fichiers" les attributs de fichiers sont également affichés

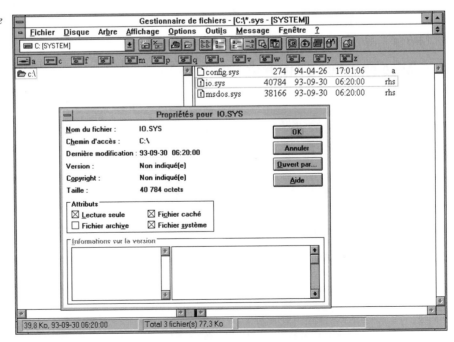

Fichier caché

Cet attribut peut être affecté à tous les fichiers que l'on désire ne pas voir dans la liste des fichiers du gestionnaire de fichiers. En principe, il agrémente les fichiers système, dont il est préférable qu'ils n'apparaissent pas dans la liste afin qu'on ne soit pas tenté de les effacer ou de les modifier.

Mais, si vous le désirez, vous avez aussi la possibilité de faire apparaître les fichiers cachés dans le gestionnaire de fichiers. Sélectionnez à cet effet "Par types de fichiers" dans le menu Affichage du gestionnaire de fichiers. Dans la boîte de dialogue vous voyez une case à cocher intitulée "Visualisation des fichiers système/cachés". Lorsqu'elle est active, les fichiers cachés apparaissent eux aussi dans la liste, mais y sont représentés par une icône différente.

Fichier système

L'attribut Système fonctionne de manière analogue à l'attribut Caché: il est affecté à tous les fichiers système de MS-DOS, qui suite à cela, de même que des fichiers cachés, ne seront pas visibles dans la liste. La même particularité que pour les fichiers cachés s'applique aussi aux fichiers système : lorsque l'option appropriée est active, le gestionnaire de fichiers les affiche tout de même (voir plus haut).

Mise en place d'attributs

Les attributs courants sont représentés par des cases à cocher pouvant être activées/désactivées au moyen d'un clic de souris. Les nouveaux attributs prennent effet, dès que l'on actionne le bouton OK.

6.8.   Lier des fichiers à des programmes

Les programmes peuvent être lancés directement car ils contiennent des codes que l'ordinateur est capable d'exécuter. Les documents ne se composent par contre que de données et doivent être chargés par un programme capable d'interpréter ces données.

Windows pour Workgroups offre toutefois la possibilité de lier des documents à des programmes. Le principe est simple : un groupe de documents déterminés (caractérisés par une extension commune) est associé à un programme capable de représenter leurs données. Dès qu'on "active" un document lié de cette manière, Windows pour Workgroups charge d'abord le programme avec lequel la liaison est établie, puis lui donne l'ordre de charger le document et de le visualiser. Il en résulte l'impression qu'un tel fichier document peut également être "lancé" directement.

Affecter un groupe de documents à un programme

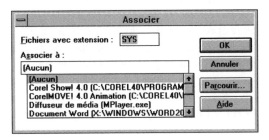

Transparence des données

Mais le plus grand avantage de cette technique réside dans la transparence des données. Il suffit d'appeler les fichiers liés au moyen d'un double clic pour voir leur contenu. En fait, il ne devrait plus exister de fichiers non transparents, c'est à dire inconnus d'une application.

Les fichiers liés peuvent, ce même que les programmes, être installés dans les groupes d'applications du gestionnaire de programmes. Voyez à ce propos la section 6.6.3.

La mise en place de la liaison s'effectue par la commande "Fichier/Associer" et concerne tous les fichiers possédant une extension déterminée. Après l'activation de cette commande, une boîte de dialogue s'ouvre à l'écran, dans laquelle il convient d'entrer cette extension. Par défaut, le programme propose l'extension du dernier fichier sélectionné dans le gestionnaire de fichiers.

Les liaisons sont recensées dans le fichier WIN.INI, et plus précisément dans la rubrique [extensions]. Voici la liste des associations implicites que Windows pour Workgroups établit automatiquement :

```
[Extensions]
cal=calendar.exe ^.cal %Fichiers de l'agenda
crd=cardfile.exe ^.crd %Fichiers du répertoire
trm=terminal.exe ^.trm %Fichiers du terminal
txt=notepad.exe ^.txt %Fichiers texte du bloc-notes
ini=notepad.exe ^.ini %Fichiers INI pour le bloc-notes
pcx=pbrush.exe ^.pcx   %Images PCX pour Paintbrush
bmp=pbrush.exe ^.bmp   %Images BMP pour Paintbrush
wri=write.exe ^.wri    %Documents de Write
rec=recorder.exe ^.rec %Fichiers de macros
hlp=winhelp.exe ^.hlp %Fichiers d'aide
```

Développer la liste des associations

Vous pouvez sélectionner dans une liste l'application Windows pour Workgroups à laquelle les fichiers sélectionnés doivent être liés. Si l'application recherchée ne se trouve pas dans cette liste, vous pouvez la spécifier directement dans le système de fichiers après activation du bouton "Parcourir". Mais vous pouvez aussi ajouter à la liste des programmes qui n'y figurent pas. Dans ce but, vous utiliserez le programme REGEDIT.EXE décrit dans la section 6.8.1 qui suit.

6.8.1. REGEDIT - Des programmes supplémentaires pour les liaisons

REGEDIT.EXE est un programme fourni avec Windows pour Workgroups, qui permet de développer la liste des programmes utilisables pour les liaisons. Etant donné que cet utilitaire n'est en principe utilisé que rarement, voire pas du tout, il n'est pas présent dans le gestionnaire de programmes, et il faut l'y intégrer ultérieurement. Ce processus est décrit dans la section 5.5.6.

Homologuer d'autres programmes pour des liaisons

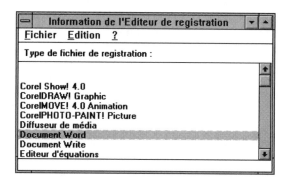

A la suite de son lancement, le programme délivre une liste de toutes les applications déjà recensées pour des liaisons. Avant de recenser une nouvelle application vous devriez observer un modèle de recensement de programme existant. Cliquez à cet effet sur un élément de la liste et sélectionnez la fonction "Modifier un type de fichier..." dans le menu Edition. Une boîte de dialogue contenant les paramètres correspondants s'ouvre à l'écran.

Pour recenser un nouveau programme, sélectionnez la fonction "Ajouter un type de fichier..." du menu Edition. Un formulaire vide vous est alors présenté. Sélectionnez d'abord le programme (désigné par la zone Commande), en cliquant sur le bouton "Parcourir". Selon la technique habituelle, vous pouvez choisir le programme dans le système de fichiers. Le cas échéant, vous pourrez être amené à changer d'unité disque.

Remplissez ensuite la zone "Type de fichier" : il convient d'écrire ici la description du type de fichier, cette description apparaissant par la suite dans la liste des associations existantes.

La troisième étape consiste à remplir la zone "Identificateur". L'identificateur sert à Windows pour Workgroups à des fins de gestion interne, et doit être une expression unique permettant de distinguer le nouveau programme de tous les autres programmes recensés. Bien que vous disposiez à cet effet de 63 caractères soumis aux mêmes restrictions que pour les noms de fichiers, il est généralement plus avantageux de mentionner dans cette zone le nom du programme (sans extension), car celui-ci est le plus souvent unique.

Vous pouvez, pour finir, encore choisir entre deux mesures (Ouvrir ou Imprimer), et spécifier si le programme supporte le DDE (Dynamic Data Exchange = Echange Dynamique de Données). Ce n'est jamais le cas des programmes DOS, et la plupart des programmes Windows pour Workgroups se sont convertis du DDE à l'OLE (Cf. section 9.2), d'où il résulte que cette case à cocher devra dans la plupart des cas être désactivée.

Dès que vous cliquez sur le bouton OK, la nouvelle entrée sera intégrée à la liste. Vous pouvez à présent, comme nous l'avons décrit dans la section 6.8, associer des fichiers à cette entrée.

REGEDIT.EXE offre d'autre part la possibilité de fusionner plusieurs fichiers de recensement. Cette opération sera réalisée à l'aide de la fonction "Fusionner un fichier de registration..." du menu Fichier.

6.9. Création de répertoires partagés

Nous allons montrer brièvement comment fonctionne l'accès à un répertoire se trouvant sur un autre ordinateur.

Pour qu'un utilisateur travaillant sur une autre machine puisse accéder aux données de votre ordinateur, vous devez définir ces données comme étant partageables. Pour cela acrivez le gestionnaire de fichiers et activez la commande «Disque/Partager». La boîte de dialogue suivante s'affiche :

La boîte de dialogue "Partager le répertoire" du gestionnaire de fichier

Dans cette boîte de dialogue, vous pouvez définir les répertoires partageables ainsi que les conditions d'accès aux données qu'ils contiennent. Le type "Accès en lecture seule" permet de lire le fichier mais pas d'en modifier le contenu. "Accès complet" permet d'avoir tous les droits de lecture et de modification sur les fichiers partagés. La dernière option, "Accès selon le mot de passe" filtre les accès grâce à un mot de passe. Seules les personnes qui disposent du mot de passe peuvent y accéder.

Dans le gestionnaire de fichier, les répertoires caractérisés par une icône de répertoire n'a pas changé et ne peut donc être utilisé que de manière locale.

Un répertoire pourvu d'une icône où l'on voit un répertoire présenté sur une main, a été défini comme partagé donc accessible à partir d'autres ordinateurs.

Pour voir si votre partage marche, vous devez vous connecter depuis une autre machine à l'ordinateur sur lequel des répertoires partagés ont été créés. Bien sur vous devez être connectés en réseau (par exemple Novell).

Pour accéder à un répertoire se trouvant sur un autre ordinateur vous devez d'abord vous connecter à cet ordinateur par le biais de la commande du gestionnaire de fichier «Disque/Connecter un lecteur réseau». Dans la boîte de dialogue qui s'affiche, vous pouvez indiquer sous quelle lettre de lecteur vous voulez accéder dans la zone "Lecteur". Et spécifier le chemin d'accès (nom de l'ordinateur et nom de partage) aux données dans la zone "Chemin". Si le partage de données est protégés par un mot de passe, ce dernier vous sera demandé.

*Créer une
connexion
avec un lecteur*

```
┌─────────────────────────────────────────────────────────────┐
│ ▬              Connecter un lecteur réseau                   │
├─────────────────────────────────────────────────────────────┤
│  Lecteur :         [▭▭ D: \\MICROAPP\ECH \      ] [±]  ┌──OK──┐│
│                                                        └──────┘│
│  Chemin d'accès :  [                            ] [±]  ┌Annuler┐│
│                                                        └──────┘│
│              ⊠ Se reconnecter au démarrage            ┌NetWare…┐│
│              ⊠ Toujours parcourir                     └───────┘│
│                                                        ┌─Aide─┐│
│  Afficher les répertoires partagés sur :              └──────┘│
│  ┌──────────────────────────────────────────────────────────┐│
│  │ 🖳 SYSTEME                                                 ││
│  │ 🖳 FADILA              SYSTEMES                            ││
│  │                                                           ││
│  │                                                           ││
│  │                                                           ││
│  └──────────────────────────────────────────────────────────┘│
│  Répertoires partagés :                                       │
│  ┌──────────────────────────────────────────────────────────┐│
│  │                                                           ││
│  │                                                           ││
│  │                                                           ││
│  └──────────────────────────────────────────────────────────┘│
└─────────────────────────────────────────────────────────────┘
```

Si l'ordinateur est affiché dans la liste et s'il n'a pas de répertoires disponibles, cela veut dire qu'aucun répertoire accessible en partage n'est disponible sur cet ordinateur. Vous devez d'abord en définir et ensuite reprendre la connexion.

6.10. Quitter le gestionnaire de fichiers

Pour quitter le gestionnaire de fichiers, il faut appliquer un double clic sur sa case système, ou activer la commande Fichier/Quitter. N'oubliez pas d'activer l'option "Enregistrer la configuration en quittant" dans le menu Options, si vous désirez que le gestionnaire de fichiers démarre, à son prochain lancement, avec les mêmes paramètres que ceux qui étaient actifs lorsque vous l'avez quitté.

6.11. Raccourci clavier pour le gestionnaire de fichiers

Pour conclure ce chapitre, nous vous présentons ci-après la liste des combinaisons de touches les plus utiles pour compléter les actions de souris. Le gestionnaire de fichiers se compose de trois airs de travail distinctes, dans lesquelles les effets d'une même combinaison de touches sont différents. Il s'agit de la zone des icônes de lecteurs, où on peut passer d'une unité disque à une autre, de l'arborescence des répertoires, et du répertoire renfermant tous les noms de fichiers, ces trois zones constituant la fenêtre de répertoire. Une option permet de ne répartir la fenêtre de répertoire que sur deux zones, les commandes de clavier pour la troisième étant alors sans effet.

Dans l'arborescence des répertoires

«Tab»	Permet de circuler entre l'arborescence des répertoires, le contenu du répertoire (lorsque les deux sont affichés) et les icônes d'unités disques
touches fléchées	Permettent de circuler dans l'arborescence des répertoires. Les touches fléchées droite/gauche assurent la circulation entre les niveaux de répertoires (par exemple dans un sous-répertoire), et les touches fléchées haut/bas à l'intérieur d'un même niveau
«Entrée»	Affiche ou occulte des sous-répertoires
«Maj»+«Entrée»	Ouvre une nouvelle fenêtre avec le contenu du répertoire sélectionné
«PgUp»/«PgDn»	Fait défiler l'arborescence des répertoires d'une page d'écran vers le haut ou vers le bas
«Origine»	Saute au répertoire racine, au sommet de l'arborescence
«Fin»	Sélectionne le dernier répertoire de l'arborescence
«Caractère»	Sélectionne le premier répertoire commençant par ce caractère
«+»	Développe le répertoire courant
«-»	Réduit le répertoire courant de l'affichage

Dans la liste des fichiers

«Tab»	Permet de circuler entre l'arborescence des répertoires, le contenu du répertoire (lorsque les deux sont affichés) et les icônes d'unités disques
touches fléchées	Permettent de circuler dans la liste
«Maj»+touches fléchées	Sélectionne/désélectionne plusieurs entrées de la liste
«Maj»+«F8»	Sélectionne/désélectionne des entrées non consécutives de la liste («Espace» assure la sélection/désélection)
«Espace»	En association avec la combinaison de touches précédente, assure la sélection/désélection
«Ctrl»+«:»	Sélectionne tous les éléments de la liste
«Entrée»	Ouvre un répertoire ou lance un fichier

«Maj»+«Entrée»	Ouvre une nouvelle fenêtre avec le contenu du répertoire sélectionné
«PgUp»/«PgDn»	Fait défiler la liste d'une page d'écran vers le haut ou vers le bas
«Origine»	Sélectionne le premier fichier ou répertoire de la liste
«Fin»	Sélectionne le dernier fichier ou répertoire de la liste
«Caractère»	Sélectionne le premier fichier ou sous-répertoire commençant par ce caractère

Dans la zone de sélection des lecteurs

«Tab»	Permet de circuler entre l'arborescence des répertoires, le contenu du répertoire (lorsque les deux sont affichés) et les icônes d'unités disques
«Ctrl»+«Lettre»	Active l'unité correspondant à cette lettre
touches fléchées droite/gauche	Assurent le passage d'une unité disque à une autre
«Espace»	Change de lecteur
«Entrée»	Ouvre une nouvelle fenêtre de répertoire

Chapitre

7

Le panneau de configuration

L'interface entre utilisateur et ordinateur, c'est à dire l'environnement utilisateur graphique, peut être adaptée à vos goûts et besoins dans de nombreux domaines. Les éléments secondaires tels qu'un graphisme en arrière-plan de l'environnement entrent dans ce cadre, au même titre que les spécificités nationales.

Les modifications de configuration seront réalisées à l'aide d'un programme dont le nom est "Panneau de configuration". Il se trouve dans le groupe principal du gestionnaire de programmes. Double-cliquez sur l'icône de cette application afin de la lancer.

Dans la fenêtre de l'application vous trouvez quatorze icônes représentant les sous-fonctions du programme. Chaque sous-fonction est consacrée à un sujet spécifique. Vous activerez la sous-fonction désirée, selon la technique habituelle, au moyen d'un double clic sur son icône.

7.1.   Mise en forme de l'environnement

Quatre ensembles de fonctions, "Couleurs", "Bureau", "Son" et "Réseau", appartiennent à cette catégorie. Ce sont eux qui permettent de définir l'apparence et le comportement de l'environnement utilisateur. Dans ce domaine, seuls vos goûts personnels sont déterminants. Il n'est pas inutile de "jouer" avec les possibilités proposées, bien que vous ne tarderez pas à vous rendre compte que pour travailler de façon agréable avec Windows pour Workgroups, l'activation de toutes les options n'apporte pas nécessairement un progrès dans la convivialité.

7.1.1.   Choix des couleurs

Activez par double clic la fonction "Couleurs". Une zone de liste déroulante propose divers modèles de couleurs à votre choix.

Un modèle de couleur est un petit fichier qui définit la couleur que les divers éléments de l'environnement graphique utilisateur posséderont. Vingt trois éléments de ce type vous sont proposés.

*La zone de
liste
déroulante
pour le choix
des couleurs*

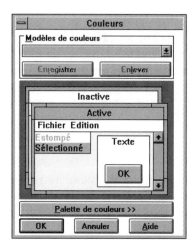

Vous pouvez choisir un modèle prédéfini, ou créer votre propre configuration.

Choix d'un modèle prédéfini

Sélectionnez un modèle dans la liste. La zone de visualisation, au centre de la
boîte de dialogue, représente les éléments les plus importants de l'environnement
utilisateur, vous permettant ainsi de contrôler grossièrement les effets consécutifs
à votre choix. Dès que le résultat vous satisfait, cliquez sur le bouton OK. La
composition de couleurs que vous avez choisie prend immédiatement effet.

Créer un modèle personnalisé

Cliquez sur le bouton intitulé "Palette de couleurs >>". Une extension développe
la boîte de dialogue vers la droite, et une zone coloriée renfermant les couleurs
fondamentales vous apparaît. Vous pouvez à présente affecter successivement
une couleur spécifique à tous les éléments de l'environnement de travail.

A cet effet, il faut d'abord sélectionner l'élément dont vous désirez modifier la
couleur. Une liste de sélection déroulante figurant au-dessus de la zone des
couleurs de base renferme les 21 éléments qui peuvent apparaître à l'écran.
Sélectionnez-en un. Une autre solution consiste à cliquer directement sur les
éléments dans la zone de visualisation, sur la gauche de la boîte de dialogue. La
liste de sélection affiche alors automatiquement le nom de cet élément.

Vous affecterez la nouvelle couleur en cliquant sur la case de couleur présentant
la teinte désirée pour l'élément choisi. En plus de l'usage des couleurs fondamentales, vous pouvez réaliser d'autres teintes, par mélange. Suivant la carte

graphique dont vous disposez, vous pouvez faire usage dans ce but de couleurs "véritables", et de couleurs "simulées". Les couleurs pures sont celles que la carte vidéo est capable de représenter directement, alors que les teintes simulées sont le produit d'une illusion d'optique : on utilise des points de couleurs différentes, proches les un des autres, qui aux yeux de l'utilisateur ne constituent qu'une teinte unique.

Mélange de couleurs personnalisé

Vous disposez de seize cases vides pour compléter l'ensemble des couleurs fondamentales. Pour définir une teinte personnalisée par mélange, cliquez sur le bouton "Définir des couleurs personnalisées...". Suite à cela, une nouvelle boîte de dialogue vous apparaît, intitulée "Sélection de couleurs personnalisées".

La plus grande partie de la fenêtre est occupée par un dégradé de couleur. Il représente en deux dimensions la couleur de base et sa saturation. Vous pouvez, dans cette zone, cliquer sur un point quelconque afin de définir automatiquement la nuance et la saturation. La luminosité pourra ensuite être définie dans une seconde étape : à côté de la zone du dégradé de couleur se trouve une colonne représentant le dégradé d'intensité lumineuse. Cliquez dans cette colonne pour achever la définition de la nouvelle couleur.

Les valeurs numériques correspondant à la couleur, la saturation et la luminosité sont indiquées dans la partie inférieure de la fenêtre. Vous pouvez également manipuler ces valeurs directement. Lorsque vous réduisez la valeur de la couleur, le pointeur se déplace vers la gauche dans la zone du dégradé de couleurs. Lorsque vous réduisez celle de la saturation, le pointeur glisse vers le bas. Enfin, une modification de la luminosité translate le pointeur vers le bas dans la barre de luminosité, sur la gauche de la boîte de dialogue.

Autres modèles de couleurs

Un autre modèle de couleurs est à votre disposition, qui réalise les couleurs de façon traditionnelle, par combinaison de rouge, de vert et de bleu. Les deux modèles de couleurs sont automatiquement convertis l'un en l'autre par le programme, une modification d'un paramètre dans les système RVB (Rouge-Vert-Bleu) étant répercutée immédiatement dans le système CSL (Couleur, Saturation, Luminosité), et vice versa.

La couleur que vous définissez est visualisée dans une zone rectangulaire, dans la partie inférieure gauche de la boîte de dialogue. Cette couleur se compose le plus souvent (conformément à ce que nous avions évoqué plus haut) d'une couleur de base avec ajout d'une autre couleur. La couleur de base est affichée sur la droite de la couleur choisie. Un double clic sur la zone Couleur fait en sorte que la couleur de base devienne couleur active.

L'affichage de la couleur de base est plus rapide que celui d'une couleur réalisée par mélange, puisque pour cette dernière une combinaison est nécessaire. Plus votre carte graphique est capable de représenter de couleurs, moins vous aurez à recourir aux teintes réalisées par mélange, et plus l'affichage à l'écran sera rapide. Lorsque vous réalisez des copies d'écran à l'aide de la touche «Impr», il est préférable de convertir préalablement l'affichage à celui des pures couleurs fondamentales. Le tramage pour la simulation des couleurs est en effet adapté à la résolution de l'écran, et peut être trop grossier pour une imprimante. Vous n'obtiendrez alors pas le meilleur des résultats possibles à l'impression. Par contre, les couleurs fondamentales seront, quant à elles, adaptées à la plus haute résolution supportée par l'imprimante, durant le processus d'impression, et résulteront ainsi d'une trame sensiblement plus dense. Ce sont en particulier les imprimantes Post-Script qui proposent de multiples possibilités pour agir sur la représentation des couleurs fondamentales, intervention qui devient impossible avec des couleurs intermédiaires.

Optimiser la vitesse d'affichage :

En raison des arguments précédents, vous devriez exploiter votre carte graphique dans le mode permettant de représenter un maximum de couleurs, et si possible n'utiliser que des couleurs fondamentales dans votre choix de teintes.

Dés que vous avez créé une teinte qui vous convient, transférez ses informations dans la palette à l'aide du bouton "Ajouter la couleur". Elle apparaîtra dans la zone "Couleurs personnalisées", juste au-dessous des couleurs de base. Vous pouvez choisir l'emplacement auquel la nouvelle couleur doit être placée, en sélectionnant la case qui vous convient au moyen d'un clic de souris. "Ajouter la couleur" installera la teinte dans ce champ, puis placera les couleurs personnalisées suivantes dans les champs voisins.

Lorsque vous installez, par l'intermédiaire du bouton "Ajouter la couleur", une nouvelle valeur de couleur dans un champ du groupe Couleurs personnalisées où en figurait déjà une autre, cette dernière sera simplement écrasée, sans avertissement préalable.

Vous pouvez à tout instant poursuivre le développement de votre modèle de couleurs personnalisé, et affecter à des éléments de l'environnement utilisateur des couleurs fondamentales ou des teintes personnalisées. Notez toutefois que les éléments ne changeront de couleur que si vous cliquez sur un champ du groupe des couleurs fondamentales ou des couleurs personnalisées. Vous ne pouvez pas à cet effet utiliser la boîte de dialogue "Définir des couleurs personnalisées" !

Réaliser plus de seize couleurs par mélange :

Bien que seize champs seulement soient à votre disposition pour des couleurs personnalisées, vous pouvez en utiliser bien davantage. Les seize champs ne sont que des zones prévues pour mémoriser les couleurs les plus usitées, et n'ont aucune incidence sur des éléments de l'environnement utilisateur qui possèdent déjà une couleur. Vous pouvez par conséquent affecter aux seize premiers éléments des couleurs personnalisées, puis définir seize autres couleurs pour colorier les éléments restants.

Dès que votre modèle de couleurs vous convient, vous pouvez l'activer par pression sur le bouton OK. Mais avant cela, vous devriez vous interroger sur l'éventuelle nécessité de le sauvegarder dans la liste des modèles. Cette opération n'est pas inutile, en particulier si vous utilisez aussi d'autres modèles de couleurs, ou si vous désirez en tester. Dans ce cas, cliquez d'abord sur le bouton "Enregistrer", dans la partie supérieure de la fenêtre.

Il est tout aussi simple de supprimer des modèles de couleurs présents dans la liste : sélectionnez le modèle, puis cliquez sur le bouton "Enlever".

7.1.2. Motif graphique d'arrière-plan et autres paramètres

Pour définir d'autres paramètres d'affichage, activez la fonction "Bureau". Voici les domaines que couvre cette fonction :

■ Affectation d'un motif à l'arrière-plan

■ Affectation d'un graphisme à l'arrière-plan

■ Définition de l'épaisseur du cadre des fenêtres

■ Définition des dimensions du quadrillage invisible

■ Définition de la fréquence de clignotement du curseur d'édition

■ Activation d'un économiseur d'écran

■ Espacement des icônes

Arrière-plan

En principe, l'arrière-plan de l'environnement utilisateur est uni. Vous pouvez toutefois y placer un motif ou un graphisme.

Dans une liste de sélection, vous disposez de treize motifs prédéfinis, ordonnés alphabétiquement. Sélectionnez l'un d'eux et actionnez le bouton OK pour l'activer.

Un motif n'est représenté à l'écran que si vous n'avez pas sélectionné de graphique d'arrière-plan. Dans ce cas, on ne voit le motif qu'en arrière-plan des intitulés d'icônes présents dans l'environnement de travail.

Les paramètres proposés dans la boîte de dialogue "Bureau"

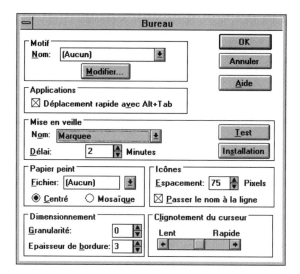

A l'aide du bouton "Modifier...", vous pouvez modifier des motifs existants, ou en ajouter de nouveaux. Le motif est représenté en agrandissement. On voit à cette occasion que chaque motif se compose d'une grille de 8 x 8 points. Vous pouvez placer des points supplémentaires en cliquant sur un emplacement vide du motif. Si par la même occasion vous maintenez le bouton gauche de la souris enfoncé en déplaçant le pointeur, vous placerez des nouveaux points en mode continu. Pour effacer des points, il suffit de cliquer dessus. Vous pouvez ainsi effacer des points en continu si vous déplacez le pointeur toute en maintenant le bouton gauche de la souris enfoncé.

Ecran monochrome :

Si vous travaillez sur un système monochrome, et qu'à la place d'un motif ne vous sont proposés que des arrière-plans noirs, c'est que vos couleurs ne sont pas correctement réglées et ne peuvent être converties en différentes nuances de gris. La meilleure solution dans ce cas consiste à modifier le modèle de couleurs comme nous l'avons décrit plus haut. Vous pourriez par exemple utiliser le modèle prédéfini "Monochrome". La couleur de premier plan du motif correspond à celle de l'élément "Texte", et celle de l'arrière-plan à l'arrière-plan de l'écran.

Il est possible de créer des motifs personnalisés

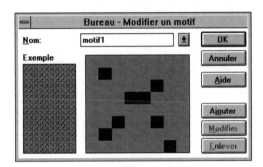

Lorsque vous définissez un nouveau, il ne prend effet qu'après activation du bouton "Modifier". Si vous oubliez de procéder à cette dernière manipulation, vous perdrez votre motif et il sera remplacé par l'ancien.

La fonction "Modifier" remplace irrémédiablement l'ancien motif par le nouveau motif. Si vous désirez protéger l'ancien motif, il vous faut stocker la modification de un motif entièrement nouveau. Entrez à cet effet le nom du nouveau motif dans la zone d'édition "Nom" de la boîte de dialogue "Bureau - Modifier un motif", avant d'actionner le bouton "Modifier".

Graphisme en guise d'arrière-plan

A la place d'un motif, on peut également faire en sorte qu'un graphisme soit chargé en arrière-plan. Ce graphisme doit, à cet effet, exister au format de bitmap, et posséder l'extension ".BMP".

Dix-neuf graphismes au format de bitmaps sont inclus dans le package Windows pour Workgroups, et vous pouvez les charger par l'intermédiaire de la liste de sélection "Papier peint". Vous pouvez également compléter cette liste avec vos propres graphismes, à condition qu'ils soient au format bitmap et enregistrés dans le répertoire de Windows pour Workgroups . Inversement, il est possible aussi de charger les graphismes existants dans un programme graphique afin de les modifier. PaintBrush, le programme de dessin fourni avec Windows pour Workgroups, est par exemple capable de réaliser ce genre d'opération.

Si vous double-cliquez sur une liste de sélection, vous pouvez vous y déplacer avec les touches fléchées, mais sans l'ouvrir. Actionnez la touche «Entrée» dès que l'entrée qui vous convient y est affichée.

Le choix d'un graphisme étant fait, vous pouvez opter pour l'un des deux modes d'affichage "Centré" ou "Mosaïque". Avec les petits graphismes, l'option "Mosaïque" est la plus avantageuse. Le graphisme sera reproduit en plusieurs exemplaires, côte à côte et les uns sous les autres, jusqu'à ce que l'arrière-plan soit entièrement recouvert. Pour les graphismes possédant approximativement la taille de l'arrière-plan de l'écran, mieux vaut choisir l'option "Centré", sinon les parties libres de l'arrière-plan seraient remplies avec des "morceaux" de ce dessin.

Le papier peint couvre partout les motifs

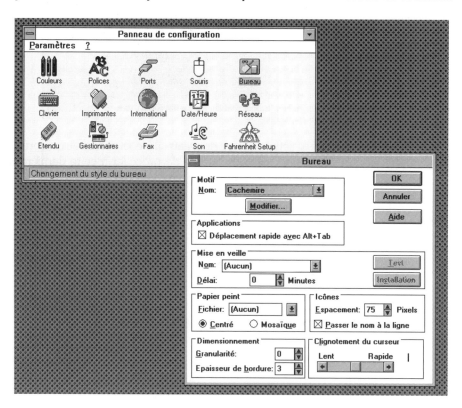

Augmenter la vitesse :

Le graphique d'arrière-plan (papier peint) est de priorité supérieure au motif. Dans le cas de grands graphismes d'arrière-plan ou d'une disposition en mosaïque, il ne reste plus grand chose de visible du motif. Vous devriez dans ce cas le désactiver pour réduire le travail de la machine. La visualisation d'un graphique d'arrière-plan ralentit en effet Windows pour Workgroups, et si vous travaillez sur un ordinateur de performances limitées, il vaut mieux vous passer des deux techniques décoratives précédentes.

La visualisation d'un motif graphique d'arrière-plan coûte de l'espace mémoire et ralentit l'affichage. Mais cela ne devient sensible que sur les ordinateurs relativement lents, où il vaut mieux se passer d'un graphique d'arrière-plan.

Economiseurs d'écran (Mise en veille)

Lorsque l'image affichée sur un écran est immobile pendant une durée assez longue, celle-ci peut "marquer" l'écran de façon indélébile, comme si on l'y avait gravée : étant donné que les électrons du tube cathodique sont projetés en permanence sur les mêmes surfaces de la couche sensible de l'écran, celles-ci subissent une usure irrégulière, que dans les cas extrêmes on peut même voir lorsque l'écran est éteint. L'ossature de l'image permanente est reconnaissable sur la couche photosensible de l'écran.

La boîte de dialogue des systèmes de mise en veille

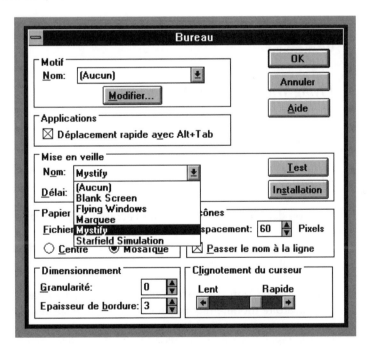

Windows pour Workgroups prévient ce danger à l'aide d'économiseurs d'écran, techniques de mise en veille de l'affichage, qui s'activent automatiquement après un certain temps. Leur tâche consiste à produire un affichage variable de l'écran, ou à annuler la projection d'électrons sur la surface sensible en produisant un écran sombre.

Sélectionnez un économiseur dans la liste des systèmes de mise en veille. Au-dessous de la liste, vous pouvez définir le temps, en minutes, au bout duquel le programme doit s'auto-activer. Le décompte de cette durée commence dès lors qu'aucune action n'est appliquée au clavier ni à la souris. A chaque action, le compteur est remis à zéro. Si, par exemple, dans le cadre de votre travail, vous êtes amené à lire de longs documents, vous avez intérêt à choisir un délai d'activation relativement plus long que si vous durant votre travail vous manipulez souvent la souris ou le clavier.

Le bouton "Test" lance l'économiseur d'écran. Vous pouvez ainsi vous rendre compte rapidement des effets produits par les divers systèmes de mise en veille, et choisir celui qui vous plaît.

Chaque économiseur d'écran existe sous forme d'un fichier autonome d'extension ".SCR". Il est probable que dans un proche avenir d'autres économiseurs d'écran parviendront sur le marché, proposés par des producteurs tiers, et qu'il vous suffira de copier dans le répertoire de Windows pour Workgroups pour compléter la liste des systèmes de mise en veille.

Voici une description succincte des économiseurs d'écran de Windows pour Workgroups :

Flying Windows pour Workgroups

Des logos de Windows pour Workgroups passent sur l'écran, à une vitesse que l'utilisateur peut définir.

Marquee

Un texte défile horizontalement sur l'écran. L'utilisateur peut choisir la nature du texte, ainsi que les couleurs et la vitesse de défilement. Vous pouvez ainsi faire défiler votre nom, par exemple, ou un message d'avertissement à des tiers ou à des utilisateurs non autorisés.

Avec l'option Centré, le texte défile systématiquement au centre de l'écran, alors que Aléatoire modifie régulièrement sa position suivant la verticale.

Pour le texte, vous pouvez utiliser toutes les polices que le système met à votre disposition.

Mystify

Des polygones bougent sur l'écran. Deux polygones sont à votre disposition, que vous pouvez définir séparément : le nombre de leurs côtés, ainsi que les couleurs à utiliser.

Lorsque la case à cocher "Effacer l'écran" est active (réglage implicite), l'écran sera effacé avant le lancement de l'économiseur. Dans le cas contraire, l'économiseur écrase l'environnement de travail avec ses polygones, cet environnement étant automatiquement restauré dès que l'on arrête l'économiseur d'écran.

> Lorsque l'économiseur se superpose à l'aire de travail, on obtient des effets très distrayants, mais peu adaptés à une protection de longue duré pour l'écran. Alors qu'avec tous les autres économiseurs l'écran s'assombrit avant l'activation du graphisme mobile, les parties de l'aire de travail auxquelles les polygones n'accèdent pas en raison de leur algorithme ne sont ici pas protégées. Il s'agit en particulier des coins de l'écran, que rien ne met à l'abri du faisceau électronique.

Starfield Simulation

Que l'on se place du point de vue de l'apparence ou de la qualité de la protection, cet économiseur est probablement l'un des meilleurs de ceux qui sont proposés : il simule l'univers, dans lequel on a l'impression de se mouvoir à bord d'un vaisseau spatial, les planètes et étoiles défilant sur l'écran.

A l'aide du bouton "Installer", vous pouvez définir les options spécifiques à chaque économiseur. Si le système de mise en veille recourt à une animation, vous pouvez en définir la vitesse ainsi que le nombre d'éléments. Dans la boîte de dialogue d'installation seront également définies les couleurs, ainsi que le texte de l'économiseur "Marquee" (panneau lumineux).

Vous pouvez d'autre part installer aussi une protection par mot de passe.

Modifier les dimensions de la grille

Windows pour Workgroups recourt à une grille invisible pour positionner toutes les fenêtres. Lorsque la granularité de cette grille est nulle, la grille est désactivée. Toute valeur supérieure à zéro active la grille. La distance entre les diverses lignes de la grille (et par conséquent la taille de la grille) peut varier par pas de 8 points d'écran. Ainsi, une valeur de granularité de "3" génère une grille dont les lignes sont espacées de 24 points.

La grille invisible exerce son influence non seulement sur la position des diverses fenêtres, mais aussi sur leur taille, puisque l'encadrement des fenêtres est aligné sur les lignes de cette grille.

Dans une deuxième zone, vous pouvez faire varier l'épaisseur du cadre des fenêtres de Windows pour Workgroups entre 1 et 49 points. La valeur nominale pour l'épaisseur d'un cadre de fenêtre est de 3 points. Vous pouvez épaissir ce cadre afin de faciliter le positionnement sur ses côtés du pointeur de la souris.

Etant toutefois donné que le cadre n'est pas souvent utilisé comme zone de commande, un élargissement excessif engendre surtout une perte de surface de travail.

Définir la distance entre les icônes

En principe, les icônes sont placées côte à côte de manière à ne pas se chevaucher. Lorsque les intitulés d'icônes sont longs, il est possible que les noms d'icônes voisines se superposent partiellement. Dans ce cas, vous pourrez activer l'option "Passer le nom à la ligne". Elle prendra effet dès que vous reviendrez dans l'environnement utilisateur, et répartit les intitulés d'icônes trop longs sur plusieurs lignes.

Vous avez d'autre part la possibilité de définir manuellement la distance entre les icônes. Cette distance est exprimée en pixels, c'est à dire en points d'écran. Une réduction de distance permet de représenter plus d'icônes dans la fenêtre, mais une augmentation apporte plus de clarté dans le présentation.

La modification de la distance entre icônes ne prend effet que lorsque vous donnerez à Windows pour Workgroups l'ordre de réorganiser les icônes. La fonction prévue à cet effet pour les icônes de l'environnement utilisateur "Ranger les icônes", dans la liste des tâches. La liste des tâches apparaît lorsque vous double-cliquez sur un emplacement vide de l'aire de travail . Le rangement des icônes contenues dans des fenêtres est, quant à lui, assuré par la commande "Réorganiser les icônes" du menu Fenêtre.

Fréquence de clignotement du curseur

Grâce à un sélecteur à translation situé à droite, dans le bas de la boîte de dialogue, vous pouvez définir la fréquence de clignotement du curseur d'édition. Il n'est pas possible de supprimer totalement le clignotement.

Passage d'une application à une autre

L'option "Déplacement rapide avec Alt+Tab" facilite le travail avec plusieurs programmes fonctionnant en parallèle.

Lorsque cette option est active, vous pouvez passer très rapidement d'une applications à une autre. Maintenez à cet effet la touche «Alt» enfoncée. Chaque pression sur la touche «Tab» vous mène dans le programme suivant, par rapport à la liste des applications qui tournent à cet instant. L'application dont la sélection est en cours est signalée dans une petite fenêtre, avec son nom et son icône . Dès que vous atteignez l'application avec laquelle vous désirez poursuivre votre travail, relâchez la touche «Alt». Windows pour Workgroups passe dans cette application et la présente dans une fenêtre, même si jusque là elle était icônifiée.

Cette fonction rend bien plus agréable le travail avec plusieurs programmes. Quel que soit l'état de rangement de votre écran, et le nombre de fenêtres qui se chevauchent, le déplacement rapide entre applications vous permet de réaliser des commutations accélérées entre les programmes. Dans la petite fenêtre qui s'ouvre à l'écran, tout est prévu pour que vous puissiez sans aucune ambiguïté reconnaître l'application dans laquelle vous passez. Etant donné que, en plus du nom de l'application, il y a aussi son icône dans la fenêtre, un rapide coup d'oeil suffit à voir si le programme désiré est déjà atteint, ou s'il faut encore appuyer sur «Tab».

A l'aide de la touche «Echap», vous pouvez annuler la commutation dans un autre programme avant sa prise d'effet. La touche «Echap» devra à cet effet être actionnée avant de relâcher la touche «Alt».

7.1.3.   Contrôles acoustiques

En principe, tous les avertissements et messages sont renvoyés à l'écran dans des fenêtres de texte. Dans certains cas, un avertissement sonore attire votre attention.

Disons pour simplifier qu'à certains événements on peut associer des signaux acoustiques. Mais cela ne fonctionne que si votre ordinateur est équipé d'une carte son, car le haut-parleur qui équipe d'origine n'importe quel PC est juste capable de restituer des couinements stridents et que le hardware n'est pas en mesure de digitaliser les signaux acoustiques qui lui parviendraient par l'intermédiaire d'un microphone, ce qui serait toutefois nécessaire pour créer de nouvelles sonorités.

Affectation de sons à des événements système par l'intermédiaire d'une carte son

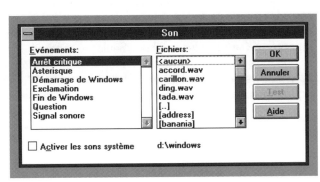

Si vous disposez d'une carte son, vous pouvez sélectionner la fonction "Son". Si vous ne possédez pas de carte son, vous ne pourrez définir aucun paramètre dans la boîte de dialogue qui s'ouvre à l'écran suite à l'activation de cette icône, si ce n'est une seule case à cocher.

A la gauche de la boîte de dialogue se trouvent les catégories d'événements, tels par exemple le démarrage de Windows pour Workgroups ou les avertissements (Exclamation). Sur la droite se trouve une autre liste récapitulant les fichiers du répertoire courant dont l'extension est ".WAV". Quelques fichiers de ce type sont fournis d'origine avec Windows pour Workgroups.

Création de sons

"WAV" est une abréviation de Waveform, et suggère par là que, dans ces fichiers est mémorisé une sonorité ondulatoire naturelle. A l'aide de l'enregistreur de sons, vous pouvez générer vos propres sonorités, qui seront alors sauvegardées dans des fichiers ".WAV", et que vous pourrez immédiatement utiliser comme signaux acoustiques.

Pour relier un événement à un son, cliquez sur cet événement dans la liste de gauche. Suite à cela apparaît dans la colonne de droite le son qui, jusque là, était associé à cet événement. Au début, aucun son n'est associé à aucun événement. Choisissez dans la liste de droite une nouvelle sonorité, et cliquez sur son nom. Le bouton "Test", ou un double clic sur l'événement ou le son permettent de se faire une idée de la sonorité sélectionnée.

Lorsque vous aurez affecté à tous les événements les sonorités désirées, vous pouvez actionner le bouton OK, ou appuyer sur la touche «Entrée».

A l'aide de la case à cocher "Activer les sons système", vous pouvez rendre l'ordinateur muet. C'est pourquoi cette zone est accessible même si vous ne possédez pas de carte son. Si vous désirez que votre ordinateur ne retourne plus aucun son, désactivez cette case : ni les signaux sonores normaux, ni d'autres sonorités ne seront plus audibles. Seules exceptions : les deux événements "Fin de Windows pour Workgroups" (Windows pour Workgroups Exit) et "Lancement de Windows pour Workgroups" (Windows pour Workgroups Start), qu'il faut explicitement associer à <aucun> pour obtenir le silence absolu.

7.2. Configurer les périphériques

Sont appelés "périphériques" tous les appareils qui, au sens large, sont connectés à votre ordinateur. Les appareils suivants peuvent être configurés directement via le panneau de configuration :

■ clavier et souris

■ imprimantes

■ appareils connectés sur les ports d'entrée/sortie

7.2.1. Clavier

Toutes les touches du clavier possèdent une fonction de répétition : dès que la touche est maintenue enfoncée suffisamment longtemps, elle envoie des caractères de manière continue.

Avec la fonction "Clavier" du panneau de configuration, il est possible de régler la temporisation avant la première répétition. La valeur optimale ne dépend que de votre expérience : une temporisation courte est adaptée pour un dactylographe rapide qui, en principe, exerce des pressions de courte durée sur les touches, alors qu'un utilisateur inexpérimenté activera la fonction de répétition par mégarde parce que son doigt reste trop longtemps sur la touche. C'est pourquoi un délai de temporisation plus long conviendra mieux à ce dernier, mais dérangera le dactylographe expérimenté.

La vitesse de répétition indique la fréquence avec laquelle les caractères doivent être répétés dès que la fonction de répétition entre en action. Le réglage le plus rapide semblera encore bien lent aux utilisateurs habitués au DOS. Cette valeur dépend, elle aussi, du goût de chacun et de sa rapidité de réaction. Une fréquence de répétition élevée peut d'une part accélérer le travail, en particulier avec les touches d'effacement, mais d'autre part provoquer aussi l'effacement d'un volume de texte trop important.

Pour déterminer la valeur qui vous convient le mieux, vous pouvez tester la fonction de répétition, après avoir modifié les paramètres de temporisation et de vitesse, en cliquant sur la zone "Test de vitesse de frappe".

7.2.2.   Souris

La souris envoie en permanence à l'ordinateur les mêmes impulsions. C'est à l'ordinateur - et, dans le cas présent, à Windows pour Workgroups - qu'il incombe d'interpréter ces valeurs. Avec la fonction "souris", vous pouvez intervenir dans ce domaine.

La vitesse de déplacement de la souris détermine la rapidité avec laquelle le pointeur se déplace dans l'aire de travail. Vous devriez procéder à quelques essais, avec cette valeur : ses nouveaux réglages prennent effet immédiatement, et peuvent donc être testés de suite. Le choix de la vitesse de déplacement optimale de la souris devrait être guidé par deux critères : l'expérience de l'utilisateur et la taille de l'écran.

Plus la souris se déplace rapidement, plus il est difficile de positionner le pointeur avec précision, car un petit mouvement de souris engendre un déplacement plus ample du pointeur. Inversement, on aura besoin de plus de surface pour mouvoir la souris, avec éventuelle nécessité de la soulever pour la repositionner, car pour faire parcourir au pointeur la diagonale de l'écran, il faudra un déplacement plus ample de la souris que lorsqu'on travaille avec une vitesse de déplacement élevée.

Les gauchers ne sont pas oubliés : intervention des boutons de la souris

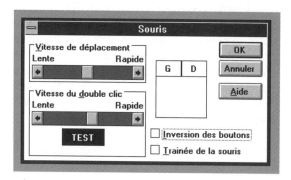

Il résulte de ce qui précède que la vitesse de déplacement optimale de la souris dépend d'une part de vos aptitudes motrices, qui peuvent être améliorées par l'entraînement, et d'autre part de la taille de l'écran (ou plus précisément de sa résolution). Plus sa résolution est élevée, plus les distances que doit parcourir le pointeur sur l'écran sont longues, et plus la vitesse de déplacement de la souris devrait être élevée.

Double-clics

L'activation d'une fonction s'effectue souvent au moyen d'un double clic de souris. Un double clic est reconnu comme tel lorsque les deux clics de souris sont suffisamment rapprochés. La durée maximale pouvant s'écouler entre les deux les deux pressions sur un bouton de la souris pour que l'action soit considérée comme double clic peut être définie dans le groupe "Vitesse du double clic". Les doubles-clics trop lents, avec une trop longue attente entre les deux pressions, conduisent à des erreurs, car les deux clics simples sont, par erreur, considérés comme double clic par Windows pour Workgroups, alors que des doubles-clics trop rapides posent des problèmes à l'utilisateur, car le plus souvent il ne parvient pas à manipuler assez rapidement le bouton de la souris deux fois de suite, et tous ses clics de souris sont alors interprétés comme clics simples par Windows pour Workgroups. Dans la zone TEST, vous pouvez déterminer la rapidité de double clic qui convient le mieux à vos aptitudes motrices : essayez de sélectionner/désélectionner la zone au moyen d'un double clic. La meilleure solution consiste à commencer par un double clic rapide, en réduisant progressivement la vitesse jusqu'à ce que vous parveniez à activer la zone au moyen d'un double clic, sans aucun effort de concentration.

Interversion des boutons

Les deux d'une souris assurent des fonctions différentes. Le bouton gauche de la souris est, de loin, le plus utilisé, ce qui convient parfaitement aux qualités naturelles d'un droitier, puisqu'il agira spontanément sur ce bouton avec l'index.

Gauchers :

Les gauchers devraient activer la case à cocher "Inversion des boutons". Suite à cela

Si vous avez interverti les boutons de la souris et désirez neutraliser cette fonction, il vous faudra utiliser le bouton droit de la souris pour désactiver la case à cocher "Inversion des boutons". Tous les paramètres définis dans cette boîte de dialogue prennent immédiatement effet, c'est à dire également l'inversion des boutons de souris.

Le bon fonctionnement des boutons de la souris peut, lui aussi, être contrôlé. A chaque fois que vous actionnez un bouton, votre action est visualisée sur un schéma de souris, au centre de la boîte de dialogue Souris. Si aucun des boutons de ce schéma ne réagit lorsque vous appuyez sur l'un de ceux de votre souris, c'est que celle-ci ne travaille pas correctement.

Traînée de la souris

Certains portables équipés de cartes graphiques spéciales disposent d'une fonctionnalité particulière appelée "traînée de la souris" qui permet de visualiser plus facilement le pointeur en affichant de façon atténuée la traînée de la son passage. Cette technique est nécessaire en raison de la lenteur des écrans à cristaux liquides (LCD), sur lesquels la position du pointeur telle qu'elle est renvoyée par l'écran ne correspond plus à la position de la souris pendant un mouvement rapide, mais reste "à la traîne". Grâce à la traînée de la souris, il est plus facile d'estimer les mouvements du pointeur.

La fonction n'est accessible dans la boîte de dialogue que si elle est supportée par votre carte graphique.

7.2.3.   Installer des imprimantes locales

Il faut avant tout distinguez entre les imprimantes locales des imprimantes partageables qui sont gérées par le gestionnaire d'impression du groupe principal (voir chapitre suivant).

Si vous disposez d'une imprimante locale que vous voulez connecter à votre ordinateur alors suivez les instructions qui suivent. Car dans cette section nous nous intéressons aux fonctions standard fournies avec Windows et qui permettent de configurer localement les imprimantes ainsi que les ports auxquels elles sont reliés.

La fonction "imprimantes" du panneau de configuration est très polyvalente, puisqu'elle assume les tâches suivantes :

- Choix d'une imprimante, si plusieurs ont été installées
- Choix du port de communication d'une imprimante
- Installation d'imprimantes supplémentaires
- Mise à jour des gestionnaires d'imprimantes obsolètes
- Désinstallation d'une imprimante locale devenue inutile

Attention au gestionnaire d'impression !

Tant que le gestionnaire d'impression travaille à une impression (Cf. chapitre 8), il ne faut surtout pas modifier les paramètres de configuration de l'imprimante. Le choix d'une autre imprimante, ou le changement de l'imprimante standard, rendraient inutilisables toutes les impressions à venir. Pour vous assurer que, de ce côté, aucun processus n'est en cours, vous pouvez essayer de fermer le gestionnaire d'impression. Si à cet instant il travaille encore à des préparations d'impression, il se plaint de votre intervention, et renvoie un avertissement à propos d'un éventuel arrêt du processus d'impression. S'il ne réagit pas de cette manière, vous pouvez être assuré de ne gêner aucun processus d'impression en cours.

Généralités

Lorsque vous lancez l'impression d'un document depuis un programme, celui-ci vérifie d'abord la nature de l'imprimante définie par défaut. S'il n'existe pas d'imprimante par défaut, le lancement de l'impression échoue.

S'il existe une imprimante par défaut (locale ou partageable), le programme recherche le pilote d'imprimante qui lui correspond. Ce gestionnaire définit les séquences de contrôle à intégrer aux données à imprimer afin que l'imprimante puisse faire correctement son travail. Ces séquences de contrôle sont différentes d'un appareil à l'autre.

Pour finir, les données à imprimer auxquelles sont intégrés les codes de contrôle sont envoyées vers le port de communication auquel l'imprimante par défaut est connecté.

C'est là le schéma théorique du processus d'impression, d'où dérivent un certain nombre de conséquences :

❶ Une imprimante doit nécessairement être déclarée comme "imprimante par défaut". C'est vers elle que sont envoyés les commandes d'impression.

❷ Vous ne pouvez déclarer qu'une seule imprimante comme imprimante par défaut. Elle doit être reconnue par le système, et il faut que ce dernier dispose d'un pilote d'imprimante adapté.

❸ Un port de communication, auquel seront envoyées les données, doit être affecté à l'imprimante par défaut.

Choix d'une imprimante par défaut

Lorsque vous activez la fonction "Imprimantes", une boîte de dialogue s'ouvre à l'écran. Dans sa première ligne est mentionnée l'imprimante par défaut. Au-dessous de cette ligne figure une zone de liste où sont recensées toutes les imprimantes installées, qui pourraient être utilisées à la place de l'imprimante par défaut. Un port de communication est affecté à chacune des imprimantes de la liste.

*Choix de
l'imprimante
par défaut*

Vous pouvez changer d'imprimante par défaut en sélectionnant une entrée dans cette liste, puis en actionnant le bouton "Imprimante par défaut", ou plus simplement en double-cliquant sur cette entrée. La nouvelle imprimante ainsi que son port de communication apparaissent alors dans la première ligne comme imprimante par défaut.

Modifier le port de communication

Vous pouvez affecter d'autres ports de communication aux imprimantes installées recensées dans la liste. Voici les ports qui sont à votre disposition :

LPT 1-3   Ports parallèles 1-3

COM 1-4   Ports série 1-4

FILE   Fichier

EPT   Branchement d'un "IBM Personal Pageprinter" avec carte additionnelle dans votre ordinateur

Cliquez à cet effet sur le bouton "Connecter...". Vous pouvez ensuite sélectionner dans une liste le port de communication désiré. Lorsque vous optez pour les ports "FILE:" et "LPTx.DOS", les données à imprimer sont respectivement détournées, pour l'impressions, dans un fichier ou vers MS-DOS.

Affectation d'un port de communication à l'imprimante

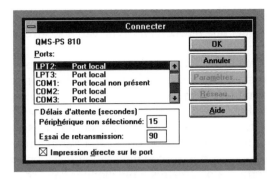

Imprimer dans un fichier :

Si vous même ne disposez pas d'une (bonne) imprimante, mais qu'une de vos connaissance peut accéder à une machine de ce type, vous devriez installer cette imprimante sur votre système. Connectez-la à un fichier ("FILE:"), et faites-en votre imprimante par défaut. Lorsque par la suite vous imprimerez un document, il sera imprimé dans un fichier avec tous les codes de contrôle nécessaires, fichier qu'il vous suffira de remettre à votre "imprimeur" au moyen d'une disquette. Il ne restera alors plus qu'à envoyer ce fichier à l'imprimante (par exemple au moyen de la simple commande PRINT du DOS).

Suivant le port de communication que vous choisissez, vous aurez la possibilité d'entrer des valeurs dans les zones "Périphérique non sélectionné" et "Essai de retransmission".

Si l'imprimante ne se déclare pas prête dans l'intervalle de temps spécifié ici, Windows pour Workgroups retourne un message d'avertissement. La cause la plus fréquente d'un tel avertissement provient d'une imprimante en position off-line. Actionnez dans ce cas le bouton ONLINE de l'imprimante. La valeur numérique à mentionner dans cette zone dépend, entre autres, de l'imprimante utilisée : une imprimante matricielle est en principe prête immédiatement, et pour elle, vous pouvez utiliser une petite valeur numérique afin de détecter rapidement les conditions d'erreurs. Une imprimante à laser nécessite, par contre, un certain temps de chauffe, et une imprimante de réseau peut être occupée à cet instant, ce qui nécessite qu'on leur associe des valeurs numériques supérieures.

Des "bouchons" de données peuvent se constituer pendant le processus d'impression : l'ordinateur désire transmettre des données au port de communication, mais l'imprimante refuse de les réceptionner. Cette situation peut essentiellement se produire avec des imprimantes matricielles qui ne disposent que d'une mémoire tampon extrêmement réduite. Dans ce cas, l'attente nécessaire pour détecter la situation comme condition d'erreur dépend à nouveau de l'imprimante utilisée. Des valeurs trop réduites produiront, le cas échéant, des messages d'erreur à répétition, alors que des intervalles trop amples seront longs à provoquer une réaction en cas de véritable erreur.

Contrairement au port de communication parallèle, qu'il est pratiquement impossible de prendre en défaut, et qui fonctionne quasiment toujours, les ports de communication série connaissent de nombreuses variantes de fonctionnement. Pour eux, il faut définir, en plus de la vitesse de transmission, le protocole de transmission ainsi que les bits de données et d'arrêt. Ces réglages seront entrepris après activation du bouton Paramètres, qui n'est d'ailleurs accessible que lorsque le port de communication sélectionné est de type série. Pour ce qui concerne les paramètres à mentionner dans ces zones d'édition, il vous faudra consulter le guide d'installation de votre imprimante. Vous pouvez aussi, à titre expérimental, essayer de travailler avec les valeurs proposées par défaut qui conviennent à un grand nombre d'imprimantes.

Lorsque cette option est active, Windows pour Workgroups envoie directement les données vers l'imprimante, en évitant de passer par le DOS, et plus particulièrement en ne recourant pas aux appels d'interruptions du DOS. Ce procédé est théoriquement le plus rapide. Si suite à ce choix vous vous heurtez à des difficultés avec des programmes DOS, il vous faudra à nouveau désactiver cette option. Il existe en effet quelques programmes DOS qui, à l'impression, se réfèrent explicitement à cette gestion d'interruptions.

Il n'est pas possible de modifier directement le port de l'imprimante par défaut. Il faut d'abord effectuer la modification dans la liste des "Imprimantes installées", puis redéfinir l'imprimante par défaut à partir de cette liste.

Vous pouvez sans inquiétude relier plusieurs imprimantes à un même port de communication, si par exemple vous disposez de plusieurs imprimantes alternativement branchées sur le port de communication. Si vous disposez de plusieurs imprimantes et de plusieurs ports de communication, la meilleure solution consiste évidemment à affecter à chaque imprimante le port de communication auquel elle est connectée. L'utilisation de deux imprimantes sur deux ports de communication est extrêmement pratique : vous pouvez ainsi, par exemple, utiliser une imprimante à jet d'encre pour vos brouillons, et produire les impressions définitives sur une imprimante à laser.

Installer une imprimante

Vous pouvez développer à tout moment la liste "Imprimantes installées". A cet effet, il faut copier un nouveau pilote d'imprimante dans le répertoire de Windows pour Workgroups, et le déclarer auprès du système.

Sélectionnez le bouton "Ajouter une imprimante >>", pour obtenir la liste de toutes les imprimantes connues de Windows pour Workgroups, et pour lesquelles il dispose d'un gestionnaire.

Activez dans la liste l'imprimante que vous désirez installer, en double-cliquant sur l'entrée correspondante. Vous pouvez la sélectionner par simple clic de souris puis actionner le bouton "Installer". Suite à cela, Windows pour Workgroups recherche la disquette d'installation sur laquelle se trouve le gestionnaire d'imprimante désiré, et vous invite à introduire cette disquette dans un lecteur. Le gestionnaire sera copié depuis cette disquette dans le répertoire de Windows pour Workgroups, puis il pourra servir d'imprimante par défaut.

L'installation d'un gestionnaire d'imprimante externe n'est pas difficile

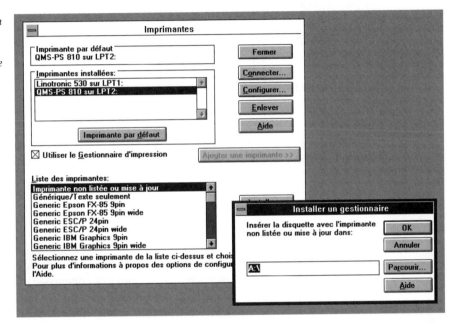

Si dans cette liste vous ne trouvez pas le pilote désiré, ou si vous possédez un gestionnaire plus récent ou plus élaboré pour votre imprimante, sélectionnez l'entrée "Imprimante non installée ou mise à jour". Suite à cela, le système vous demande d'introduire dans le lecteur A: la disquette contenant le pilote d'imprimante approprié. Vous pouvez toutefois aussi modifier la désignation du lecteur, et charger le pilote depuis une autre unité disque.

Si vous ne possédez pas de gestionnaire spécial pour votre imprimante, et que dans la liste de ceux que propose Windows pour Workgroups le modèle qui vous convient n'est pas mentionné, il vous faudra tenter votre chance avec les pilotes de Windows pour Workgroups. Nombreuses sont les imprimantes compatibles avec divers standards, et ne croyez pas que Windows pour Workgroups utilise un gestionnaire différent pour chaque imprimante de sa propre liste. Pour les imprimantes matricielles, c'est le standard EPSON qui s'est imposé, mais les gestionnaires NEC sont, eux aussi, applicables à de nombreuses autres imprimantes matricielles. Sélectionnez un modèle techniquement équivalent au vôtre (en particulier pour ce qui touche au nombre d'aiguilles).

Les imprimantes à laser sont souvent compatibles avec le modèle "Laserjet" de chez Hewlett-Packard, les imprimantes à laser Canon constituant une exception, mais étant directement supportées par Windows pour Workgroups. Etant donné que PostScript est indépendant de la structure matérielle, Windows pour Workgroups alimente toutes ces imprimantes par l'intermédiaire d'un unique gestionnaire Post-Script. Si les suggestions ci-dessus ne vous permettent pas de progresser, vous pouvez essayer le gestionnaire "Générique/Texte seulement", qui ne permettra toutefois d'imprimer que du texte. Cette dernière solution ne devrait toutefois être qu'un ultime recours, de caractère provisoire, et vous devriez alors vous adresser à votre revendeur pour réclamer une solution adaptée à votre imprimante, sinon vous ne pourrez jamais bénéficier des qualités que l'imprimante met à votre disposition.

Désinstaller une imprimante

Lorsque vous n'utilisez plus une certaine imprimante, il est nécessaire de supprimer le pilote d'imprimante devenu inutile. Dans ce but, sélectionnez-le dans la liste des gestionnaires installés, et actionnez le bouton "Enlever".

Configurer une imprimante

Lorsque vous sélectionnez une imprimante dans la liste des imprimantes installées, vous sélectionnez en fait un pilote d'imprimante. Le gestionnaire connaît toutes les caractéristiques techniques de l'imprimante concernée. Nombreux sont les types d'imprimantes qui possèdent des caractéristiques semblables, voire identiques, et qui utilisent par conséquent les mêmes pilotes.

Vous avez généralement le choix entre diverses options, comme par exemple pour la résolution graphique d'une imprimante. Sélectionnez à cet effet l'imprimante dans la liste des imprimantes installées, puis cliquez sur le bouton "Configurer". Apparaît alors une boîte de dialogue, dont le contenu dépend du pilote d'imprimante. Pour connaître la nature exacte du pilote d'imprimante, actionnez le bouton "A propos de...".

Les multiples facettes d'une boîte de dialogue d'imprimante PostScript

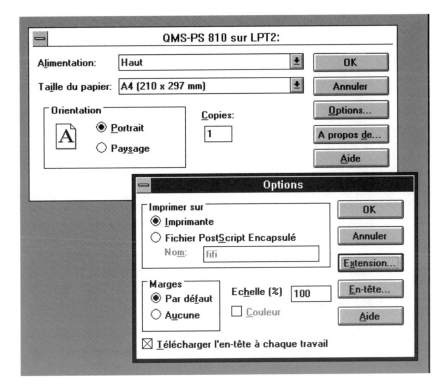

Imprimantes à aiguilles et PostScript

Dans ce qui suit, nous allons analyser la présentation de deux pilotes d'imprimantes fondamentalement différents : un gestionnaire universel pour imprimantes à 24 aiguilles, ainsi qu'un gestionnaire PostScript.

Dans la première boîte de dialogue sont définis les paramètres fondamentaux : le choix de la résolution graphique, la taille et l'orientation du papier, ainsi que la nature de l'alimentation.

Résolution d'impression réduite avec les imprimantes à aiguille :

Une résolution d'impression réduite convient en particulier à des impressions de qualité brouillon sur des imprimantes matricielles, car ce choix réduit la durée de l'impression et par conséquent aussi la pollution par le bruit, sans compter qu'on ménage ainsi la tête d'impression ainsi que le ruban.

Le bouton "Options" permet de modifier le mode de fonctionnement du pilote d'impression. Pour les imprimantes matricielles, le gestionnaire est chargé de convertir les données graphiques communiquées par Windows pour Workgroups, de manière à ce que le graphisme puisse sortir correctement sur l'imprimante. A cet effet, les codes de contrôle seuls ne suffisent pas, car il s'agit aussi de transformer les couleurs et les nuances de gris en divers motifs appropriés.

La fonction d'aide vous fournira des informations détaillées sur tous les paramètres.

Dans la première boîte de dialogue figurent, ici aussi, des paramètres généraux relatifs au choix de la résolution graphique, à la taille et à l'orientation du papier, ainsi qu'à la nature de l'alimentation.

Sur la page suivante, accessible par activation du bouton "Options", vous pouvez effectuer des spécifications typiquement PostScript. PostScript est un langage de programmation que toute imprimante PostScript est capable d'interpréter. Durant le processus d'impression, ce sont donc des textes source de programmes qui sont envoyés vers l'imprimante. Ceux-ci peuvent évidemment être détournés sans difficulté dans un fichier, artifice intéressant si vous désirez vérifier ou compléter le code PostScript à la main. Suite à cela, le fichier PostScript pourra être transmis à l'imprimante.

A l'aide de l'option concernant les marges, vous pouvez définir si l'impression doit être effectuée sur toute la surface du papier ou non. La plupart des imprimantes à laser ne sont pas capables, pour des raisons techniques, d'imprimer jusqu'au bord du papier, et il vaut donc mieux conserver l'option "Par défaut"..

Etant donné que PostScript est un langage de description graphique de page, qui évalue mathématiquement les éléments graphiques, vous pouvez décider si avant l'impression la page doit subir une mise à l'échelle (par agrandissement ou réduction). La proposition par défaut est de 100%, soit la taille originale. "200%" doublerait la taille du graphisme. D'un point de vue interne, seule une commande SCALE est intégrée au code PostScript, et celle-ci est envoyée vers l'imprimante avec le reste du programme.

Si votre imprimante PostScript est de type couleur, mais que vous préférez une impression en noir et blanc, il faut désactiver la case à cocher "Couleur".

La plupart des programmes PostScript se composent de deux parties: une en-tête invariable contenant les déclarations fondamentales de variables et de procédures, et la partie graphique contenant les données pour le graphisme proprement dit. L'impression ne peut être réalisée que si les deux parties parviennent à l'imprimante. Si vous possédez votre propre imprimante à laser, cette opération ne pose aucun problème : l'en-tête est communiquée à l'imprimante lors de la première transmission, et installée dans la mémoire fixe de l'imprimante. Tous les graphismes suivants ne sont alors plus transmis que par leur partie graphique, ce qui fait gagner en durée d'impression. Si, par contre, vous avec une imprimante de réseau, vous devriez, par mesure de sécurité, réémettre l'en-tête vers l'imprimante à chaque impression, car vous ne pouvez pas savoir si entre temps cette machine avait été mise hors tension, ou alimentée par d'autres données dans sa mémoire propre. La même remarque vaut si vous désirez sauvegarder une image PostScript sur disquette selon la technique décrite plus haut : l'en-tête doit, dans ce cas aussi, être systématiquement transmise avec la partie graphique. Le processus se déroulera de la sorte si vous cochez la case "Télécharger l'en-tête à chaque travail".

L'en-tête dont nous venons de parler peut être soit envoyé directement à l'imprimante, soit être détournée dans un fichier. Pour choisir le type de communication, actionnez le bouton "En-tête", qui ouvre la boîte de dialogue "Télécharger l'en-tête".

Une autre page d'options met en évidence la multiplicité des possibilités des imprimantes PostScript. Elle s'affiche lorsque vous cliquez sur le bouton Extensions. Tout ce qui figure sur cette page concerne des paramètres internes de PostScript, dont l'importance n'est pas à négliger.

Le premier groupe de cette boîte de dialogue assure la définition de la technique de gestion par l'imprimante PostScript des polices TrueType de Windows pour Workgroups. Lorsque la zone "Utiliser les polices de l'imprimante pour toutes les polices TrueType" est cochée, aucune des autres zones de ce groupe n'est plus accessible. Dans ce cas, les polices TrueType seront représentées par des polices implantées dans l'imprimante. C'est le pilote d'imprimante qui décide de la substitution des polices TrueType par les polices PostScript. Mais vous pouvez aussi décider vous même de l'attribution de polices en activant la zone "Utiliser la table de substitution". Ceci n'est possible que si la case "Utiliser les polices de l'imprimante pour toutes les polices TrueType" n'est pas cochée. Actionnez alors le bouton "Editer la table de substitution", établir la correspondance entre les polices TrueType et les polices PostScript.

Le groupe suivant, "Mémoire", concerne la mémoire dont dispose l'imprimante. Les graphismes PostScript nécessitent immensément de mémoire. Vous pouvez définir dans ce groupe le volume de mémoire virtuelle dont dispose l'imprimante, et si cette mémoire doit être effacée après chaque page imprimée. Cette dernière option fait en sorte que vous disposiez toujours du maximum de mémoire, mais peut engendrer des problèmes lorsque, pour une page donnée, sont nécessaires de valeurs qui avaient été définies pour l'impression de la page précédente.

Au-dessous du groupe précédent se trouve un autre groupe, responsable de la définition des attributs graphiques. La résolution de l'impression est exprimée en DPI (points par pouce). La densité de demi-teinte désigne la taille que doivent avoir les cellules en demi-teinte pour assurer la visualisation de nuances de gris. Plus cette valeur est petite, plus le nombre des niveaux de gris à votre disposition sera réduit, mais plus ces niveaux de gris seront fins. L'angle de demi-teinte définit l'angle de la trame de demi-teinte qui, en principe, est de 45 degrés. Cette valeur devra être modifiée pour obtenir des effets spéciaux, ou pour les superpositions de diverses couches de couleurs. Pour obtenir des informations précises sur ce sujet complexe, reportez-vous à des ouvrages consacrés au langage PostScript (Le grand livre du PostScript - Micro Application).

Quelques cases à cocher supplémentaires permettent de réaliser le symétrique de l'image, ou sa version en négatif, ce qui pourrait être utile lors de la réalisation d'un modèle pour l'impression. Il est d'autre part possible de comprimer le bitmap d'un graphisme, mécanisme qui permet de gagner de l'espace mémoire, mais qui ralentit le processus d'impression.

Pour finir, vous pouvez encore préciser que le programme PostScript devra être conforme à la convention de structure de documents Adobe - dans ce cas, les commandes interdites, comme par exemple les paramètres de demi-teinte, seront supprimées -, et que les erreurs éventuelles devront être signalées. De telles erreurs peuvent par exemple résulter d'un espace mémoire insuffisant ou d'instructions défectueuses dans le programme. Il est préférable que l'option concernant les informations sur les erreurs soit toujours active, car elle fait en sorte que dans un tel cas l'imprimante retourne le message d'erreur sur papier.

Lorsque vous installez une imprimante, n'oubliez pas de définir le format de papier adéquat. Il n'est pas rare que les dimensions actives par défaut répondent aux normes américaines, comme par exemple "Letter", qui posent des problèmes lorsque vous utilisez du papier au format A4.

7.2.4.   Configurer les ports de communication

La fonction "Ports" du panneau de configuration permet de configurer les éventuels ports de communication série (voir aussi Imprimantes dans la section 7.2.3).

Une telle configuration n'est généralement nécessaire que si vous prévoyez d'effectuer des transmissions de données par l'intermédiaire d'un port de communication série. Si seule la souris est connectée au port de communication, inutile de vous pencher sur ce sujet. Même remarque si vous utilisez une imprimante sur un port série : le port de communication est configuré durant son installation.

Sélectionnez le port de communication, puis cliquez sur le bouton "Paramètres". Suite à cela l'ordinateur vous invite à spécifier les paramètres de communication de données. Ces paramètres dépendent des performances de votre port de communication, du modem qui y est éventuellement connecté, et du partenaire avec lequel vous envisagez de communiquer.

La vitesse de transmission est exprimée en bauds, la valeur de 9600 bauds étant en principe la limite de sécurité (technique) à ne pas dépasser. Le nombre de "Bits de données" définit la longueur d'un "mot de données". A l'origine, le code ASCII ne comportait que sept bits, et c'est pourquoi ce paramètre reste le plus répandu aux Etats-Unis. En Europe, on utilise en principe huit bits de données. La parité et les bits d'arrêt sont des paramètres prévus pour la gestion et la vérification de la transmission, qui s'effectue généralement au moyen de lignes spécialement prévues à cet effet, raison pour laquelle ces deux valeurs sont le plus souvent fixées sur "Aucun(e)". On recourt dans ce cas au protocole de "Hardware". Si vos périphériques de transmission ne sont pas en mesure d'assurer un tel contrôle, il vous faut consulter leurs guides d'utilisation pour déterminer les paramètres appropriés..

A l'aide du bouton "Extension", vous pouvez définir l'adresse et l'interruption de tout port de communication série. Vous ne devriez toutefois modifier ces valeurs que si vous savez vraiment ce que vous faites. Si par exemple vous développez votre système en passant de deux à quatre ports de communication série, et que suite à cela un conflit naisse avec une autre carte d'extension, il conviendra de modifier l'adresse des ports de communication supplémentaires au moyen des micro-interrupteurs présents sur la nouvelle carte, puis de déclarer ici cette nouvelle adresse.

7.3. Date, heure et formats

Votre ordinateur est en principe équipé d'une horloge intégrée, alimentée par piles, et qui mémorise à la fois l'heure et la date. Cette horloge est supportée par Windows pour Workgroups. Les deux spécifications sont par exemple nécessaires pour toutes les opérations sur les fichiers, afin que la date et l'heure courante puissent être affectées à tout fichier nouveau ou modifié. L'on peut ainsi distinguer par la suite les données récentes des anciennes. Mais l'heure et la date sont aussi nécessaires au fonctionnement de l'application "Horloge" de Windows pour Workgroups, qui peut afficher en permanence ces informations pendant une session de travail.

Windows pour Workgroups est un système d'exploitation international que l'on peut adapter à des spécificités nationales, parmi lesquelles figurent par exemple le format de la date et l'affectation des touches du clavier.

7.3.1. Heure et Date

L'heure et la date peuvent être lues et modifiées avec la fonction "Date/Heure". Celle-ci correspond aux commandes DOS "DATE" et "TIME".

Dans les deux zones d'édition "Date" et "Heure" sont affichées les valeurs correspondant à l'instant présent, que vous pouvez modifier progressivement à l'aide des flèches situées sur la droite de chaque zone, ou directement au clavier, par écrasement des valeurs affichées. Cliquez à cet effet sur la partie de la date ou de l'heure que vous voulez modifier.

La partie de l'heure que vous sélectionnez est automatiquement désactivée, et ne change pas tant qu'elle est en inversion vidéo, afin de ne pas perturber la mise à jour. Le format de la date et de l'heure dépend des spécificités nationales. Si sous vos yeux apparaît un format inhabituel, vous devriez vérifier les paramètres nationaux en vous conformant à la description qui figure dans la section 7.3.2. La zone de la date devrait être régulièrement vérifiée afin d'assurer une gestion correcte des fichiers dans le système.

7.3.2. International

Grâce à cette fonction, vous définirez, au sens large, toutes les spécificités nationales, parmi lesquelles figurent les formats de date et d'heure, l'unité monétaire, le système des unités de mesure et la configuration du clavier. Nombreux sont les programmes qui utilisent ces spécifications sans vérification préalable. C'est pourquoi il convient d'apporter le plus grand soin à leur définition.

Tous les paramètres définis dans cette boîte de dialogue sont recensés dans la rubrique [intl] du fichier WIN.INI, où il est possible de les modifier directement.

Dans la boîte de dialogue International, sélectionnez d'abord le pays convenable. Suite à cela, les valeurs de tous les autres paramètres seront automatiquement adaptées au standard national indiqué. Dans la plupart des cas, ces spécifications suffiront, et il suffira de les valider. Vous avez toutefois la possibilité d'ajuster chaque paramètre à la main, pour les spécifications particulières.

Définition des paramètres nationaux

International	
Pays: France ↨	OK
Langue: Français ↨	Annuler
Clavier: Français ↨	Aide
Mesure: Métrique ↨	

Séparateur de listes: [;]

Format de la date
11/05/1994   Modifier...
mercredi 11 mai 1994

Symbole monétaire
1,22 F   Modifier...
-1,22 F

Format horaire
10:45:50   Modifier...

Format des nombres
1 234,22   Modifier...

Sélectionnez la langue de communication, dont le nom dérive généralement de celui du pays. Cette spécification est utilisée par de nombreuses applications pour les conventions d'écriture en majuscules/minuscules, ainsi que pour les critères de tri alphabétique.

Dans la composition du clavier entrent non seulement les caractères nationaux particuliers, mais aussi la disposition des lettres. C'est ainsi que, par exemple, si on compare un clavier français à un clavier anglo-saxon, les deux premières touches littérales sont "AZ" sur le premier, et "QW" sur le second. Cette disposition est essentiellement liée à la fréquence d'apparition des diverses lettres dans la langue. Il est donc indispensable de définir la nature du clavier si l'on désire voir apparaître à l'écran le caractère sur lequel on a tapé sur le clavier.

Le système de mesure est une spécification souvent négligée, mais à tort. Deux systèmes de mesure sont à votre disposition : le système métrique européen, et celui, essentiellement répandu aux Etats-Unis et en Grande-Bretagne, basé sur les pouces (inches), un pouce valant approximativement 2,54 centimètres. Le système de mesures est en général repris directement par la plupart des programmes graphiques.

Problèmes d'échelle avec des graphismes :

Si vous travaillez avec un programme graphique dont les graphismes n'apparaissent pas à une échelle convenable, vous devriez vérifier le système de mesures mentionné dans cette boîte de dialogue, et vous assurer, le cas échéant, que la mention courante est bien "Métrique".

Vous pouvez enfin définir un séparateur de listes, symbole par lequel les entrées d'une liste seront séparées les unes des autres. Tous les caractères sont utilisables, même les plus insensés, comme par exemple les lettres de l'alphabet. Dans la partie inférieure de la boîte de dialogue, vous trouvez les formats pour la date, l'heure, le symbole monétaire et les nombres. Ces formats sont automatiquement mis en place à l'issue du choix du pays, et ne devraient être modifiés qu'après mûre réflexion.

Date

Dans le groupe réservé à la date est affichée la date système conformément au format en vigueur. Si vous désirez le modifier, cliquez sur le bouton prévu à cet effet. Apparaît alors une boîte de dialogue regroupant de multiples possibilités.

La boîte de dialogue qui permet de modifier le format de la date

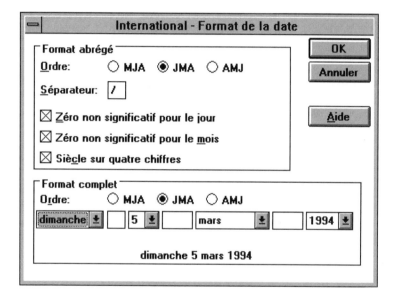

Le format de date abrégé représente le mois par un nombre, et est totalement indépendant du format complet qui fait l'objet du dernier groupe de la boîte de dialogue. Vous pouvez définir l'ordre chronologique des mentions "Jour", "Mois" et "Année", et préciser si le jour et le mois doivent être précédés par un zéro non significatif. L'année peut être à deux ou quatre chiffres. Il existe d'autre part la possibilité de remplacer par un autre caractère le point qui fait office de séparateur par défaut. Cela permettrait par exemple d'obtenir une date de la forme 5/12/92.

Le format de date complet se distingue du format abrégé par un mois en toutes lettres ainsi que par la spécification du jour de la semaine au début de la date. Vous pouvez d'abord, comme dans le groupe précédent, modifier l'ordre chronologique des composantes de la date. Il n'existe aucun moyen pour déplacer le jour de la semaine.

Toutes les composantes de la date complète peuvent ensuite être modifiées : le jour de la semaine peut être écrit en entier ou en abrégé, les séparateurs comme la virgule derrière le nom du jour ou le point qui suit la date du jour pourront être remplacés par d'autres caractères.

Les textes en clair qui entrent dans la composition de la date sont conformes aux spécifications nationales. Si le pays mentionné dans la boîte de dialogue "International" est "France", il n'existe aucune possibilité d'utiliser par exemple "january" à la place de "janvier". Pour obtenir ce résultat, il faudra d'abord changer le nom du pays dans la boîte de dialogue "International" ("Etats-Unis", pour notre exemple). Si malgré tout vous désirez utiliser la langue française pour les données autres que la date, il faudra laisser "Français" dans la zone de liste "Langue".

La modification des paramètres nationaux nécessite le recours aux disquettes d'installation de Windows pour Workgroups, car il est nécessaire de charger sur le disque dur une nouvelle version de la bibliothèque de langage "LANGFRN.DLL".

Format horaire

Il existe deux possibilité pour définir le format de l'heure : celui à cycles de 12 heures, et celui à cycles de 24 heures. Dans le format à 24 heures, vous trouvez une zone d'édition derrière l'intervalle 00:00 - 23:59, dans laquelle vous pouvez entrer une chaîne de caractères qui sera affichée avec l'heure (par exemple "heures").

Mais cette spécification ne présente un intérêt que si vous choisissez le cycle de 12 heures, tel qu'il est répandu aux Etats-Unis. Dans ce cas apparaît une deuxième zone d'édition, ce qui permet à présent de marquer la distinction entre le matin et l'après-midi (respectivement désignés, habituellement, par "AM" et "PM", mais dont le choix est totalement libre).

Pour finir, il est possible de préciser si, pour les nombres inférieurs à dix, un zéro doit précéder le chiffre significatif unique.

Symbole monétaire

Dans le cadre de la définition du symbole monétaire, vous pouvez agir sur la position du symbole. Il est possible de préciser si le symbole doit figurer devant ou derrière la valeur numérique, et si un espace doit séparer le symbole du nombre.

La même possibilité est prévue pour les nombres négatifs.

Il est également possible de définir individuellement la nature du symbole monétaire, tous les caractères du jeu de caractères courant pouvant être utilisés à cet effet. Vous pourriez dans ce but vous référer à la table des caractères que nous avons décrite dans la section 11.1.8, afin de pouvoir utiliser également des caractères spéciaux.

Les polices TrueType offrent sensiblement plus de caractères que les polices traditionnelles de Windows pour Workgroups. Si, en guise de symbole, vous avez choisi un caractère spécifique à TrueType, il est probable que, dans des polices traditionnelles, il sera affiché ou imprimé incorrectement, ou qu'il sera simplement représenté par un carré noir.

La zone "Nombre de décimales" indique la quantité de chiffres qui doivent être représentés derrière le séparateur décimal. Pour la plupart des monnaies mondiales, il s'agit de deux chiffres après le séparateur.

Format des nombres

Le format des nombres est très important dans la plupart des applications, car celles-ci se servent des paramètres définis dans Windows pour Workgroups. Vous pouvez dans un premier temps définir l'organisation interne des nombres : en France, vous choisirez le point comme séparateur des milliers, alors qu'aux Etats-Unis ce sera la virgule. Définissez ensuite le séparateur décimal, c'est à dire la virgule pour la France (alors qu'aux Etats-Unis il s'agit du point).

Vous pouvez enfin spécifier le nombre de chiffres derrière le séparateur décimal, ainsi que, pour les nombres inférieurs à 1, si le chiffre zéro doit être mentionné devant le séparateur.

7.4.   Polices bitmaps et TrueType

Alors que dans les polices bitmaps les divers caractères sont réalisés comme des petits graphismes en mode point, de taille fixe, devant exister nécessairement en plusieurs dimensions et résolutions, et produisant à l'affichage des contours "en escalier", les nouvelles polices TrueType présentent de nombreux avantages qui, jusque là étaient l'apanage des polices PostScript. Elles définissent la police comme une courbe mathématique, et peuvent par conséquent produire des caractères de taille quasi illimitée. Ceci n'est pas seulement un avantage à l'affichage, en raison du rapprochement du WYSIWYG, mais surtout pour les sorties sur une imprimante. C'est en effet à l'impression que les contours "en escalier" devenaient jusqu'à présent apparents, parce que la résolution des imprimantes est nettement inférieure à celle des écrans. Les polices TrueType peuvent à présent être directement adaptées à la résolution de l'impression, et produisent des caractères de la meilleure qualité possible, en n'importe quelle taille.

Avec la fonction "Polices" vous pouvez vous faire une idée de toutes les polices disponibles, ajouter de nouvelles polices, et, pour les polices TrueType sélectionner quelques options.

7.4.1. Vue d'ensemble des polices existantes

Sélectionnez la fonction "Polices" pour pouvoir observer toutes les polices à votre disposition. Dans une liste vous voyez les noms des familles de polices, le type étant mentionné entre parenthèses derrière chacune d'entre elles.

Dans la liste sont recensées toutes les polices déclarées auprès du système

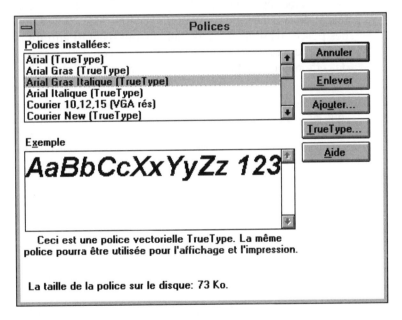

Les polices TrueType sont repérées par la mention "TrueType".

Pour les polices bitmaps est mentionnée la résolution pour laquelle elles ont été créées (par exemple "VGA" pour une carte VGA). Dans leur nom figure également les tailles de caractères dans lesquelles ces polices sont disponibles. Exemple :

"MS Sans Serif 8, 10, 12, 14, 18, 24 (VGA rés)" est une police bitmaps spécialement développée pour les cartes VGA, et disponible dans les corps de 8, 10, 12, 14, 18 et 24 points.

Les polices vectorielles (Cf. section 7.4) sont repérées par la mention "Plotter" car elles ne se composent que de traits et de courbes et qu'elles ont été conçues pour une transcription sur table traçante.

Un échantillon de la police sélectionnée dans la liste est visualisée dans la zone Exemple. Au-dessous de cette zone est indiquée la taille qu'occupe le fichier de cette police sur le disque dur, en Koctets.

7.4.2.   Installer de nouvelles polices

Vous pouvez intégrer de nouvelles polices dans votre système, à condition de disposer de suffisamment d'espace mémoire sur le disque dur. Les collections de polices TrueType qu'on peut acquérir sur le marché constituent un bon choix en raison de la qualité qu'on peut en espérer. Vous pouvez toutefois utiliser aussi des polices d'autres formats, qui devront d'abord être transformées en polices TrueType au moyen d'un programme de conversion approprié. Vous pourrez de cette manière actualiser d'anciens investissements.

Prenez bien connaissance des clauses de la licence, car les polices sont, de même que les programmes, protégés par un copyright, et ne devraient, en principe, être employées que par les titulaires d'une licence d'utilisation. En fait, il vous faudrait même demander une autorisation aux concepteurs des polices avant de procéder à leur conversion.

Vous installerez de nouvelles polices par activation du bouton "Ajouter...". Une boîte de dialogue s'ouvre alors à l'écran, dans laquelle il convient d'abord de spécifier le répertoire dans lequel les nouvelles polices se trouvent. Vous pouvez charger directement les polices depuis une disquette de manière à les faire copier automatiquement dans le répertoire de Windows pour Workgroups. A cet effet, il est nécessaire d'activer la case à cocher "Copier les polices dans le répertoire de Windows pour Workgroups". Mais vous pouvez aussi copier vous-même les polices dans un répertoire quelconque du disque dur et désactiver la fonction de copie.

Si vous avez sélectionné le bon répertoire, les polices qui s'y trouvent apparaissent dans une liste.

Notez bien que pour passer dans un nouveau répertoire, il est nécessaire de double-cliquer sur l'icône du répertoire, ou d'appuyer sur la touche «Entrée» après un simple clic. Ce n'est qu'après cette manipulation que le nouveau répertoire sera lu. Faites en l'essai, en passant dans le répertoire "System" qui, en principe, est un sous-répertoire de Windows pour Workgroups. C'est ici que sont stockées toutes les polices fournies avec Windows pour Workgroups, dont vous pourrez ainsi faire apparaître les noms dans la liste, à titre expérimental. Ces polices sont déjà toutes installées. Si vous passez dans un autre répertoire, pour ajouter des polices supplémentaires, mais qu'aucune polices n'apparaît dans la liste, vérifiez d'abord la spécification "Répertoires", juste au-dessous de la liste, pour voir si vous vous trouvez bien dans le répertoire désiré. Si cette condition est remplie, il est à craindre que les polices sont d'un format inapproprié. Il conviendra alors de les mettre au format TrueType à l'aide d'un programme de conversion.

Sélectionnez dans la liste les polices que vous désirez installer. Vous pouvez sélectionner plusieurs entrées en maintenant le bouton gauche de la souris enfoncé, et en passant sur ces entrées avec le pointeur. Le bouton "Toutes" assure la sélection de toutes les entrées de la liste. Actionnez ensuite le bouton OK, pour lancer l'installation. Si à cet instant la case "Copier les polices dans le répertoire de Windows pour Workgroups" était cochée, les polices seront d'abord copiées sur le disque dur.

Charger les polices à partir d'une disquette :

Si vous avez des problèmes de place sur le disque dur, vous pouvez aussi charger directement les polices depuis une disquette, procédé qui est toutefois plus lent. Désactivez à cet effet le bouton "Copier les polices dans le répertoire de Windows pour Workgroups", et sélectionnez le répertoire approprié sur la disquette. Cette méthode n'est utilisable que si vous ne recourez que rarement à ces polices, sinon le lecteur de disquettes sera monopolisé par la disquette de polices, et inutilisable pour d'autres tâches. Si, pour la police concernée, il s'agit d'une utilisation unique, vous devriez réeffacer la police après la séance de travail. Etant donné que la police n'aura jamais été copiée sur le disque dur, il ne s'agit pas de l'en retirer, mais de l'effacer dans la liste des polices installées. Il pourrait en effet se produire que, quelque temps plus tard, quelqu'un sélectionne la police en question, et que Windows pour Workgroups lui demande d'introduire une disquette qui ne sera pas en sa possession.

Charger les polices à partir du réseau :

Sur les réseaux, les polices peuvent être stockées dans un répertoire du disque dur du serveur. Dans ce cas, il est inutile de copier un deuxième exemplaire de toutes les polices dans un répertoire d'un poste local. Il suffit dans ce cas de déclarer ces polices auprès du système Windows pour Workgroups local, tout en les laissant physiquement sur le serveur. Par contre, si la capacité du disque dur du poste local le permet, il est préférable d'y recopier les jeux de caractères fréquemment utilisés, afin de réduire les transferts de données dans le réseau.

7.4.3. Les options TrueType

Ces options ne sont pas liées à une police TrueType déterminée, mais gèrent globalement le mode d'utilisation des polices TrueType. Vous pouvez donc cliquer sur le bouton "TrueType..." même si aucune police TrueType n'est sélectionnée.

Les options TrueType permettent de spécifier si vous voulez travailler ou non avec des polices TrueType. Cliquez sur la case à cocher "Activer les polices TrueType", si vous désirez travailler avec TrueType. Si vous préférez vous passer des polices TrueType, désélectionnez la case. Une réinitialisation de Windows pour Workgroups est alors nécessaire pour que les modifications soient prises en compte.

Les options TruType doivent être utilisées avec précaution

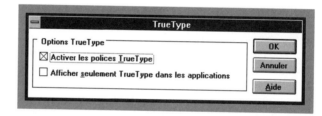

La deuxième case à cocher, "Afficher seulement TrueType dans les applications", ne peut être sélectionnée que si la première case est cochée. Elle n'assume donc une fonction que si la visualisation des polices TrueType a été autorisée. C'est là un comportement logique, puisque l'activation de cette case désactive toutes les polices non TrueType.

Supprimer les polices inutiles

Si par exemple vous vous êtes habitué à la qualité des polices TrueType au point de ne plus utiliser les autres polices, vous pouvez retirer ces dernières des listes de sélection. Vous y gagnerez en espace mémoire et ne courrez plus le risque de choisir par mégarde une police non TrueType. Par la même occasion, vous neutraliserez ainsi les polices résidentes de l'imprimante. Sur les imprimantes de qualité, comme celles de la série LaserJet, par exemple, il existe des polices non limitées en taille, qui sont qualitativement équivalentes aux polices TrueType, et dont vous perdriez alors le bénéfice. Si vous travaillez avec une imprimante PostScript ou avec l'Adobe Type Manager, vous disposez de polices PostScript qui, qualitativement, valent également les polices TrueType. Etant donné que les polices PostScript sont déclarées comme polices de l'imprimante, celles-ci ne seraient plus non plus à votre disposition après activation de la présente option. Dans ce cas, il convient donc de ne désactiver l'option en aucun cas, puisque vous anéantiriez les possibilités spécifiques de l'imprimante ou de l'Adobe Type Manager.

7.4.4. Effacer des polices

Etant donné que les polices consomment de la mémoire sur le disque, vous pouvez, en cas de besoin, en effacer. Utilisez à cet effet le bouton "Enlever". Sélectionnez préalablement dans la liste la police à retirer, puis actionnez le bouton.

Activez la zone "Supprimer la police du disque" afin de détruire la police et de regagner l'espace mémoire correspondant.

Les polices sont chères, et il ne faudrait les retirer du disque dur que si vous avez besoin à d'autres fins de la place qu'elles y occupent. Avant de retirer ces polices, il convient de toute façon de les archiver sur une disquette. Généralement vous aurez besoin de certaines de ces polices par la suite, et vous aurez au moins la possibilité de les réinstaller.

Verrouiller des polices

Au lieu d'effacer une police, vous pouvez la désactiver. Procédez dans ce but comme nous l'avons décrit plus haut, et désactivez la zone "Supprimer la police du disque". Suite à cela, la police ne sera que retirée de la liste des polices que le système met à votre disposition, et n'apparaîtra donc plus dans les diverses listes de sélection. Cette solution ne fait gagner aucun espace mémoire, puisque la police reste de toute façon sur le disque.

7.5. Installer des gestionnaires

Il a déjà été question de gestionnaires dans le cadre de l'installation de Windows pour Workgroups : ils établissent la liaison entre Windows pour Workgroups et les appareils connectés à l'ordinateur, un gestionnaire spécifique pour Windows pour Workgroups étant nécessaire pour chaque périphérique.

Avec la fonction "Gestionnaires", vous pouvez installer des pilotes de périphériques appartenant à une catégorie plus élaborée que les cartes graphiques et les imprimantes, et qui seraient plutôt à classer dans le domaine multimédia : cartes son, interfaces vidéo etc.

Gestionnaires
multimédia

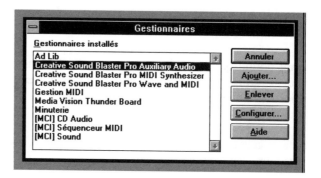

Charger un nouveau gestionnaire

Lorsque vous activez la fonction "Gestionnaire", l'écran renvoie une liste des gestionnaires déjà installés appartenant à cette catégorie. Le bouton "Ajouter..." permet d'installer de nouveaux gestionnaires, Windows pour Workgroups mettant à votre disposition un très grand nombre de pilotes de périphériques. Sélectionnez dans la liste proposée l'entrée adéquate, puis actionnez la touche «Entrée». Suite à cela, Windows pour Workgroups vous signale sur quelle disquette d'installation le pilote que vous recherchez se trouve. Une fois que cette disquette aura été introduite dans le lecteur, le gestionnaire concerné sera copié sur le disque dur et intégré au système. Vous pouvez aussi sélectionner l'entrée "Gestionnaire non listé ou mis à jour" si le fabriquant du périphérique fournit un gestionnaire Windows pour Workgroups avec son produit. Dans ce cas, vous êtes invité à introduire la disquette contenant le gestionnaire. En principe, Windows pour Workgroups s'attend à recevoir la disquette dans le lecteur A:, mais vous pouvez l'insérer dans tout autre lecteur, à condition d'écraser par la désignation appropriée l'unité proposée par défaut.

Effacer un gestionnaire

Grâce au bouton "Enlever", vous pouvez retirer du système un pilote qui y avait été installé. Cliquez à cet effet sur le gestionnaire concerné, puis sélectionnez le bouton de commande "Enlever".

Vous ne devriez enlever des gestionnaires que s'ils ont été installés par vos soins, et que vous êtes certain de ne plus jamais utiliser les périphériques qu'ils pilotaient.

7.6. Windows pour Workgroups en mode étendu

Le mode étendu, qui ne fonctionne que sur les ordinateurs de type 386 ou supérieur offre certains avantages lorsque vous travaillez avec des programmes DOS. Ce qui le distingue le plus du mode standard, c'est la possibilité de faire fonctionner plusieurs programmes DOS simultanément. Etant donné que les programmes DOS ne sont pas préparés à un tel fonctionnement multitâches, il faut définir ultérieurement le comportement que ces programmes doivent adopter. Cette définition s'effectue par l'intermédiaire de la fonction "386 étendu".

Concurrence entre périphériques

Il convient de résoudre en priorité le problème de la concurrence entre les périphériques. Lorsque plusieurs programmes DOS fonctionnent simultanément, il peut se produire que certains d'entre eux demandent à utiliser un même port de communication de l'ordinateur au même instant. Vous pouvez demander à Windows pour Workgroups de vous avertir de ces situations, et de faire en sorte que seul un programme DOS utilise le port de communication à cet instant. Mais vous pouvez aussi désactiver l'avertissement. Dans ce cas, tous les programmes DOS accéderont aux ports de communication sans aucun contrôle, et par conséquent aussi aux périphériques qui y sont connectés, ce qui peut produire des résultats fascinants, mais dans la plupart des cas inexploitables. Pour assurer un fonctionnement qui ne pose aucun problème, vous devriez par conséquent activer la technique d'avertissement.

"Inactivité (secs)" est une forme particulière de "Toujours avertir". Alors que cette dernière fonction n'avertit que si le port de communication est déjà occupé par un autre programme, l'option "Inactivité" définit une durée supplémentaire (en secondes) qui devra s'écouler avant de libérer l'appareil. Si, par conséquent, un deuxième programme réclame un port de communication libre, mais dont le temps d'inactivité n'est pas encore écoulé, Windows pour Workgroups renverra un message d'avertissement.

Priorités

Dans le groupe "Répartition du temps d'exécution", vous pouvez définir le temps de calcul à attribuer aux applications DOS. Les valeurs autorisées sont celles comprises entre 1 et 10000. Il vous est demandé de fixer une priorité pour le fonctionnement en premier plan et celui en arrière-plan.

Lorsque la case "Exclusivité à l'avant-plan" est cochée, c'est le programme fonctionnant au premier plan qui se voit attribué tout le temps de calcul. Si c'est un véritable programme Windows pour Workgroups qui fonctionne au premier plan, il se partage le temps de calcul avec les autres véritables programmes Windows pour Workgroups. Toujours est-il que toutes les applications DOS qui ne fonctionnent pas en premier plan seront systématiquement gelées.

"L'intervalle de temps minimum" indique le nombre de millisecondes pendant lequel un programme peut fonctionner sans être interrompu avant de passer au programme suivant, dans l'esprit du fonctionnement multitâches. Un intervalle de durée est affecté à chaque application DOS, alors que toutes les applications Windows pour Workgroups se partageront un autre intervalle.

L'option "Exclusivité à l'avant-plan" signifie donc plus précisément que l'intervalle de temps alloué au programme fonctionnant au premier plan n'est jamais diffusé à d'autres applications. Etant donné que les programmes Windows pour Workgroups se partagent un intervalle, ils continuent de fonctionner en parallèle lorsqu'un programme Windows pour Workgroups tourne au premier plan. Etant donné que les programmes DOS sont affectés à des intervalles de temps indépendants, seul fonctionne le programme DOS de premier plan, alors que tous les autres programmes DOS et Windows pour Workgroups sont gelés.

Création d'un fichier de stockage permanent en mode étendu

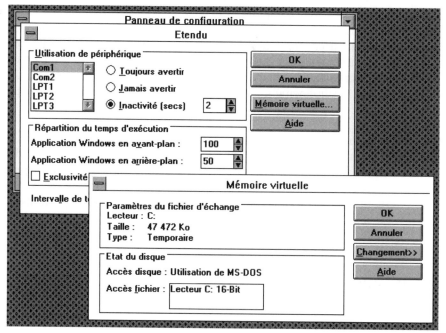

Mémoire virtuelle

La mémoire virtuelle est une plage de mémoire du disque dur adressable de la même façon que la mémoire principale (RAM). Plus précisément, les parties de programmes qui, à un instant donné, sont inutilisées, sont retirées de la mémoire vive et stockées sur le disque dur afin d'offrir plus de mémoire vive à d'autres applications. Grâce à cette technique, le fonctionnement multitâches est rendu possible même avec une mémoire principale relativement réduite.

Lorsque vous actionnez le bouton "Mémoire virtuelle...", Windows pour Workgroups tente d'abord de créer un fichier de stockage permanent sur le disque dur. Mais cela ne fonctionne que si un bloc d'espace mémoire (d'une seule pièce) suffisamment grand est disponible sur le disque.

Même si la capacité nominale du disque dur semble suffisante, il se peut que les données y soient disséminées de manière à être réparties sur tout le disque. Dans ce cas, vous devriez d'abord "ranger" votre disque dur, c'est à dire "défractionner" les données. Vous pouvez par exemple confier cette tâche aux "Norton Utilities". Prenez toutefois la précaution de quitter Windows pour Workgroups avant de lancer un quelconque utilitaire DOS de défractionnement.

S'il n'est pas possible de créer un fichier de stockage permanent, c'est un fichier DOS normal qui sera utilisé. Dans ce but, il n'est pas nécessaire que l'espace mémoire du disque soit une zone contiguë unique, mais un fichier de ce type est plus lent qu'un fichier permanent.

7.7.   Réseau

Grâce à l'icône réseau du panneau de configuration vous pouvez consulter et définir les paramètres les protocoles de réseau si vous ne l'avez pas fait lors de l'initialisation. Dans ce cas après l'installation de la carte réseau, lancez le programme Réseau qui vous ouvre la boîte de dialogue suivante :

Boîte de dialogue du programme Réseau

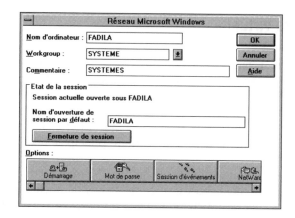

Dans cette première boîte de dialogue vous trouverez les informations se rapportant à la session courante : nom de l'ordinateur défini lors de l'installation, le nom du groupe de travail auquel vous êtes attaché et l'état de la session ouverte.

La barre d'icônes "Options", permet de définir, respectivement, les paramètres du démarrage, le changement de votre mot de passe, l'activation ou non de l'enregistreur d'événements survenant sur le réseau et enfin le gestionnaire des paramètres du réseau auquel vous êtes connectés.

Paramètres de démarrage

Options disponibles dans la boîte de dialogue Paramètres de démarrage

Tous ce qui se rapporte aux options de démarrage est définissable dans cette boite de dialogue. Par exemple vous avez ouvert une session de travail lors du démarrage de Windows pour Workgroups car le bouton "Ouvrir une session au démarrage" est activé par défaut. Si vous ne voulez pas ouvrir de session automatiquement au démarrage désactivez cette option.

Le deuxième groupe de paramètres concerne la connexion réseau. En cliquant sur le bouton "Sélection du mot de passe" vous ouvrez une deuxième fenêtre de dialogue qui vous permet de changer votre mot de passe sur un serveur ou sur un des domaines LAN Manager ou Windows NT se trouvant dans la liste déroulante. Comme lors de la saisie de votre mot de passe, vous devez toujours confirmez la saisie de votre mot de passe en le saisissant deux fois afin que le système puisse le vérifier.

Changement du mot de passe sur le domaine

Si vous avez défini un ordinateur comme une sorte de serveur de réseau poste à poste ou autre, vous le surcharger avec des tâches comme la gestion de l'impression et de l'accès à des données partageables sur son disque dur. Si de plus ce serveur doit travailler en tant que station de travail, il faut qu'il puisse organiser les tâches qu'il reçoit de façon cohérente. Pour cela, la barre "Priorité des performances" sert à privilégier les applications ou le partage de ressources selon que l'indicateur est d'un côté ou de l'autre.

Mot de passe

Lorsque vous décidez de modifiez votre mot de passe, utilisez le programme "Mot de passe" en cliquant dessus. Une boîte de dialogue à peu de détails similaire à celle vue précédemment s'affiche. De la même façon, saisissez votre nouveau mot de passe. Si lors de la saisie, une erreur s'est produite, le changement de mot de passe n'est pas effectué.

Boîte de dialogue de changement du mot de passe

Pour des raisons de sécurité, des symboles astérisques remplacent les lettres qui composent votre mot de passe.

Session d'événements

Comme dans un réseau, plusieurs utilisateurs et groupes d'utilisateurs travaillent en même temps, il est parfois nécessaire, voire indispensable, d'avoir un journal d'événements. Ainsi tous les événement qui se produisent sur le réseau sont enregistrés et peuvent être soit archivés soit utilisé pour établir des statistiques.

Les événements survenants sur le réseau sont sauvegardés dans un journal

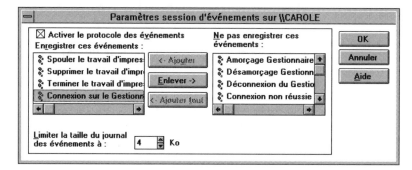

En particulier, des événements comme des suspensions ou de suppressions de travaux d'impressions, de connexions non réussie sur le réseau ou de fin d'impression peuvent intéresser l'utilisateur au point qu'il souhaite les sauvegarder dans un fichier spécialement dédié à ces événements.

Pour comptabiliser n'importe quel événement du réseau apparaissant dans la boîte de droite, activez le bouton "Activez le protocole des événements". Sélectionnez les événements qui vous intéressent un à un et cliquez sur le bouton "Ajouter". Vous pouvez également augmenter la taille du fichier journal.

Options réseaux

Dans la cas où vous disposez d'un réseau Novell, ce bouton vous affiche un certain nombre de paramètres réseau que vous pouvez activer ou désactivez selon vos préférences sans affecter votre connexion comme par exemple la distribution de message sur le réseau.

*Les
paramètres
concernant le
réseau Novell
3.01*

NetWare Settings

NetWare Device Driver - Version 3.01
Copyright © 1993 Novell, Inc. All Rights Reserved

☒ Permanent Connections

Message Reception
☐ Broadcasts
☒ Network warnings

Print Manager Display Options
50 ⬍ Maximum jobs
30 ⬍ Update seconds

Resource Display Options
☒ Bindery   ☒ DS Objects
☒ Personal   ☐ DS Containers
◉ Name Sort   ○ Type Sort

NetWare Hotkey
☐ Enable hotkey
[   ] Hotkey value

OK   Cancel   Help

7.8.   Fax

La connection et l'utilisation d'un Fax local ou distant sur le réseau est possible via ce gestionnaire de Fax. En double cliquant sur l'icône représentant un Fax dans le Panneau de configuration, vous obtenez une boîte de dialogue qui dans un premier temps vous propose de connecter votre modem et de déclarer le port surlequel il est relié. Si vous disposez d'un Fax sur le réseau cliquez sur l'option "Fax de réseau partagé" et sélectionnez le chemin d'accès. Pour définir le Fax, cliquez sur le bouron "Ajouter".

*Comment
connecter un
fax à Windows
pour
Workgroups*

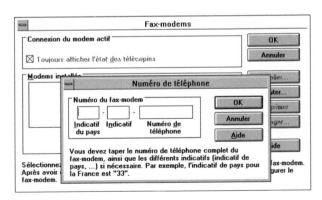

Pour personnaliser l'envoi d'un Fax, il vous faut d'abord définir les options du Fax. Pour cela ouvrez la boîte de dialogue en cliquant sur le bouton "Installer". Cette boîte de dialogue vous permet de définir les paramètres du Fax et de son utilisation en passant par le bouton "Composer".

Appel de
correspondant

Options de composition du modem

Préfixe **d**e composition : [   ]

☐ **U**tilisation de préfixe

Virgule dans la séquence de composition : [2 ▲▼] seconde**s**

OK

Annuler

Aide

┌─ Codes d'accès ─
Appe**l**s

[   ]

Appels longue di**s**tance :

[   ]

Appels **i**nternationaux :

[   ]

Ces préfixes ne sont utilisés qu'avec des
numéros de télécopie internationaux.
Sélectionnez la commande Aide pour plus
d'informations sur l'utilisation des numéros
internationaux.

┌─ **T**ype de ligne ─
● **T**onalité
○ **P**ulsation

☐ **C**omposition masquée

Si un Fax-Modem est connecté et partagé par le groupe de travail, vous pouvez choisir son gestionnaire exactement comme un gestionnaire d'imprimante. Vous pourrez alors expédier des télécopies à partir d'une application quelconque de la même manière que lors d'une impression de fichiers (voir le chapitre 9).

Choix du
gestionnaire
de Fax à partir
du
gestionnaire
d'imprimante

Imprimantes

┌─ Imprimante par défaut ─
HP LaserJet 4Si/4Si MX sur LPT3:

Annuler

┌─ **I**mprimantes installées: ─
HP LaserJet 4Si/4Si MX sur LPT3:
HP LaserJet IIP PostScript sur LPT1:
Microsoft At Work Fax sur FAX:

Connecter...

Configurer...

Enlever

Aide

[Imprimante par **d**éfaut]

☒ Utiliser le **G**estionnaire d'impression

[A**j**outer une imprimante >>]

Chapitre

8

Le gestionnaire d'impression

Dans un système d'exploitation multitâches tel que Windows pour Workgroups, plusieurs programmes peuvent simultanément requérir l'accès à l'imprimante. Mais d'après le principe de fonctionnement du système, plusieurs contrats d'impression ne peuvent être exécutés que dans leur ordre chronologique.

En activant le gestionnaire d'impression les impressions ne sont plus émises directement vers l'imprimante, mais automatiquement interceptés par le gestionnaire d'impression, et, dans le cas de plusieurs impressions, installés dans une file d'attente. C'est dans cet ordre chronologique que les documents seront transmis à l'imprimante par le gestionnaire d'impression. Vous pouvez ainsi, en qualité d'utilisateur d'un programme, donner l'ordre d'imprimer à tout instant, sans qu'il soit nécessaire d'attendre que l'imprimante soit physiquement disponible.

Deux imprimantes sur deux ports de communication distincts. Seule l'une d'entre elles est sélectionnée.

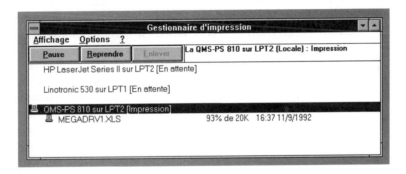

Si vous désirez recourir au gestionnaire d'impression, vous avez intérêt à activer la fonction "Imprimantes" du panneau de configuration (Cf. section 7.2.3) afin de vous assurer que dans la boîte de dialogue qui lui est associée la case à cocher "Utiliser le gestionnaire d'impression" est active.

Une impression locale se passera donc comme dans le cas d'un programme Windows. L'accès à une imprimante réseau se passera différemment.

Imprimer avec le Gestionnaire de fichiers :

Si vous imprimez par l'intermédiaire du gestionnaire de fichiers et que votre système se bloque brutalement, ne concluez pas trop vite à un plantage du système avec nécessité d'une réinitialisation s'accompagnant toujours d'une perte de données. Il est plus probable que le gestionnaire d'impression ne parvienne pas à accéder à l'imprimante, soit parce qu'elle n'est pas sous tension, ou qu'elle est en mode Off-Line, soit parce qu'elle est connectée à un mauvais port de communication, voire pas connectée du tout, soit parce qu'elle est mal configurée. Attendez plutôt une soixantaine de secondes pour donner le temps au gestionnaire d'impression de retourner un message d'erreur. Vous pourrez ensuite corriger l'erreur, ou interrompre l'impression, puis poursuivre votre travail dans le système.

Lorsque vous lancez le gestionnaire d'impression, vous voyez apparaître une liste des imprimantes installées ainsi que leur état. Ces spécifications correspondent au point de vue du gestionnaire d'impression, mais ne fournissent aucune indication sur le fait que les périphériques se trouvent réellement dans l'état indiqué, voire même s'ils sont branchés. Le gestionnaire d'impression n'est pas capable d'effectuer de telles vérifications. Vous pouvez à présent émettre des impressions vers les imprimantes installées, depuis vos applications. Si vous vous contentez de donner l'ordre d'imprimer, celui-ci ira à l'imprimante par défaut qui avait été spécifiée lors de l'installation des imprimantes (Cf. section 7.2.3). Un autre bouton de la boîte de dialogue d'impression permet toutefois aussi de transmettre l'ordre à toute autre imprimante installée.

Chaque impression destinée à une imprimante est placé dans une file d'attente par le gestionnaire d'impression. Cette file d'attente est visualisée dans la fenêtre du gestionnaire d'impression, juste au-dessous du nom de l'imprimante. Est d'autre part signalé dans cette fenêtre le contrat d'impression en cours, ainsi que son taux d'achèvement.

Si vous êtes branché sur un réseau, vous avez probablement accès à une imprimante de ce réseau, qui peut être connectée à un autre ordinateur. Dans ce cas, votre gestionnaire d'impression ne s'adresse pas directement à l'imprimante du réseau, mais celle-ci est gérée par un gestionnaire d'impression du réseau, actif sur l'ordinateur sur lequel l'imprimante de réseau est connectée. Votre propre gestionnaire d'impression entre alors en communication avec le gestionnaire d'impression du réseau, en demandant des informations sur l'état de l'imprimante. Pour l'utilisateur, cela ne fait aucune différence.

Lorsque vous cliquez sur une impression dans la fenêtre du gestionnaire d'impression, un renseignement s'affiche dans le coin supérieur droit. Si cette mention se compose du nom de l'imprimante suivi du terme "locale" écrit entre parenthèses, c'est qu'il s'agit de votre imprimante personnelle, dont vous êtes le seul donneur d'ordre. Si vous n'êtes pas rattaché à un réseau, toutes les imprimantes sont munies de l'attribut "locale".

8.1. Modifier les positions dans la file d'attente

Les fichiers à imprimer sont rangés dans la file d'attente d'après le principe "les premiers arrivés sont les premiers servis". Mais cet ordre chronologique peut être modifié pour les imprimantes locales, ce qui peut par exemple être utile si vous préférez imprimer rapidement une lettre avant un long rapport. Les documents ne peuvent être déplacés dans la file d'attente que s'ils sont vraiment en position d'attente. Dès que le gestionnaire d'impression commence à imprimer un fichier, il n'est plus possible de modifier la priorité de l'opération.

Vous n'avez pas la possibilité de réorganiser la file d'attente d'une imprimante de réseau, car l'imprimante d'un réseau n'est d'une part pas pilotée par votre gestionnaire d'impression personnel, et d'autre part, cette technique assure la protection de la collectivité des usagers contre tous les passe-droits. Aucun usager du réseau ne pourra donc faire passer ses propres contrats d'impression en priorité.

Pour placer une impression à une nouvelle position dans la file d'attente, cliquez sur le fichier à déplacer, et amenez-le à son nouvel emplacement en maintenant le bouton gauche de la souris enfoncé. Relâchez ensuite le bouton de la souris.

8.2. Arrêter temporairement des impressions

Un arrêt temporaire peut être marqué dans l'exécution d'une impression à l'aide du bouton "Pause" situé dans la partie supérieure gauche de la fenêtre du gestionnaire d'impression. Le bouton "Reprendre" relance le processus.

Il est également possible d'arrêter temporairement une imprimante avec tous les documents de sa file d'attente. A cet effet, il faut, à la place d'un document, sélectionner l'imprimante concernée avant de cliquer sur le bouton "Pause".

8.3. Supprimer des impressions

Vous pouvez à tout instant supprimer une impression. S'il se trouve encore dans la file d'attente, cette opération ne pose aucun problème : cliquez sur l'entrée, puis actionnez le bouton "Enlever" du gestionnaire d'impression. La fonction de suppression est également applicable à des impressions en cours d'exécution, intervention qui se justifie par exemple lorsque vous décelez sur la première page imprimée d'un long document un défaut qui rendrait inutile l'impression des pages suivantes.

Supprimer des impressions en cours :

Lorsque vous supprimez une impression qui était déjà en cours d'exécution, vous devriez, par mesure de sécurité, procéder à une réinitialisation de l'imprimante. De nombreuses imprimantes sont équipées d'un bouton de Reset. D'autres devront être mises hors tension pendant quelques secondes, puis rebranchées. Il se peut en effet que le document ait placé l'imprimante dans un mode de fonctionnement particulier, et que la brutale rupture du processus n'ait pas permis de restaurer l'état normal de cette imprimante. Cela se produit le plus souvent lors de l'impression d'un graphisme de haute résolution, avec commutation de l'imprimante sur le mode graphique. Si dans ce cas vous ne réinitialisez pas l'imprimante, elle interprétera tous les contrats d'impression suivants comme des données graphiques. Les résultats produits ne seraient alors guère utilisables.

8.4. Attribution du temps de calcul

Le gestionnaire d'impression a évidemment besoin d'un certain temps de calcul. Celui-ci dépend essentiellement de l'imprimante utilisée. S'il s'agit d'une imprimante matricielle, chaque page à imprimer doit être entièrement préparée par le gestionnaire d'impression, puis transmise à l'imprimante sous forme de graphisme de haute résolution. S'il s'agit d'une imprimante PostScript, certaines polices pourront être représentées directement par l'imprimante à la suite de quelques définitions de paramètres (Cf. section 7.2.3), le gestionnaire d'impression n'ayant alors pas à s'en soucier, et le temps de calcul nécessaire chutant en conséquence. Enfin, si vous travaillez avec une imprimante TrueType, les composants électroniques de l'imprimante prendront en charge la plus grande partie de la mise en page.

La résolution choisie pour l'impression joue un rôle supplémentaire. Plus cette résolution est élevée, plus le nombre des données à évaluer par le gestionnaire d'impression et à transmettre à l'imprimante sera important. C'est pourquoi il est préférable de diminuer la résolution de l'impression pour des tirages réalisés à titre d'essais.

Vous avez la possibilité de décider du temps de calcul à impartir au gestionnaire d'impression. Plus vous lui en donnez, plus vous obtiendrez rapidement le résultat de l'impression, mais plus vous ralentirez le reste du système. Vous avez à cet effet le choix entre les priorités basse, moyenne et haute, auxquelles vous accédez dans le menu "Options". C'est la haute priorité qui produit l'impression la plus rapide.

Lors du choix de la priorité, vous devriez réfléchir à l'importance que revêt le fait de disposer dans les plus brefs délais du résultat de l'impression. En fait, nous vous suggérons d'essayer les trois options proposées afin que vous puissiez vous rendre compte de la lenteur à laquelle succombe le reste du système (pour faire ces tests, il faut évidemment que le gestionnaire d'impression ait du travail). Il va de soi qu'un ordinateur équipé d'un processeur 80286 aura bien plus de mal à supporter une priorité élevée du gestionnaire d'impression qu'un autre équipé d'un 80486. Ne perdez pas non plus de vue la possibilité d'arrêter temporairement l'exécution d'une impression, ou de fermer le gestionnaire d'impression pour relancer l'impression plus tard, si à cet instant il vous faut toute la puissance de calcul de votre machine pour d'autres usages.

8.5. Les messages du gestionnaire d'impression

Certaines circonstances nécessitent une réaction de l'utilisateur pour lancer ou reprendre le processus d'impression. Parmi celles-ci il y a, par exemple, la réalimentation en papier. Trois options sont à votre disposition pour déterminer la manière de laquelle l'utilisateur sera informé d'une telle condition. Ces options se trouvent dans le menu "Options" :

Avertissement permanent	L'information est envoyée à l'utilisateur à chaque fois qu'une réaction est nécessaire.
Clignotement si inactivité	Le gestionnaire d'impression attire l'attention de l'utilisateur par un signal sonore et un clignotement de la barre titre. Dès que le gestionnaire d'impression devient actif (par clic sur la fenêtre), ou que l'on agrandit son icône par double clic, il affichera son message. C'est là le paramétrage par défaut qui permet à l'utilisateur de choisir le moment auquel il s'occupera du problème.
Ignorer si inactivité	Comme ci-dessus, mais le gestionnaire d'impression ne signale pas les problèmes. Le processus d'impression est interrompu et ne peut être repris que si l'utilisateur active la fenêtre du gestionnaire d'impression de sa propre initiative pour résoudre le problème. Cette option ne présente aucun avantage par rapport aux possibilités précédentes. Son inconvénient est que l'utilisateur doit pratiquement découvrir lui-même la condition d'erreur, et ce à la suite d'un arrêt du processus d'impression qui risque d'être long sans que l'utilisateur s'en rende compte.

8.6. Configurer une imprimante

Dans le menu Options vous trouvez la commande "Configuration de l'imprimante" qui permet d'installer des imprimantes supplémentaires, ou de modifier la configuration d'imprimantes existantes. Cette commande active la fonction d'installation d'imprimantes du panneau de configuration, à laquelle vous avez déjà pu être confronté dans le cadre de l'installation de Windows pour Workgroups. Cette installation/configuration a déjà été décrite dans le cadre de l'étude du panneau de configuration, dans la section 7.2.3.

Il ne faut en aucun cas modifier les paramètres de configuration de l'imprimante tant que le gestionnaire d'impression traite des ordres d'impression.

8.7.   Autres options

Pour chaque contrat d'impression, le gestionnaire d'impression indique l'heure et la date de l'ordre, ainsi que le volume des impressions en Koctets. Ces informations sont importantes lorsque vous désirez réorganiser les impressions présentes dans la file d'attente (Cf. section 8.1), car vous pouvez ainsi distinguer en un clin d'oeil les grands des petits, ou les plus récents des plus anciens.

Occulter les informations d'impression :

Mais vous pouvez aussi occulter ces informations. Vous utiliserez à cet effet les commandes "Heure/Date d'envoi" et "Taille" du menu Affichage. Ces commandes fonctionnent comme des commutateurs : une fonction est cochée lorsqu'elle est active.

Si vous avez pour habitude de faire fonctionner le gestionnaire d'impression en arrière-plan, et que l'idée de réorganiser la file d'attente ou de supprimer des impressions ne vous a jamais effleurée, les informations concernant la taille et l'heure ne vous seront d'aucune utilité. Etant donné que la désactivation de ces informations n'assure aucun gain sensible en mémoire ni en rapidité d'exécution, on peut s'interroger sur l'utilité de ces options.

8.8.   Partage d'imprimante réseau

Si votre ordinateur est un poste d'un réseau, il est probable que vous puissiez travailler avec une imprimante de ce réseau.

Les imprimantes d'un réseau ne sont pas pilotées par le gestionnaire d'impression, mais par des gestionnaires particuliers. Mais le gestionnaire d'impression de votre poste de travail est capable de dialoguer avec ces gestionnaires spécifiques.

Votre gestionnaire d'impression peut établir une communication avec une imprimante du réseau et l'interroger sur son état ainsi que sur sa file d'attente courante, dans laquelle ne se trouvent pas que vos seuls documents, mais tous les documents du réseau qui ont été envoyés vers cette imprimante.

En principe, une imprimante de réseau peut être incorporée à votre système dès la phase d'installation des imprimantes. Elle est alors à votre disposition de la même façon qu'une imprimante locale. Vous pouvez toutefois aussi établir à tout instant la liaison à l'aide du gestionnaire d'impression, en activant la commande "connexions réseau" du menu Options. Dans la boîte de dialogue qui s'ouvre à l'écran, il vous faut alors entrer le nom que possède l'imprimante dans le réseau, dans la zone. Vous trouverez des informations plus précises à ce sujet et à propos des zones Chemin du réseau et "Mot de passe", soit dans les manuels d'utilisation de votre réseau, soit auprès du superviseur du système sur lequel vous travaillez, et qui est chargé de la maintenance logicielle ainsi que de l'organisation de ce système.

Sélectionnez à présent le ports de connexion désiré dans la zone de liste déroulante. Si l'imprimante de réseau est protégée des ingérences extérieures par un mot de passe, il faut également remplir cette zone, chaque caractère saisi étant à cette occasion représentée par un astérisque, par mesure de sécurité. Il ne reste maintenant plus qu'à établir la liaison au moyen du bouton "Connecter" et à refermer la boîte de dialogue.

8.8.1. Condition d'utilisation d'une imprimante éloignée

Pour qu'une imprimante éloignée (contrairement à une imprimante locale) puisse être utilisée dans un réseau poste à poste, il faut que soit remplies les condition suivantes:

- L'ordinateur auquel elle est connectée doit être disponible à l'intérieur du réseau (carte réseau, câble, etc.).
- Il doit être allumé.
- Windows pour Workgroups doit être en service, pour que la connexion au réseau soit effective.
- Sur l'ordinateur il faut spécifier que l'imprimante reliée peut être aussi utilisée par d'autres ordinateurs.

Comment spécifier une imprimante partageable

Pour cela, il faut appeler la fonction "Imprimante/ Partager l'imprimante" dans le gestionnaire d'impression pour l'imprimante sélectionnée.

A l'intérieur de la boîte de dialogue qui s'ouvre, choisissez d'abord l'imprimante à partager.

Partager une imprimante

Partager l'imprimante	
Imprimante : HP LaserJet IIP PostScript sur LPT1	OK
Nom de partage : HPlaser	Annuler
Commentaire : imprimante du second etage	Aide
Mot de passe : ****** ☒ Partager à nouveau au démarrage	

Vous pouvez indiquer dans cette boîte de dialogue, le nom qui désignera l'imprimante partageable aux autres utilisateurs. Dans la zone "Commentaires" saisissez un commentaire si vous en avez besoin.

Un mot de passe peut contrôler les accès à l'imprimante si vous ne voulez pas que tous les utilsateurs du réseau puissent y accéder pour imprimer leur documents.

En activant le bouton "Partager à nouveau au démarrage", Windows pour Workgroups fait en sorte que l'imprimante soit à nouveau disponible au prochain démarrage de votre ordinateur. Il lance pour cela lui-même le gestionnaire d'impression correspondant. Si vous voulez en revanche que l'imprimante ne soit disponible que pour la session présente, laissez l'option désactivée.

Accès à une imprimante distante

Pour pouvoir accéder maintenant à l'imprimante ainsi préparée à partir d'un autre ordinateur, il faut commencer par créer une connexion avec l'imprimante. Il faut donc activer la commande "Imprimante/ Se connecter à l'imprimante réseau" dans le gestionnaire d'impression.

Dans la boîte de dialogue qui s'ouvre, vous obtenez la liste des imprimantes disponibles que vous pouvez utiliser.

Connecter une autre imprimante

Pour cela il faut d'abord choisir l'ordinateur auquel est reliée l'imprimante dans la liste des ordinateurs accéssibles.

Il reste à définir dans cette boîte de dialogue l'interface de connexion dans la liste "Périphériques". En appuyant sur "OK", l'imprimante marquée dans la fenêtre "Imprimantes partagées" est sélectionnée.

Quand plusieurs groupes de travail ont été institués, on peut aussi sélectionner les ordinateurs d'un autre groupe de travail.

Si vous ne désirez plus partager votre imprimante avec les autres utilisateurs du réseau, désélectionnez-la grâce à la commande "Cesser de partager l'imprimante" du menu "Imprimantes" du gestionnaire d'impression.

8.8.2. Files d'attente dans les réseaux

Le gestionnaire d'impression ne gère que vos propres contrats d'impression, et ne visualise d'ailleurs que ces fichiers dans la file d'attente d'une imprimante de réseau.

Vous pouvez visualiser les files d'attente d'une autre imprimante du réseau. Pour cela activez la commande "Autre file d'attente réseau" dans le menu Affichage. Il vous faut toutefois connaître le nom du chemin de l'autre imprimante dans le réseau. Cette fonction est utile si vous connaissez plusieurs imprimante du réseau et que vous désirez savoir, avant de lancer l'impression, quelle est celle qui, à cet instant, est potentiellement la moins occupée. C'est évidemment sur cette imprimante que vos documents pourront être traités le plus rapidement.

Pour pouvoir imprimer des documents, il vous faut, comme nous l'avons décrit plus haut, établir d'abord une liaison avec l'imprimante du réseau. Cette liaison ne sera pas mise en place avec la visualisation de la file d'attente, cette dernière n'étant d'ailleurs pas nécessaire pour établir la liaison.

8.8.3. Messages d'état en réseau

Le message de l'état d'une imprimante d'un réseau est mis à jour à des intervalles réguliers dont la durée dépend du logiciel de gestion du réseau. La commande "Mettre à jour les files d'attente" du menu Affichage permet à tout instant d'obtenir un message d'état actualisé.

Etant donné que tout message d'état est un ensemble de données devant être véhiculé par le réseau, vous pouvez réduire la charge du réseau en vous dispensant des messages d'état de l'imprimante. "Options/Impression d'arrière-plan, et activez la case "Aucun avertissement".

8.8.4.   Imprimantes réseau et gestionnaires d'impression

En principe, les impressions sont communiqués directement à des imprimantes du réseau pour réduire le temps de gestion de l'impression sur votre propre poste, puisque chaque imprimante de réseau dispose de son propre gestionnaire d'impression (ou d'un pilote du même genre). Si vous le désirez, le gestionnaire d'impression peut aussi se charger de la gestion de vos impressions, même si vous les dirigez vers une imprimante du réseau. Ce travail est coûteux en temps et espace disque, mais le gestionnaire de fichiers traite alors vos contrats d'impression comme s'ils allaient vers une imprimante locale, opération qui inclut évidemment aussi la surveillance des erreurs.

Sélectionnez la fonction "Impression d'arrière-plan"" du menu Options et désactivez la case à cocher "Envoi des travaux directement sur le réseau".

Chapitre

9

Le gestionnaire de réseau

Dans ce chapitre nous allons passer en revue les accessoires fournis avec Windows pour Workgroups. Ces accessoires sont en rapport pour la plupart avec les capacités réseau du logiciel.

9.1. L'Observateur réseau

A l'aide de ce petit programme vous pouvez obtenir des informations sur les utilisateurs qui accèdent à votre ordinateur et sur les répertoires ou fichiers sollicités à cette occasion.

C'est également un moyen pour vérifier qu'aucun autre utilisateur n'est en train d'utiliser les ressources de votre ordinateur lorsque vous envisager de quitter votre session de travail sans causer de dommages.

L'affichage de l'observateur réseau

L'icône de l'observateur du réseau se trouve dans le groupe Réseau du gestionnaire de programmes. En le lançant, vous obtenez la fenêtre suivante:

Affichage de l'observateur réseau

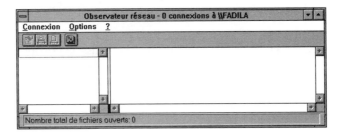

Les éléments de l'écran

Dans la barre de titre de l'observateur de réseau se présente comme d'habitude le nom du programme. Il est suivi du nombre de connexions à votre ordinateur. Toutes les connexions sont normalement affichées dans la liste au dessous de la barre d'outils.

La liste des utilisateurs connectés à votre ordinateurs comporte deux sections: une zone d'identification et une autre représentant toutes les ressources en cours d'utilisation (fichiers, répertoires ...).

Dès que l'observateur du réseau est activé, il examine toutes les 20 secondes l'état des connexions de votre ordinateurs et met à jour l'entrée correspondante. Si une nouvelle connexion est établie alors elle est ajoutée à la liste. Sinon si une connexion est terminée, elle est tout simplement enlevée de la liste.

Les possibilités de l'observateur réseau

Avec l'observateur réseau vous pouvez bien sûr demander l'affichage des fichiers ouverts par un autre utilisateur sur votre ordinateur. Mais vous pouvez aussi lui enlever ces fichiers, simplement en les fermant, puis en les ouvrants vous-même à nouveau. Pour fermer une fenêtre, sélectionnez-la dan l'observateur réseau et activez la commande "Connexion/ Fermer le fichier". Vous pouvez également utiliser l'icône de la barre d'outil correspondante.

Comme le fichier est ouvert par un autre utilisateur, vous allez recevoir un message d'avertissement et de mise en garde contre des pertes de données. Sachez que la fermeture d'un fichier en cours d'utilisation par quelqu'un d'autre peut entraîner d'irréparables pertes de données pour l'autre utilisateur.

Il faut donc être très prudent lorsque vous utilisez cette commande. Si vous avez fermé un fichier que vous ne voulez plus utiliser, un autre utilisateur peut y accéder et l'utiliser.

Grâce à l'observateur réseau vous avez aussi la possibilité de fermer la connexion d'un autre utilisateur. Utilisez pour cela la commande "Connexion/ Déconnecter". Dans ce cas aussi vous recevrez un message d'avertissement. Le message vous avertit que toutes les applications lancées par l'ordinateur connecté seront interrompues. Ceci peut également conduire à des pertes substantielles d'informations.

Ces pertes peuvent êtres vraiment très importantes et l'ordinateur peut même refuser tout fonctionnement. Dans ce cas l'utilisateur perd non seulement les données appelées à partir d'un autre ordinateur mais également des données de son propre ordinateur s'il ne les a pas encore sauvegardées.

Affichage des informations sur les participants connectés

En plus des possibilités précédentes, vous pouvez demander à l'observateur réseau de vous afficher les informations supplémentaires sur les utilisateurs connectés à votre ordinateur.

Pour obtenir ces informations, sélectionnez les utilisateurs qui vous intéressent et activez la commande "Connexion/ Propriétés". L'observateur du réseau vous fournira alors les informations concernant l'utilisateur de cet ordinateur, le réseau de connexion utilisé, la durée de la connexion, et la durée d'utilisation des ressources de votre ordinateur.

9.2.   Le Compteur

Avec ce petit utilitaire, vous pouvez voir la charge de votre ordinateur. Donc de pouvoir visualiser la courbe d'utilisation des ressources de votre ordinateur par les applications qui tournent dessus.

L'affichage des occupations de l'ordinateur

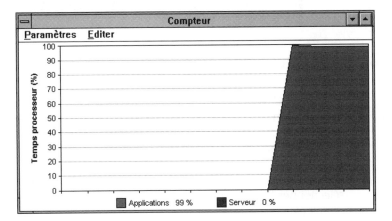

Dans la courbe affichée, l'axe des X représente la durée et l'axe des Y le taux d'occupation de votre ordinateur. Dans le menu "Paramètres" vous avez la possibilité de modifier et d'influencer l'affichage en choisissant un autre intervalle de temps pour l'axe des X.

Votre ordinateur est principalement occupé au moment où vous lancez ou quittez des applications ou bien lorsque vous sauvegardez ou copier des fichiers. Ceci peut produire des pics dans les courbes.

9.3.   Le Téléphone électronique

Un programme nommé "Conversation" est fourni avec Windows pour Workgroups. Grâce à ce programme vous pouvez "téléphoner" aux autres utilisateurs connectés au réseau. Bien entendu, il n'est pas possible de parler comme dans un combiné téléphonique commun mais plutôt de dialoguer de façon interactive entre utilisateurs.

Le téléphone électronique favorise les communications sous Windows pour Workgroups

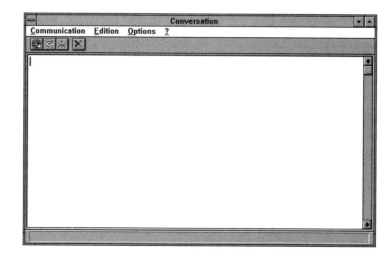

Créer une connexion

Si vous voulez échanger des messages avec un autre participant du réseau, activez le programme Conversation. Vous allez voir apparaître une nouvelle fenêtre sur votre écran. Afin de sélectionner votre correspondant activez "Communication/ Composer" ou activez le bouton de même nom dans la boîte à outils.

Vous voyez alors s'ouvrir une autre boîte de dialogue dans laquelle vous pouvez sélectionner l'ordinateur avec lequel vous voulez établir la communication téléphonique.

Sélectionner l'ordinateur avec lequel vous voulez communiquer

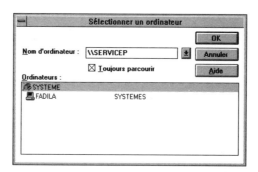

En confirmant votre choix par "OK", la liaison s'établit en lançant le même programme sur l'autre ordinateur. Une image de téléphone apparaît en effet sur l'écran et les deux ordinateurs se mettent à "sonner". Cette "sonnerie" est même visible puisque l'on voit le combiné du téléphone tressauter en même temps.

Votre correspondant peut "décrocher" en double cliquant sur le téléphone ou en appuyant sur «Alt» + «Tab». Il voit alors s'ouvrir la même fenêtre à l'écran. Si son programme était déjà activé, il peut également activer la commande "Communication/ Décrocher".

Echanger des messages

A partir de maintenant, vous pouvez échanger des messages avec l'ordinateur connecté en écrivant tout simplement des messages à l'écran. Pendant que vous écrivez, votre texte s'inscrit aussi dans la partie supérieure de la fenêtre de communication. Le texte reçu est inscrit dans la partie inférieure de la fenêtre Conversation.

En plus de la saisie de messages, vous pouvez coller un texte déjà copié dans le presse papier de Windows pour Workgroups grâce à la commande "Edition/ Coller". Cela vous évite de réécrire un long texte si ce dernier est déjà disponible dans un fichier. Il n'est pas possible d'insérer de la même façon des images. Si le presse-papiers contient des éléments graphiques, lors de l'insertion ils seront tout simplement mis de côté.

Echanger des messages avec un utilisateur

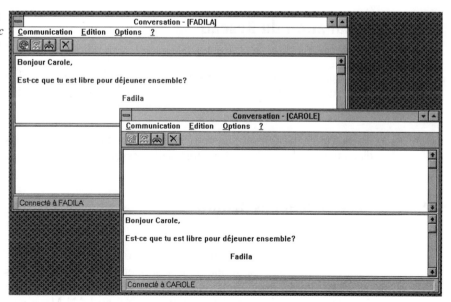

Interrompre la communication

 Si vous voulez interrompre la communication, activez la commande "Communication/ Raccrocher" ou appuyez sur l'icône de même nom dans la barre d'outils.

Autres spécifications

Avec "Options/ Préférences", vous pouvez indiquer si les deux fenêtres de messages seront placées côté à côté ou seront superposées. Vous pouvez aussi dire si le texte reçu devra s'afficher dans la police de caractères décidée par vous-même ou s'il devra conserver la police d'origine.

Pour définir la police de caractères que vous envoyez, utilisez la commande "Options/ Police". Grâce à la commande "Options/ Couleurs de fond, vous pouvez définir la couleur de fond de la fenêtre de messages entrés. Si vous voulez que ces couleurs soient également visibles chez votre interlocuteur, vous devez le spécifier avec la commande "Options/ Préférences".

9.4.   Installation du Réseau

Ce programme dont nous avons déjà décrit l'emploi sert principalement à ajouter ou à reconfigurer votre réseau si ce dernier ne l'a pas été durant la phase d'installation.

En lançant ce programme vous retomberez exactement sur les fenêtres de dialogues que le gestionnaire d'installation vous a proposé (voir le chapitre 2).

9.5.   Service d'accès distant

C'est un programme qui vous permet de vous connecter à votre ordinateur à partir de chez vous. Ce mode de travail peut s'avérer très intéressant pour des personnes du service commercial qui par exemple sont amenées à se déplacer. Avec un serveur d'accès distant Windows NT ou LAN Manager, vous pouvez vous connecter via le réseau à votre ordinateur et accéder à toutes les ressources dont vous avez besoin.

Dans de pareils cas, l'utilité des mots de passes et des droits d'accès ne nécessite pas de justification supplémentaire.

Paramétrage
et définition
des éléments
de l'accès
distant

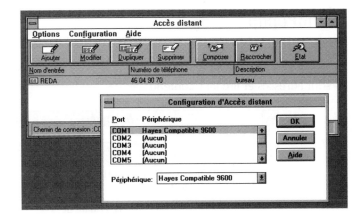

9.6. Ouverture/Fermeture de session

Si lors du lancement de Windows pour Workgroups vous n'avez pas ouvert de session de travail parce que vous n'envisagiez pas de travailler sur le réseau, vous pouvez changer d'avis à tout moment en passant par le programme d'ouverture de session "O/F de session". Si par contre vous voulez quitter votre session de travail et ne pas éteindre tout de suite votre ordinateur, utilisez le même programme pour quitter la session ouverte. En double cliquant sur l'icône du programme, la session un message vous averti que la session à été fermée.

Message
d'avertissement
de fermeture
de session

Vous pouvez également passer par le programme "Réseau" du Panneau de configuration pour fermer la session sans pour autant quitter Windows pour Workgroups.

9.7.   WinPopup

Grâce au programme WinPopup, vous pouvez visualiser les messages qui vous
sont adressés et lire leur contenu.

La fenêtre du
programme
WinPopup

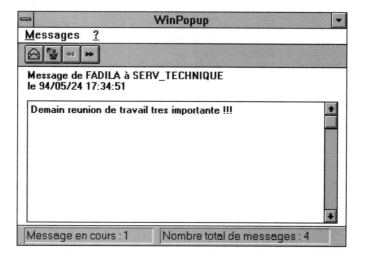

Vous pouvez aussi envoyer des messages aux autre utilisateurs ou groupes
d'utilisateurs du réseau.

Envoi d'une
message à un
autre
utilisateur du
réseau

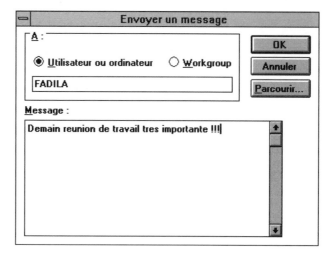

Appuyez sur OK et validez la fenêtre qui vous informe de l'état de votre envoi.

9.8. Mail

Le travail dans une société peut se diviser en plusieurs projets différents. Chaque projet pouvant être pris en charge par une équipe de travail. Avec Windows pour Workgroups, vous disposez d'une poste électronique au même titre que le téléphone électronique.

Qu'est ce qu'un bureau de poste

Avant de pouvoir utiliser Mail, il faut créer un bureau de poste qui conservera dans des boîtes aux lettres tous les messages destinés aux utilisateurs annoncés. Le bureau de poste est créé dans un répertoire commun aux membres d'un groupe de travail. Il peut se trouver sur le disque dur de l'un des ordinateurs connectés au réseau et partageable entre les utilisateurs. Pour chaque groupe de travail un bureau de poste est nécessaire. Les utilisateurs de bureau de postes différents ne peuvent pas communiquer entre eux. Ils doivent avoir recours à WinPopup pour le faire.

L'administrateur du réseau affecte à chaque groupe de travail un fichier correspondant au nom du bureau de poste et au mot de passe pour y accéder.

Seul l'administrateur a plein droit sur l'accès à ses informations. Toutefois, de nouveaux membres d'un bureau de poste peuvent s'annoncer eux-mêmes sans passer nécessairement par l'administrateur.

La fenêtre de travail du programme Mail

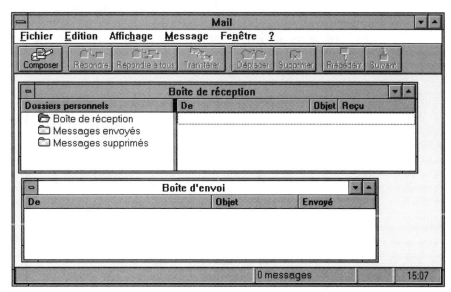

Les messages peuvent être conservés en étant triés selon différents critères. Les messages peuvent être envoyés directement dans Schedule+. A chaque message, on peut joindre un fichier ou une image issu d'un autre logiciel Windows.

Comment créer un bureau de poste

Si vous êtes l'administrateur du réseau, pour créer un bureau de poste, activez d'abord le programme Mail en double cliquant sur l'icône du programme ensuite sur le bouton "Créer un nouveau bureau de poste de groupe de travail" de la fenêtre de travail. Acceptez le message de mise en garde en appuyant sur "OK" pour passer à l'étape suivante.

Première boîte
de dialogue
Mail

Vous devez choisir un répertoire représentant le fichier bureau de poste. Ce répertoire doit être partageable entre les différents utilisateurs du groupe. Pour permettre aux utilisateurs de recevoir leur courrier en permanence, veillez à ce que l'ordinateur sur lequel le répertoire est créé, reste allumé tout le temps. Si vous voulez que les utilisateurs du groupe ne viennent pas se plaindre par la suite, pensez à créer un mot de passe pour le répertoire du bureau de poste.

Choix du
répertoire
d'un bureau
de poste

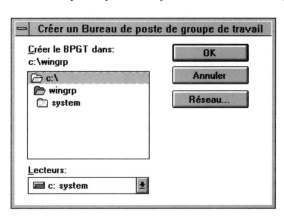

Après validation, saisissez toutes les informations nécessaire à l'identification de ce bureau de poste et appuyez sur "OK".

Saisie de toutes les données du nouveau bureau de poste

Informations sur le compte de l'administrateur

No**m:**	Boitlet1
Boî**te aux lettres:**	systeme
Mot de p**asse:**	
Téléphone **n°**1**:**	
Téléphone **n°**2**:**	
Bu**reau:**	N° 5, troisième étage à gauche
Service**:**	Maintenace
No**tes:**	Date de création 11 Mai 1994

OK   **Annuler**

Le mot de passe saisi, permettra de contrôler l'accès au bureau de poste, il est donc préférable d'en choisir un facile à retenir pour tous les utilisateurs d'un même groupe. Le plus souvent les gens pensent à mettre le nom du service ou du projet de travail. Mais attention, agrémentez le mot de passe de lettres ou par un code qui ne seront pas faciles à deviner par un autre utilisateur étranger à ce groupe de travail.

Créer, supprimer, et modifier des boîtes aux lettres

L'administrateur du bureau de poste peut recevoir de nouveaux utilisateurs dans la liste d'un groupe. Il doit alors veiller à bien communiquer à la personne concernée les informations nécessaires qui lui permettront de se connecter à Mail.

Si l'administrateur veut recevoir un nouvel utilisateur dans la liste du bureau de poste, il doit activez la commande "Message/ Gestionnaire de Bureau de poste" dans la barre de menu de Mail. Il est le seul à avoir accès à cette commande. Les autres utilisateurs reçoivent un message en conséquent lorsqu'ils essayent de l'activer.

Le
gestionnaire
de bureau de
poste

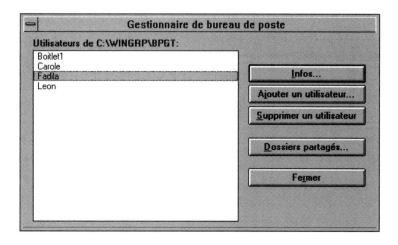

Pour ajouter un nouvel utilisateur, choisissez le bouton "Ajouter un utilisateur" dans le gestionnaire de bureau de poste. L'administrateur voit alors apparaître une nouvelle boîte de dialogue dans laquelle il peut introduire les informations relatives à l'utilisateur.

Il est également possible de modifier les données du compte utilisateur en activant le bouton "Infos".

Pour rayer le compte de l'utilisateur de la liste, son nom doit être sélectionné dans la boîte de dialogue Gestionnaire de bureau de poste. En appuyant sur le bouton "Supprimer un utilisateur", l'utilisateur est supprimé.

Connexion d'un utilisateur à un bureau de poste existant

Pour lancer le programme Mail, il vous suffit de double cliquer sur l'icône du programme. Si vous être annoncé vous même comme nouvel utilisateur, vous devez passer par la connexion à un bureau de poste en sélectionnant dans la fenêtre de bienvenue à Microsoft Mail l'option "Se connecter à un bureau de poste existant" et saisir les informations adéquates pour établir la connexion (voir sections précédentes). Si l'administrateur de réseau s'est chargé de vous définir vous n'avez qu'à saisir le mot de passe pour ouvrir votre courrier électronique.

Protection de
l'accès à Mail
par un mot de
passe

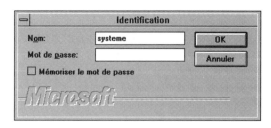

Si vous voulez lancer le programme Mail à chaque démarrage de Windows pour Workgroups, placez l'icône du programme dans le groupe "Démarrage" du gestionnaire de programmes. Le programme de courrier électronique sera ainsi lancé automatiquement à chaque fois que vous ouvrez une session dans Windows pour Workgroups.

Modification du mot de passe

Un mot de passe doit être d'une part facile à retenir et d'autre part il ne doit contenir aucune suite de caractères connus ou facile à deviner. Il est en outre recommandé de changer de mot de passe souvent.

Pour ce faire, une fois que vous avez lancé Mail, activez la commande "Message/ Mot de passe". Dans la première zone entrez l'ancien mot de passe. Avec la touche TAB, passez à la zone suivante dans laquelle vous allez saisir votre nouveau mot de passe. Saisissez le une deuxième fois pour le confirmer.

Si vous êtes trompé dans votre mot de passe, toute l'opération est annulée et vous gardez votre ancien mot de passe. Par conséquent vous avez la possibilité de recommencer une seconde fois.

Suppression d'un bureau de poste

Quand vous voulez supprimer un bureau de poste, il faut d'abord informer tous les utilisateurs qu'ils ne pourront plus envoyer de messages pendant un certain temps et leur demander de quitter Mail et de se déconnecter.

L'administrateur peut alors supprimer tout le répertoire BPGT. De cette façon le bureau de poste n'existe plus. L'opération doit se conclure par la suppression de son fichier MSMAIL.INI.

A la fin de cette opération, les utilisateurs du groupe deviennent des inconnus pour le programme Mail.

Renommer un bureau de poste

Dans les groupes utilisateurs volumineux, il peut arriver qu'un bureau de poste soit dédoublé et l'on éprouve alors le besoin de changer son nom.

Tous les utilisateurs doivent être avisés qu'ils ne pourront faire démarrer Mail pendant un certain temps et qu'ils devront se déconnecter.

Appelez dans le gestionnaire de fichiers le répertoire du bureau de poste et activez la commande "Disque/ Partager". Entrez ensuite dans la zone de texte "Nom de partage" le nouveau nom. Confirmez par "OK" pour que votre bureau de poste change de nom.

Dans le fichier MSMAIL.INI, ajoutez la nouvelle ligne suivante :

```
ServerPath=drive:\directory
```

Les utilisateurs du bureau de poste doivent être informés du changement de nom et inscrire dans leurs fichiers MSMAIL respectifs :

```
ServerPath=\\nom_ordinateur\nom_partage
```

Envoyer et recevoir des messages

Le système de messages du programme Mail se divise en deux parties: l'envoi et la réception des messages. L'envoi des messages se fait à l'aide d'un formulaire de composition prévu à cet effet. Les adresses peuvent être transférées directement depuis un carnet d'adresse.

L'écran de travail de Mail

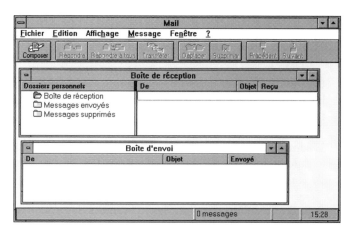

La première fenêtre contient le courrier envoyé, la deuxième le courrier reçu. La liste des messages figure dans les fenêtres afférentes avec les informations essentielles sur le nom de l'expéditeur, l'objet et la date du message. Dès qu'un message envoyé a été reçu, il est supprimé de la fenêtre des envois.

Les différentes fenêtres peuvent être disposées de plusieurs façons. Pour cela consulter la commande "Fenêtre/ Mosaïque" ou "Fenêtre/ Cascade".

Le courrier non lu est représenté par une enveloppe fermée. Le courrier lu apparaît au contraire avec une enveloppe ouverte.

Sélection et envoi de messages

Avec la commande "Message/ Composer" ou en cliquant sur l'icône "Composer" vous pouvez ouvrir un nouveau formulaire.

L'en-tête du formulaire est prévue pour recevoir l'adresse de votre correspondant, votre nom et le sujet du message. Le secteur vide qui se trouve en dessous est prévu pour recevoir votre message.

Le formulaire d'envoi de messages

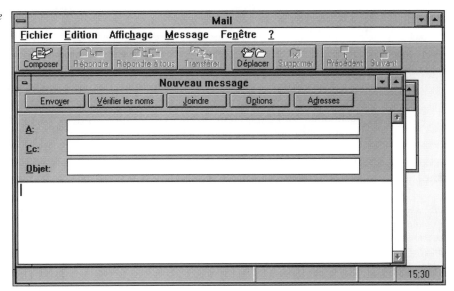

Dans le champs d'adresse du destinataire, vous ouvrez soit saisir directement l'adresse de votre correspondant, soit passe par le carnet d'adresse intégré en cliquant sur le bouton "Adresses". Après activation du carnet d'adresses, une liste des utilisateurs du bureau de poste est affichée.

Cette boîte de dialogue peut servir à sélectionner un destinataire comme elle peut servir pour la gestion du carnet d'adresses personnel (voir chapitre suivant).

*Ouverture de
la liste des
utilisateurs*

Le carnet d'adresse se compose de deux parties. Le partie supérieure est le carnet d'adresse proprement dit alors que la partie inférieure vous permet de préciser le destinataire et l'expéditeur du message. Entre les deux partie, se trouve une barre avec les deux zones pour l'adresse du destinataire et votre identification.

Le bouton qui se trouve tout en haut permet d'ouvrir une nouvelle fenêtre affichant les différentes listes d'utilisateurs ainsi que le carnet d'adresse.

*Sélection du
destinataire en
passant par un
carnet
d'adresse
personnel*

Le bouton suivant ouvre directement la liste des noms du carnet d'adresses personnel. Vous pouvez sélectionner un des noms de la liste et demander l'affichage des informations qui le concernent en cliquant sur "Infos".

Ce bouton permet de rechercher un nom donné. Dans la boîte de dialogue de recherche vous devez entrez le nom souhaité. Il vous est possible de fournir seulement une partie du nom de votre destinataire. Mail vous affichera alors la liste de tous les noms qui correspondent ou qui s'approchent de la sélection.

Si vous voulez ajouter un nouvel utilisateur dans votre carnet d'adresses, activez ce dernier bouton. Une fois que vous avez définir l'utilisateur, un nouveau formulaire est ouvert pour recevoir les coordonnées de la personne que vous venez de définir.

Lorsque vous aurez sélectionné la personne que vous voulez joindre, appuyez sur le bouton "A". Si le même message est destiné à plusieurs personnes en même temps vous pouvez refaire la même opération. Procédez de la même manière pour identifier l'expéditeur du message en cliquant sur le bouton "Cc" cette fois.

Envoi d'un message à deux destinataires en même temps

En validant par "OK" vous retournez au premier formulaire où vous pouvez saisir votre message.

Avant d'envoyer votre message, vérifier que tout est correct en appuyant sur le bouton "Vérifier les noms". Vous pouvez aussi modifier les options d'envoi en activant le bouton "Options".

Les options d'envoi des messages

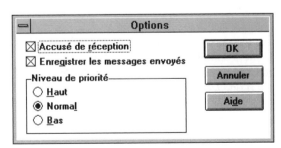

Vous pouvez envoyer maintenant votre message en appuyant sur le bouton "Envoyer". Dans votre fenêtre Mail initiale, vous voyez apparaître l'envoi que vous venez de faire. Les zones des boites des envois et de réceptions peuvent être agrandies en utilisant le pointeur de la souris et en le faisant glisser.

Pour consulter un message, il suffit de double cliquer dessus et une fenêtre de message s'ouvre où vous pouvez trouver le texte du message qui vous est destiné.

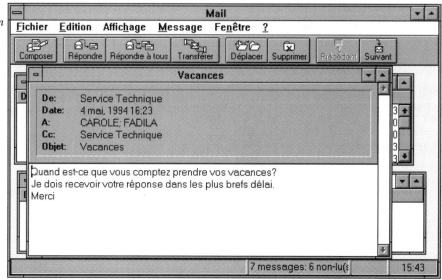

Vous pouvez répondre directement au message en cliquant sur le bouton
"Répondre" ou "Répondre à tous".

Joindre un document

Auparavant vous devez d'abord placer le curseur dans le texte de votre message
à l'endroit où vous voulez que le fichier apparaisse.

Grâce au bouton "Joindre" vous pouvez faire aussi envoyer un document avec
votre message.

En l'activant, vous voyez apparaître la boîte de dialogue habituelle de sélection
de fichiers dans Windows. Sélectionnez le fichier que vous voulez envoyer avec
votre message et cliquez sur le bouton "Joindre". Le fichier ajouté apparaît sous
forme d'une icône dans le texte du message.

Pour voir son contenu, double cliquez dessus.

Il est possible de joindre de cette manière plusieurs fichiers à un message ou bien
des images et des sons. Par exemple si vous voulez ajouter à votre message une
image PaintBrush, vous devez activez la commande "Edition/ Coller un objet".
Vous obtenez une boîte de dialogue dans laquelle vous pouvez choisir l'application
voulue.

9.9. Schedule+

Windows pour Workgroups est indispensable pour la communication et la planification des tâches à l'intérieur d'un groupe de travail. Schedule+ est un agenda électronique destiné à organiser l'emploi du temps, les rendez-vous personnels et collectifs ainsi que les projets en équipe.

Rendez-vous gérés avec Schedule+

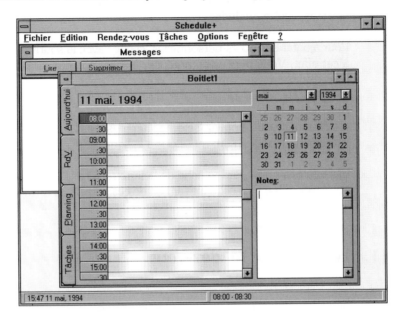

9.10. L'écran de travail

Lors du lancement, Schedule+ va vous demander se saisir le mot de passe qui vous permet d'y accéder. Il s'agit de la même protection établie pour la messagerie Mail. La fenêtre Agenda se divise en trois parties. La partie principale est destinée à recevoir les rendez-vous du jour. Sur le côté droit se trouve un calendrier, sous lequel est placé un espace conçu pour vos notes.

Quand vous lancez Schedule+, la feuille de travail qui s'ouvre est celle du jour, en fonction de la date de l'heure système de votre PC. Si vous voulez inscrire des rendez-vous, vous pouvez vous servir des touches de direction ou la souris pour vous déplacer dans la zone des plages horaires. Les lignes occupées sont affichées dans une couleur différente.

Certaines plages horaires apparaissent en sombre car il s'agit d'une option par défaut correspondant aux jours ouvrables ou aux heures prévues pour les déjeuners.

A droite de l'agenda, vous avez un petit calendrier. Les jours qui contiennent des rendez-vous confirmés sont présentés en gras.

En ouvrant avec la souris les zones de liste situées au-dessus du calendrier mensuel, vous pouvez choisir le mois et l'année que vous voulez.

Vous pouvez également spécifier une date précise avec la commande "Edition/ Aller à la date". Dans la boîte de dialogue vous pouvez saisir directement la date que vous voulez atteindre.

Pour ajouter des notes personnelles, cliquez avec la souris dans la zone destinée à cet effet. Vous pouvez commencer à saisir vos notes. Dans le menu édition, vous disposer des commandes "Couper", "Copier", "Coller" et "Annuler".

Avec la souris ou avec «Shift» ou «Ctrl» + Touches de direction, vous pouvez sélectionner vous pouvez sélectionner des passages du texte. Schedule+ se charge automatiquement du retour à la ligne.

Les boutons sur le bord gauche de la fenêtre sont : "Tâches", "Planning", "RdV" et "Aujourd'hui". En cliquant sur l'un de ces onglets, le formulaire correspondant est affiché.

9.11.   Le Carnet de rendez-vous

Schedule+ vous permet de diviser les rendez-vous inscrits dans l'agenda en différentes catégories. Les rendez-vous privés nécessitent parfois de la discrétion. Dans Schedule+, vous pouvez les mettre à part de façon à ce qu'il ne puissent pas être lus par d'autre utilisateurs, tout en restant conservé en mémoire comme des plages horaires occupées. Vous pouvez aussi définir des rendez-vous réguliers ou provisoires.

Tout ceci permet de conserver une vue d'ensemble sur les activités et de séparer le public du privé quand le travail se fait avec différents carnets de rendez-vous.

Pour saisir vos rendez-vous, utiliser la commande "Rendez-vous/ Nouveau rendez-vous". Dans la boîte de dialogue qui s'ouvre, vous pouvez définir différents éléments.

Comment
définir de
nouveau
rendez-vous

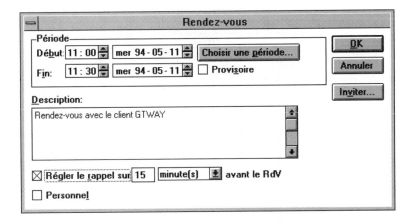

Dans la zone de haut "Période" vous devez indiquer l'heure à laquelle débute votre rendez-vous. Juste en dessous, vous pouvez indiquer l'heure à laquelle votre rendez-vous prend fin. Bien sur, vous pouvez modifier ultérieurement le début du rendez-vous aussi bien que sa fin. Quand vous modifiez la date ou l'heure du rendez-vous, vous devez d'abord vous assurer que la période envisagée est possible. C'est à cela que sert le bouton "Choisir une période". en cliquant dessus, une fenêtre supplémentaire avec votre planning pour le mois s'ouvre. Ainsi vous pouvez voir tout de suite si la période choisie est disponible ou pas. Par un rapide coup d'oeil, choisissez la date qui vous paraît le mieux convenir. Si vous le voulez, Schedule+ peut le faire à votre place pour cela appuyez sur le bouton "Sélection automatique".

Rendez-vous provisoires

Si vous cliquez sur le bouton "Provisoire", vous pouvez fixer un rendez-vous de manière provisoire dans votre carnet de rendez-vous. Un rendez-vous provisoire est visible parce qu'il apparaît sur un fond gris.

*Présentation
d'un
rendez-vous
provisoire*

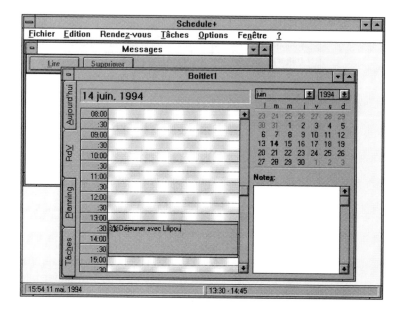

Activation de l'alarme

Pour activer l'option "Régler le rappel sur ... avant le rendez-vous", vous avez activé l'alarme qui devra se déclencher pour vous avertir de l'approche du rendez-vous. La durée indiquée par défaut est modifiable en passant par la commande "Options/Options générales". Vous pouvez définir une durée différente pour chaque rendez-vous.

*Définir les
options pour
l'alarme de
rappel*

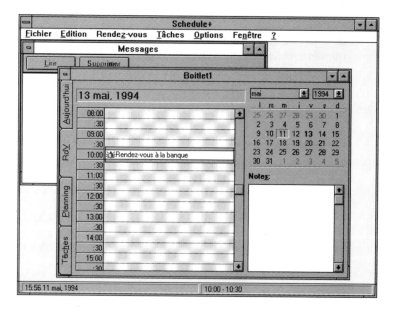

Si vous désirez une alarme sonore, pour le cas où ne seriez pas assis en face de votre ordinateur, vous pouvez cocher la case "Alarme sonore".

Rendez-vous personnels

Si vous devez définir un rendez-vous comme étant privé, activez la case "Personnel". Les autres utilisateurs qui ouvriront votre carnet de rendez-vous pour organiser des rendez-vous avec vous ne pourront voir qu'une zone occupée sans plus.

Dans la zone description, saisissez la description de vos rendez-vous.

Présentation des rendez-vous privés sur le carnet de rendez-vous

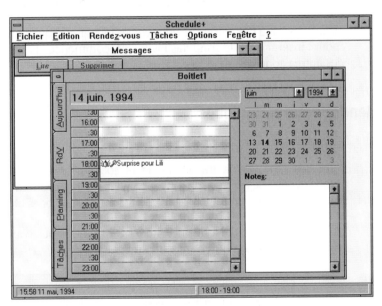

Invitation de plusieurs participants

Vous pouvez également inviter d'autres utilisateurs à une réunion en activant l'option "Inviter". La boîte de dialogue "Sélectionner les participants", dans laquelle vous avez la possibilité de choisir les participants que vous voulez inviter à votre réunion.

Envoyer une invitation à une réunion à d'autres participants

Sélectionnez la personne que vous voulez inviter et cliquez sur le bouton "Ajouter" pour l'insérer dans la zone des invités. Recommencez la même procédure pour les autres convives.

Rendez-vous périodiques

Parfois des réunions de travail hebdomadaires ou mensuelles sont instaurées au sein des groupes de travail ou de la société. Dans Schedule+, ce type de rendez-vous est traité de façon particulière. Un maximum de six rendez-vous périodiques dans un même intervalle de temps sont possibles.

Avec "Rendez-vous/ Nouveau rendez-vous périodique" vous pouvez définir des rendez-vous qui reviennent régulièrement.

Définir des rendez-vous périodiques

Dans la zone de haut vous pouvez indiquer le jour et la fréquence de ce rendez-vous. Si vous désirez changer quelque chose à la fréquence, appuyez sur le bouton "Modifier". Vous obtenez alors une nouvelle boîte de dialogue où vous pouvez entreprendre les modifications souhaitées.

Modifier la fréquence des rendez-vous

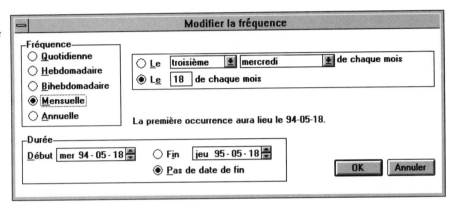

Avec les boutons radio placés dans la zone "Fréquence", indiquez si le rendez-vous doit avoir lieu tous les jours, toutes les semaines, une fois toutes les deux semaines, une fois par mois ou une fois par an.

Modifier des rendez-vous périodiques

Si vous devez effectuer des modifications sur un rendez-vous périodique, par exemple pour changer le jour, appelez "Rendez-vous/ Modifier les rendez-vous périodiques".

Sélection de rendez-vous périodiques à modifier

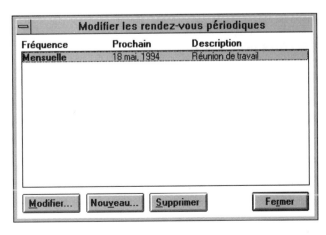

Dans la boîte de dialogue correspondante, vous avez une liste de tous les rendez-vous périodiques. Sélectionnez le rendez-vous pour lequel vous avez des modifications à effectuer. Grâce au bouton "Modifier" vous allez pouvoir effectuer les modifications. Le bouton "Nouveau" vous permet à partir de cette boîte de dialogue de créer un nouveau rendez-vous périodique.

Annuler la suppression :

Vous pouvez supprimer des rendez-vous en utilisant la commande "Supprimer". Si par inadvertance vous avez effacé un rendez-vous que vous ne vouliez pas supprimer, vous pouvez appeler la commande "Edition/ Annuler la suppression" pour le récupérer.

9.12. Le Planning

En mode planning, Schedule+ permet d'organiser facilement des réunions. Les utilisateurs que l'on voudrait inviter à une réunion ne sont pas nécessairement présents à ce moment précis, et l'on doit cependant vérifier s'ils seront disponible. Schedule+ est conçu de façon à ce que l'on puisse consulter le planning des participants éventuels de la réunion et pour déterminer à quel moment la réunion est envisageable.

La réunion peut ensuite être proposée à tous les participants. Chacun d'eux devra alors répondre à la proposition. A la suite de quoi il est simple de confirmer l'heure et la date de la réunion. On peut aussi répondre que ce n'est pas sûr ou que ce n'est pas possible.

Pour définir des rendez-vous collectifs avec d'autres utilisateurs de Schedule+ et envoyer des invitations à une réunion, il faut être connecté au bureau de poste.

Gestion des adresses

Tous les utilisateurs d'une boîte aux lettres dans le bureau de poste sont aussi transférés automatiquement dans une liste d'utilisateurs de Schedule+. En fonction des autorisations d'accès, d'autres utilisateurs peuvent charger les carnets de rendez-vous et les utiliser pour fixer des réunions.

En actionnant le bouton "Modifier" en mode planning, vous aurez la liste des utilisateurs du bureau de poste.

*Affichage de la
liste des
utilisateurs*

Fixer des dates

Si vous passez du mode carnet de rendez-vous au mode planning, le tableau commence au début de la semaine en cours pour le jour déterminé dans le carnet de rendez-vous.

Il est donc conseillé de se demander d'abord pour quel jour vous allez activer le carnet de rendez-vous pour avoir la bonne période devant vous.

*Affichage de la
semaine du
planning*

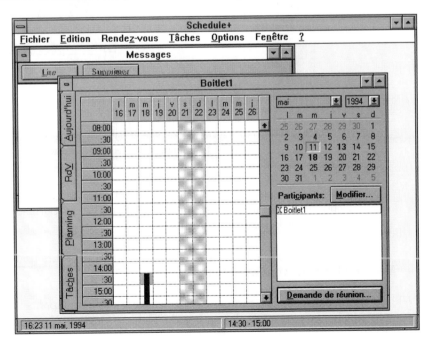

Consultation des autres participants

Dans votre planning, les plages horaires occupées sont présentées dans une couleur déterminée que vous pouvez fixer dans la boîte de dialogue "Options/ Options générales".

Pour appeler maintenant les plannings des autres participants activez le bouton "Modifier".

Sélectionnez le nom des participants en les faisant passer un à un dans la liste du bas en cliquant sur le bouton "Ajouter". Ces noms apparaîtront automatiquement dans la feuille de votre planning une fois que vous aurez cliqué sur OK.

Sélection des participants :

Vous pouvez aussi copier les noms en les tirant avec la souris. Tant que le curseur ne se trouve pas dans un secteur valide, vous voyez à l'écran un panneau d'interdiction.

Invitation des autres participants

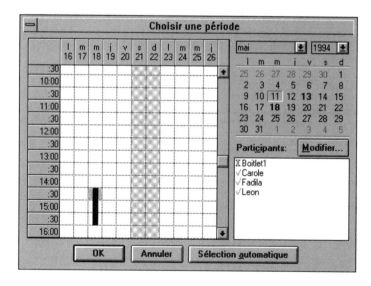

Si par erreur vous avez saisi un participant que vous voulez ensuite effacer, sélectionnez tout simplement son nom dans la liste des participants à convier et effacer le avec la touche d'effacement.

Si vous voyez une croix rouge à gauche d'un ou plusieurs noms, cela veut dire que le rendez-vous est confirmé.

Pour consulter les carnets de rendez-vous des participants, vous pouvez les afficher en passant par la commande "Fichier/ Ouvrir le carnet de RdV d'un autre utilisateur". Sélectionnez les noms des personnes dont vous voulez consulter le planning des rendez-vous. Il est clair que les rendez-vous personnels ne vous seront pas totalement visibles.

Sélectionner et proposer des rendez-vous

Quand tous les plannings ont été ouverts sur la feuille de travail, vous pouvez voir d'un seul coup d'oeil quelles sont les plages horaires libres pour fixer une réunion.

Avec "Rendez-vous/ Sélection automatique", vous pouvez sauter à la plage horaire libre la plus proche de la position actuelle du curseur.

Une fois la réunion fixée, vous devez reporter ce rendez-vous dans votre carnet de rendez-vous avec "Rendez-vous/ Nouveau rendez-vous" et en adaptant au besoin les options possibles. Dans la liste "Participants" vous aurez la liste des participants envisagés auparavant en mode planning.

Quand la sélection de participants est terminée, vous pouvez confirmer la réunion en activant OK dans la boîte de dialogue "Sélectionner les participants" et envoyer vos invitations.

Cela se fait presque automatiquement, mais vous devez d'abord prendre en compte le formulaire de demande, contenant toutes les informations nécessaires sur le rendez-vous et une zone qui permet d'entrer un commentaire.

Pour envoyez la demande de réunion, cliquez sur le bouton "Demande de réunion".

Envoyer un message aux participants

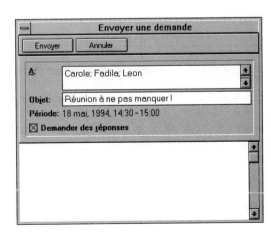

Vous voyez dans une nouvelle boîte de dialogue la liste des participants et une zone de message où vous pouvez saisir le thème de la réunion. Appuyez sur le bouton "Envoyer" pour faire parvenir le message aux autres.

La case "Demander les réponses" indique que les participant doivent répondre à votre message.

Les réunions sont marquées dans l'agenda par une icône représentant deux mains.

Annuler une réunion

Si vous tenez le rôle d'organisateur et si vous avez envoyé une invitation, vous pouvez supprimer le rendez-vous correspondant dans votre carnet avec "Edition/ Annuler la création". Le programme fait apparaître une interrogation de sécurité qui vous fait remarquer qu'il s'agit d'une réunion :

Envoyer un message d'annulation

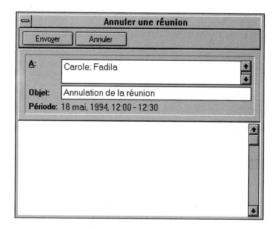

Si vous répondez "Oui" à cette question, vous obtenez à l'écran le formulaire habituel contenant les informations essentielles sur la réunion et une zone de saisie destinée à vos commentaires. Tous les participants contactés par cette réunion reçoivent ce message dans leur fenêtre de composition d'où ils apprennent ainsi que la réunion a été annulée par son organisateur. Devant le rendez-vous apparaît un panneau d'interdiction et l'objet de la réunion est accompagné de la remarque "Annulée".

Confirmation des participants

Tous les participants reçoivent l'invitation dans leur fenêtres de message à l'intérieur de Schedule+ ou dans la boîte de réception de Mail. La fenêtre dans

Schedule+ peut être ouverte par l'intermédiaire de la boîte de dialogue "Fenêtre des messages".

Toutes les invitations à une réunion figurent dans la liste de la fenêtre de message à l'intérieur de Schedule+ ou dans la boîte de réception dans Mail.

Dans Schedule+, les rendez-vous sont indiqués par des symboles différents selon le type et la nature du rendez-vous. Après sélection d'un message dans la liste des messages, activez la commande "Lire" pour prendre connaissance du contenu du message.

En fonction de l'activation ou non de la demande de réponse de la part de l'organisateur de la réunion, vous verrez apparaître un formulaire de confirmation.

9.13. Gestion des tâches avec Schedule+

Des tâches distinctes dans un projet peuvent avoir des priorités différentes et doivent donc être traités en conséquence. Pour qu'une planification générale soit possible, Schedule+ vous propose un troisième mode dans la fenêtre Agenda celui de la liste des tâches.

Vous pouvez ici trier des tâches en fonction de l'objet et des projets dans lesquelles elles s'inscrivent. toutes les tâches peuvent être classées dans la liste des tâches en fonction du projet et de la date pour laquelle elles doivent être réalisées.

Création d'une liste de tâches

Pour créer une liste de tâches activez l'onglet "Tâches". Vous obtenez une feuille de travail dans laquelle la partie la plus large est destinée à la liste des différentes tâches.

La feuille de travail de la liste des tâches

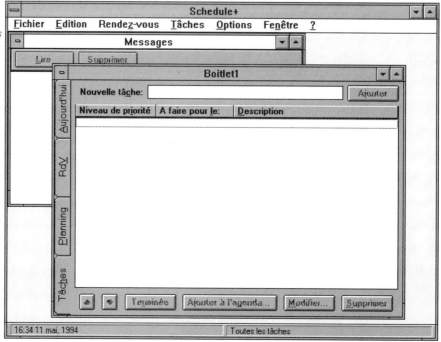

Par la commande "Tâches/ Nouvelle Tâche" entrez les différentes tâches qui vous intéressent et leurs spécifications dans la boîte de dialogue correspondante.

Définir la liste des tâches d'un projet

Vous pouvez indiquer le niveau de priorité de la tâche entre 1 et 10 ou bien définir une lettre de l'alphabet. En mode liste des tâches vous avez la possibilité d'activer le mode Alarme en cochant "Activer le rappel". Pour reporter une tâche comme faisant partie d'un projet, saisissez son nom dans la zone de texte "Nouvelle tâche" et cliquez sur le bouton ajouter. Les informations précédentes sont reportées automatiquement dans la description de cette nouvelle tâche vous évitant ainsi de ressaisir les mêmes informations. Le bouton "Modifier" vous permet de modifier certaines informations ou données si vous en avez envie.

Pour ouvrir un projet auquel aucune tâche n'est encore affectées, vous pouvez appeler "Tâches/ Nouveau projet". Dans la zone de saisie "Nom" entrez la description du projet et activez au besoin l'option "Personnel".

A quoi ressemble un projet et ses tâches

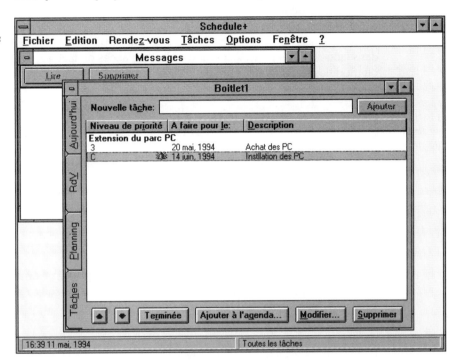

Pour mieux travailler, Schedule+ vous propose différents critères de tri de vos projets et tâches. Dans le menu "Tâches" vous pouvez indiquer l'option "Affichage par projet" pour ne prendre en compte que le critère Projet lors du tri. Si cette option est inhibée, le tri se fait selon le critère actif dans la liste des commandes "Tâches".

9.14. Autres fonctionnalités de Schedule+

Pour optimiser le travail avec Schedule+, il existe d'autres fonctionnalités que vous pouvez utiliser comme la modification du mot de passe ou des droits d'accès.

En effet, dans Schedule+ vous pouvez définir pour tous les utilisateurs du bureau de poste des autorisations d'accès spéciales à votre carnet de rendez-vous. De manière générale, tous les utilisateurs ont accès aux autres carnets de rendez-vous par "Fichier/ Ouvrir le carnet de RdV d'un autre utilisateur et les examiner (sauf les rendez vous personnels).

Ceci est très pratique pour planifier des réunions mais tous les utilisateurs ne doivent pas avoir la possibilité de reporter ou de modifier directement des rendez-vous dans votre carnet de rendez-vous. Il existe pour cette raison des droits d'accès dans Schedule+.

La commande "Options/ Droits d'accès" fait apparaître une boîte de dialogue dans laquelle vous pouvez définir des droits d'accès en lecture, écriture, création ou modification de votre carnet.

Définir des droits d'accès pour les autres utilisateurs

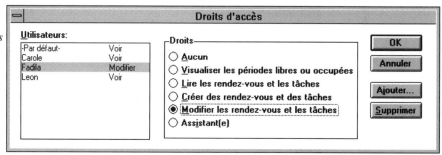

Avec les boutons "Ajouter" et "Supprimer" vous pouvez comme d'habitude ajouter et supprimer des utilisateurs. En choisissant un utilisateur particulier dans la liste des utilisateurs, vous pouvez lui affecter le droit que vous voulez en cliquant dessus.

Lorsqu'un fax est installé, une nouvelle commande dans le menu Mail est ajoutée permettant ainsi d'accès du à ses fonctionnalités et par conséquent d'envoyer une lettre directement par le biais du fax.

Les commandes d'utilisation du fax dans Mail

Chapitre

10

Echange
de
données

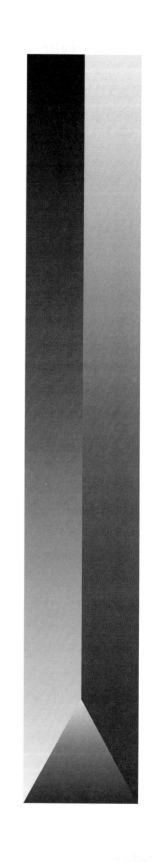

Windows pour Workgroups crée les conditions nécessaires au fonctionnement quasi simultané de plusieurs programmes. Les avantages de cette technique multitâches deviennent apparents lorsqu'on est amené à traiter des données d'un format particulier dans des programmes qui s'y prêtent au mieux, avant de regrouper les résultats dans un document global. Les graphismes seront, par exemple, réalisés dans un programme de dessin, des modèles quelconques par digitalisation dans un programme de balayage et les textes dans un traitement de texte.

On pourrait évidemment sauvegarder systématiquement les données dans un fichier afin de les charger ensuite dans le programme s'occupant du traitement global. Mais cela constitue l'ancienne philosophie de travail, datant d'avant les techniques de fonctionnement multitâches, époque à laquelle il fallait lancer les divers programmes les uns à la suite des autres en quittant un pour passer au suivant. Ce style de communication de données est maintenant obsolète, et peu efficace.

Windows pour Workgroups propose plusieurs moyens pour transférer facilement des données entre les programmes qui fonctionnent simultanément.

Dans Windows pour Workgroups, le presse papiers de Windows à été étendu pour permettre de gérer une plus longue échéance de documents placés dans la mémoire intermédiaire et d'échanger des données entre plusieurs ordinateurs.

Les techniques offertes sont les suivantes :

■ les fonctions du presse-livres

■ l'échange dynamique de données (Data Dynamic Exchange = DDE)

et

■ l'incorporation des objets avec liaison (Object Linking and Embedding = OLE)

10.1. Le Presse-livres

Chaque utilisateur possède un presse-livre local qui lui permet de sauvegarder le contenu du presse-papiers dans une page du livre et non pas dans un fichier.

Pour fixer le contenu du presse-papiers dans le presse-livres choisissez le bouton "Edition/ Coller" ou activez le bouton correspondant dans la barre d'outils.

Insérer le contenu du presse-papiers dans une page du presse-livres

Coller les données dans une page du Presse-livres
Nom de page : `firstpage`   OK
☒ **Partager**   Annuler
Aide

Vous voyez apparaître une boîte de dialogue dans laquelle il est possible de nommer le contenu du presse-papiers. C'est sous ce nom que le contenu du presse-papiers sera reconnu et géré. De plus vous pouvez demander à ce que le contenu de cette page soit accessible depuis un autre ordinateur ou à un autre utilisateur en activant l'option "Partager". Au moment de la validation, une autre boîte de dialogue apparaît si l'option de partage est activée.

Options de partage du presse-livres

Partager la page
Nom de la page : firstpage   OK
┌ Options de partage :   Annuler
│ ☐ Démarrer l'application à la connexion   Aide
┌ Type d'accès :
│ ○ Accès en lecture seule
│ ◉ Accès complet
│ ○ Accès selon le mot de passe
┌ Mots de passe :
│ Pour la lecture seule : [   ]
│ Pour l'accès complet : [   ]

10.1.1. Différents modes d'affichage du presse-livres

Le type d'affichage dépend de votre choix. Les possibilités contenues dans le menu "affichage" sont le mode Table de matières, Aperçus et Pleine page.

Table des matières

Mode Table des matières du presse-livres

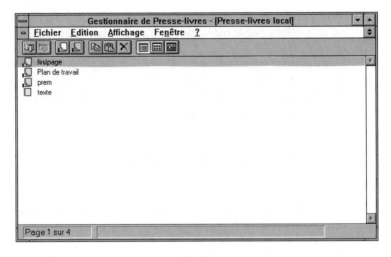

 Ce mode d'affichage permet d'avoir sous les yeux les pages du presse-livres sous forme de liste. Le nom de la page est précédé par une icône pour indiquer si la page est disponible seulement dans le presse-livres local ou partageable avec d'autres utilisateurs.

Aperçus

Affichage des pages du presse-livres sous forme d'aperçus

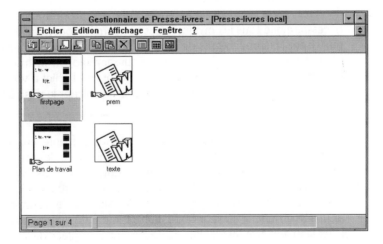

 Avec ce mode vous voyez le contenu de la page de façon réduite. La distinction entre pages locales et partageables est indiquée par une main.

Pleine page

 Vous pouvez obtenir ce mode d'affichage en double cliquant sur la page souhaitée ou en passant par le menu ou l'icône de la barre d'outils.

Vous pouvez également vous connecter au presse livre d'un autre ordinateur grâce à la commande "Fichier/ Se connecter". Vous ne pourrez avoir accès qu'aux pages partageables et avec les droits d'accès qu'on vous a donné au moment du partage des pages du presse-livres.

10.2. DDE - Dynamic Data Exchange

L'étape suivante de notre progression nous mène à une technique dont le nom en abrégé est "DDE" : Echange dynamique de données.

Si vous réalisez un document à l'aide du presse-papiers par regroupement de plusieurs parcelles, celui-ci constitue par la suite une entité autonome, sans aucun lien avec ses composants initiaux. Lorsque ces "particules" subissent des modifications (les tableaux provenant d'un tableur, par exemple, ou le logo d'une entreprise, ou encore des textes corrigés dans un traitement de textes), il n'y a aucune répercussion sur le document résultant. Il serait nécessaire de le reconstituer à partir des composants mis à jour.

Grâce au DDE, on peut non seulement transmettre entre programmes des données, mais aussi des instructions de ces programmes. Il est dans ce but nécessaire que tous les programmes concernés "jouent le jeu", c'est à dire qu'ils maîtrisent les conventions de DDE. Vous pouvez alors affecter une instruction d'une ligne à chaque objet de votre ouvrage global, instruction qui, en cas de besoin, sera renvoyée au programme ayant mis l'objet à votre disposition. Une instruction possible pourrait par exemple concerner la mise à jour obligatoire de l'objet.

Dans la pratique, l'utilisateur est rarement confronté aux aspects techniques fondamentaux, et travaille presque comme avec le presse-papiers normal. Exemple : Pour intégrer dans un texte enregistré sous "WinWord" un tableau provenant du tableur "Excel", le tableau sera d'abord introduit dans le presse-papiers, selon la technique habituelle, à l'aide de la commande "Copier". On amènera ensuite le curseur texte du traitement de textes à l'emplacement auquel le tableau doit être inséré dans le document. A la place de la commande "Coller", qui, comme nous l'avons décrit plus haut, se contenterait de copier le tableau, sélectionnez "Coller avec liaison". Suite à cela apparaît une boîte de dialogue, dans laquelle il faudra définir la nature de la liaison.

Avec l'option "Mise à jour automatique" on peut par exemple faire en sorte que le tableau soit actualisé à chaque nouveau chargement du texte.

A partir des instructions de l'utilisateur, WinWord crée automatiquement un code de champ, pouvant être visualisé à l'aide de la commande "Code de champ" du menu "Affichage", et mis à jour par pression sur «F9».

10.3. OLE - Object Linking and Embedding

OLE est un concept simple et puissant assurant la souplesse de l'incorporation d'objets dans un document. Après une courte familiarisation avec cette technique, on aura du mal à se passer des avantages de l'OLE.

La technique OLE propose deux services fondamentalement distincts :

■ Incorporation d'un objet dans un document

et

■ Liaison d'un objet avec un document

OLE ne fonctionne - de même que DDE - que si les programmes concernés supportent la technique de l'OLE. Les styles de fichiers que vous pouvez incorporer sont recensés dans la rubrique [embedding] du fichier WIN.INI :

```
[embedding]
SoundRec=Son,Son,SoundRec.exe,picture
Package=Elément du Gestionnaire de liaisons, Elément du
Gestionnaire de liaisons,packager.exe,picture
PBrush=Image Paintbrush,Image Paintbrush,pbrush.exe,picture
```

10.3.1. Incorporation d'un objet

L'incorporation fonctionne de la même façon que le travail avec le presse-papiers.

Créer une image

Si par exemple vous désirez incorporer une image provenant de "PaintBrush" dans un document du traitement de textes "Write", lancez d'abord PaintBrush et construisez votre dessin, ou chargez-en un.

Copier dans le presse-livres

Sélectionnez alors la portion de dessin désirée à l'aide de l'outil représentant des ciseaux, puis activez la commande "Copier" du menu "Edition". Suite à cette manipulation, le graphisme sera transféré dans le presse-livres local.

Couper un objet et le copier dans le presse-papiers.

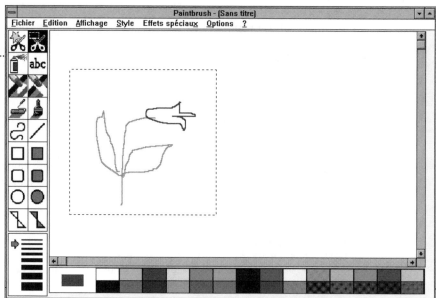

Coller depuis le presse-livres

Passez maintenant dans "Write", et activez la commande "Coller". Le graphisme apparaît immédiatement à l'emplacement du curseur d'édition dans le document Write.

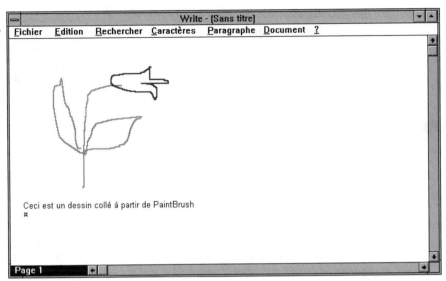

Tout semble se passer comme avec le presse-papiers. Mais OLE a transféré aussi ses fonctions dans ce qui est caché, particularité que vous remarquez si vous double-cliquez sur le graphisme dans le document texte. Cette action lance en effet PaintBrush en chargeant le graphisme. Vous pouvez maintenant modifier le graphisme. Sélectionnez ensuite la fonction "Mise à jour" du menu Fichier, pour valider les modifications. Si vous quittez PaintBrush sans avoir activé "Mise à jour", PaintBrush vous demande si les modifications apportées au document doivent être prises en compte. Cliquez sur "Non" si vous désirez les rejeter.

L'avantage de l'incorporation par rapport au presse-papiers réside donc dans la possibilité de pouvoir modifier un graphisme incorporé, rapidement, et sans activation directe de programmes externes. Vous bénéficiez automatiquement des nouvelles fonctions de OLE si les programmes que vous utilisez supportent la technique d'OLE.

*Définir ce qui
doit être
incorporé*

Vous pouvez aussi incorporer des objets directement, à partir de "Write". Sélectionnez "Insérer un objet..." dans le menu Edition. Suite à cela apparaît une liste dans laquelle il vous faut sélectionner le type d'objet que vous désirez incorporer. Sélectionnez "Image PaintBrush", et actionnez le bouton OK. Suite à cela "PaintBrush" sera chargé, et vous pourrez créer un dessin. La commande "Ouvrir" ne doit pas être utilisée dans ce cas, car elle interrompt l'incorporation.

Si vous désirez incorporer une image enregistrée, il vous faut la charger dans une seconde fenêtre d'application PaintBrush et la copier dans la première fenêtre de PaintBrush via le presse-papiers. Lorsque vous aurez achevé la construction du graphisme, sélectionnez la fonction "Mise à jour" du menu Fichier et sortez de PaintBrush par "Quitter et retourner dans...". Une demande de confirmation vous est, dans ce cas, adressée si vous n'avez pas mis l'image à jour.

Si vous réalisez vous-même vos images dans PaintBrush, n'oubliez pas que l'aire de dessin prédéfinie est plus grande que la fenêtre visible. Si vous transférez alors une telle aire de travail dans un autre document, il est probable que certaines parties du graphisme incorporé soient vides. Modifiez le cas échéant la taille de l'aire de dessin à l'aide de la commande "Attributs de l'image" du menu Options, en lui affectant les dimensions vraiment nécessaires.

Une chose apparaît évidente dans l'incorporation : quelle que soit la façon dont vous procédez, ce n'est toujours qu'une copie de l'objet - ou, dans notre exemple, une copie du dessin - qui est insérée dans le document. Celle-ci peut être aisément ouverte et mise à jour, mais les objets incorporés ne peuvent pas être actualisés automatiquement depuis d'autres programmes.

10.3.2. Lier des objets

Contrairement à ce qui se passe pour l'incorporation, il n'y a pas, dans ce cas, copie préalable de l'objet : c'est l'objet lui-même qui est intégré au document. Dans ce but, l'objet à intégrer doit exister sous forme de fichier. Une liaison est alors mise en place avec ce fichier.

❶ Restons-en à notre exemple précédent : l'intégration d'un graphisme PaintBrush dans un document Write.

❷ Activez PaintBrush, et dessinez ou chargez un graphisme.

❸ Sauvegardez le graphisme. Cette étape est très importante : seuls des objets existant sous forme de fichier peuvent être liés.

❹ Sélectionnez la portion de dessin désirée à l'aide de l'outil représentant des ciseaux, puis activez la commande "Copier" du menu "Edition" afin de copier le graphisme dans le presse-papiers.

❺ Passez dans le programme Write, et activez la fonction "Coller avec liaison" dans le menu Edition.

Cette fonction n'est proposée à la sélection que si l'objet stocké dans le presse-papiers convient. Si vous y avez mémorisé un graphisme qui n'a pas été enregistré sous forme de fichier, ou s'il s'agit d'une portion de dessin non rectangulaire, cette fonction n'est pas accessible.

Le graphisme apparaît dans le document Write. La différence avec l'incorporation est infime : alors que l'objet incorporé était caché dans le document Write, l'objet lié existe comme fichier autonome directement accessible. Ce fichier peut dès lors être chargé et modifié à tout instant dans un autre programme, comme par exemple PaintBrush. Dès que l'on enregistre le fichier modifié sous son nom original, l'image change automatiquement dans le document Write.

Il n'y a ainsi plus aucune difficulté à créer des documents pouvant être ultérieurement mis à jour. Le document global ne renferme en effet plus que les références aux divers tableaux et graphismes, qui eux-mêmes peuvent subir les mises à jour nécessaires.

Modification de la liaison :

Il est indispensable que les fichiers liés à des documents ne soient ni renommés, ni déplacés dans un autre répertoire. Le document ne connaît en effet que le chemin d'accès à l'objet lié, et la liaison serait rompue par toute modification du nom de ce chemin. S'il est vraiment indispensable de déplacer ou renommer un fichier lié après l'établissement de la liaison, vous pourrez tenter de rétablir la liaison à l'aide de la fonction "Liaisons..." du menu Edition, en redéfinissant le chemin d'accès : sélectionnez dans la liste des liaisons existantes celle dont le nom a changé, puis cliquez sur le bouton "Changer la liaison...". Suite à cela, il faudra entrer le nouveau chemin d'accès. Si cette tentative de mise à jour échoue, il faudra remettre la liaison en place depuis le début, comme nous l'avons décrit plus haut.

10.3.3. Mise à jour des liaisons

Toutes les liaisons présentes dans un document peuvent être visualisées avec la fonction "Liaisons" du menu Edition. Celle-ci permet par la même occasion de définir quelques options.

Toutes les véritables liaisons sont recencées

Liaisons	
Liaisons:	OK
Image Paintbrush FNV.BMP 74 83 198 187 Automatique	Annuler
	Activer
	Edition
Mise à jour: ⦿ A**u**tomatique ○ **M**anuelle	
Mise à jour Immédiate Annuler la liaison Changer la liaison...	

Par défaut, les objets liés sont actualisés automatiquement. Dès que le fichier de l'objet subit une modification, le changement est répercuté sur l'objet dans le document.

Une autre solution consiste à affecter à une liaison l'attribut de "Mise à jour manuelle". Dans ce cas, le contenu de votre document restera inchangé jusqu'à ce que vous donniez vous-même l'ordre d'une mise à jour. Ce n'est qu'après cela que les éventuelles modifications seront recherchées dans les fichiers des objets, puis répercutées dans le document.

10.3.4. Copier des liaisons

Il est possible de mettre en place plusieurs liaisons avec un même objet. Un graphisme peut ainsi apparaître dans plusieurs documents. Il pourra aussi se trouver en plusieurs exemplaires dans un même document.

Sélectionnez à cet effet l'objet lié dans le document. Copiez-le à présent dans le presse-papiers au moyen de la commande "Copier". Depuis le presse-papiers, vous pouvez l'intégrer soit dans le même document, à d'autres endroits, soit dans un autre document, au moyen de la commande "Coller".

10.3.5. Annuler et supprimer des liaisons

Vous pouvez annuler la liaison établie avec un objet et éviter ainsi que les modifications de l'objet soient répercutées dans votre document. L'annulation d'une liaison ne retire pas l'objet du document.

Activez la commande "Liaisons" dans le menu Edition, et cliquez dans la liste sur la liaison que vous désirez lever. Suite à cela, cliquez sur le bouton "Annuler la liaison".

L'objet est maintenant autonome, et se comporte comme s'il avait été importé via le presse-papiers. Vous pourrez plus le modifier par double clic, mais il restera la possibilité de le copier dans un autre programme à l'aide des fonctions du presse-papiers, afin de le modifier dans cette autre application.

La suppression d'une liaison retire l'objet du document. Sélectionnez-le par un clic de souris, puis actionnez la touche «Suppr».

10.3.6. Divers formats

Une particularité de la technique OLE en relation avec le presse-papiers réside dans le fait qu'un objet peut être installé par l'utilisateur dans le presse-papiers en différents formats. Dès qu'un autre programme supportant OLE veut en extraire des données, il peut choisir le format qui lui convient le mieux.

Les objets du presse-papiers sont disponibles en divers formats

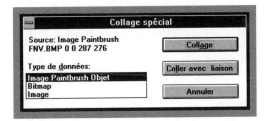

A l'aide de la commande "Collage spécial" du menu Edition, vous pouvez choisir dans une liste le format qui convient le mieux à vos besoins parmi ceux qui sont proposés, puis immédiatement insérer l'objet (sans liaison ni incorporation) ou le lier.

10.4. Utiliser des fichiers en tant qu'objets

Grâce à OLE, il y a moyen d'intégrer dans des documents toutes les formes imaginables de données en tant qu'objets. Il s'agira le plus souvent de graphismes ou de tableaux, mais aussi, par exemple, de fichiers audio de l'enregistreur de sons. Grâce à une application dont le nom est "Gestionnaire de liaisons", et qui se trouve dans le groupe des accessoires du gestionnaire de programmes, il est même possible de "déguiser" des fichiers en objets.

De tels fichiers-objets présentent un intérêt grandissant, surtout du point de vue de la transmission de données à distance pour laquelle l'engouement va croissant. Vous pouvez par exemple ainsi joindre le compte d'exploitation de l'année écoulée au courrier destiné à votre correspondant. Celui-ci pourra, en cas de besoin, effectuer les vérifications nécessaires en consultant ses archives. Vous pouvez de même joindre un programme (de démonstration) - qui n'est en définitive qu'un fichier, lui aussi - en tant qu'objet, à un descriptif de ce programme. Le destinataire peut alors prendre connaissance de cette documentation et, si celle-ci suscite en lui la curiosité, lancer le programme de démonstration.

Un objet intégré dans un document texte ne devient actif qu'à la suite d'un double clic

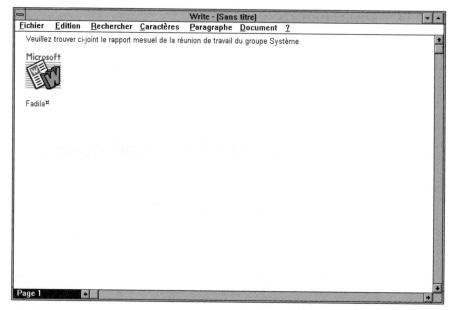

Si vous désirez intégrer des documents en tant qu'objets, il faut vous assurer que le type de document utilisé est lié à un programme capable de représenter ce document. Un document non lié peut toutefois aussi être incorporé en tant qu'objet. Mais dès que l'utilisateur double-clique sur l'objet pour visualiser son contenu, il voit apparaître un message d'erreur signalant que le document n'est pas lié, et qu'en conséquence il ne peut être affiché. La même remarque s'applique si vous transmettez des objets sous forme de fichiers à un autre ordinateur. Sur ce dernier, le document devra également être lié à un programme se chargeant de sa visualisation. Vous trouverez des précisions sur les liaisons de fichiers dans la section 6.8.

Transfert de données par téléchargement

Lorsque vous transmettez un fichier texte au moyen d'un modem vers un poste très éloigné, vous pouvez aussi y inclure des objets. Dans ce cas, le fichier devra être expédié sous forme de fichier binaire - comme toujours, lorsqu'il s'agit d'un texte muni d'attributs de mise en forme -. Mais dans ce cas il faut que le partenaire dispose également d'un système Windows pour Workgroups, sinon il ne sera pas en mesure d'exploiter le fichier binaire qui lui parvient.

Pour utiliser des fichiers en tant qu'objets, procédez de la manière suivante : Lancez le gestionnaire de liaisons qui se présente sous forme d'une fenêtre à deux colonnes. La colonne de droite est intitulée "Contenu" et devra être sélectionnée au moyen d'un clic de souris.

Sélectionnez à présent la commande "Fichier/Importer". Dans la boîte de dialogue qui s'ouvre à l'écran, choisissez le fichier que vous désirez utiliser en tant qu'objet. Cliquez ensuite sur le bouton OK. Le nom du fichier s'affiche dans la colonne "Contenu", alors que dans la colonne "Apparence" de gauche le pictogramme du fichier vous est présenté. Ce pictogramme peut être modifié à l'aide du bouton "Insérer une icône...".

Une icône par objet :

En principe, le fichier lui-même ne met qu'une seule icône à votre disposition. Mais vous pouvez sans difficulté créer une icône personnalisée pour votre objet, et la sauvegarder dans un fichier. Ne spécifiez alors dans la boîte de dialogue appropriée que le nom de votre nouvelle icône, ou actionnez le bouton "Parcourir" afin de localiser la nouvelle icône dans le système de fichiers.

Consstituer des ensembles à l'aide du gestionnaire de liaisons

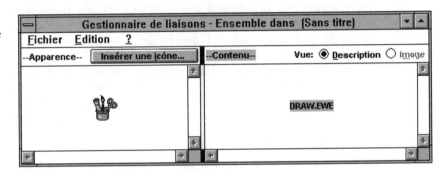

A l'aide de la commande "Etiquette" du menu Edition, vous pouvez modifier le titre de l'icône. Par défaut, il représente le nom du fichier. Mais il est préférable de le remplacer par un intitulé plus explicite.

Pour finir, copiez dans le presse-papiers le nouvel ensemble, qui dès lors se comporte comme un objet, à l'aide de la fonction "Copier un ensemble" du menu Edition. Passez à présent dans votre programme de traitement de texte supportant OLE (par exemple Write), et positionnez le curseur d'édition à l'emplacement auquel vous désirez placer le fichier. Insérez l'objet depuis le presse-papiers au moyen de la commande "Edition/Coller".

L'objet est intégré dans le texte avec l'icône choisie et le nouveau titre. Si le fichier concerné est un document, il pourra être ouvert au moyen d'un double clic en même temps que le programme capable de le représenter. Si le fichier est un programme, celui-ci pourra également être lancé au moyen d'un double clic.

Vous pouvez ainsi "emballer" tous les documents et programmes, en tant qu'objets. Aucun d'entre eux n'a besoin de supporter OLE, car cette technique que sert que pour les véhiculer. Par contre, le document dans lequel l'objet-fichier est destiné à être intégré doit, quant à lui, avoir été réalisé dans un programme supportant OLE. Le gestionnaire de liaisons ne peut constituer un ensemble qu'avec un seul fichier par objet. Si vous désirez réunir plusieurs fichiers, il faut créer plusieurs ensembles et les insérer successivement dans le document.

10.4.1. Lier des fichiers à des objets

La méthode décrite dans la section 9.4 intègre bien des fichiers dans des documents, mais il y a réalisation de copies de ces fichiers, qui existent donc de façon autonome. Une mise à jour externe n'est plus possible. Le seul moyen d'accéder au contenu d'un tel fichier dans le but de le modifier consiste à passer par le document qui contient l'objet fichier.

Vous pouvez toutefois aussi établir des liaisons entre fichiers, qui seront intégrées en tant qu'objets dans des documents de la même façon que des copies de fichiers. Les liaisons entre fichiers présentent l'avantage de se référer à des fichiers enregistrés dans le système de fichiers, et pouvant être chargés et mis à jour par d'autres programmes.

Sélectionnez le fichier désiré dans le gestionnaire de fichiers, et activez la commande "Copier" dans le menu Fichier. Cliquez, dans la boîte de dialogue, sur l'option "Vers le presse-papiers", puis actionnez la touche «Entrée». Une référence au fichier sera alors mémorisée dans le presse-papiers.

Lancez à présent le gestionnaire de liaisons, cliquez dans la colonne de droite et activez la commande "Coller avec liaison" du menu Edition. Le fichier sélectionné dans le gestionnaire de fichiers apparaît dans le gestionnaire de liaisons. Vous pouvez maintenant, comme nous l'avons décrit plus haut, modifier l'icône ou son intitulé, puis réexpédier l'ensemble dans le presse-papiers à l'aide de la commande "Copier un ensemble".

Il ne reste maintenant plus qu'à ouvrir le document dans lequel le fichier doit être intégré en tant qu'objet. Positionnez dans ce but le curseur d'édition à l'emplacement désiré et sélectionnez la fonction "Coller" dans le menu Edition. L'objet ainsi inséré possède maintenant une liaison avec un fichier. Celle-ci peut être ouverte au moyen d'un double clic, et à chaque fois sera alors affiché le contenu actualisé de ce fichier, qui pourra être modifié dans d'autres programmes.

10.4.2. Créer des ensembles OLE

Il est également possible de réunir dans un objet des parties d'un document. Il faut à cet effet que le document ait été réalisé avec une application supportant OLE. Ne peuvent être empaquetées en tant qu'objet que les parties du document qui elles-mêmes avaient été intégrées comme objets dans ce document.

Sélectionnez l'objet désiré dans le document au moyen d'un clic de souris, et copiez-le dans le presse-papiers par l'intermédiaire de la commande "Copier". Ouvrez à présent le gestionnaire de liaisons, et cliquez dans sa colonne de droite.

Vous pouvez maintenant amener dans le gestionnaire de liaisons l'objet stocké dans le presse-papiers, à l'aide de la commande "Coller". Si vous préférez établir une liaison avec l'objet, de manière à ce que les futures modifications de l'objet soient prises en compte, activez la commande "Coller avec liaison" à la place de "Coller". Cette commande n'est proposée à la sélection que si le document d'où provient l'objet est enregistré sous forme de fichier.

Vous pouvez à présent copier l'ensemble dans le presse-papiers à l'aide de la commande "Copier un ensemble", et ouvrir le fichier dans lequel l'objet doit être inséré. Amenez à nouveau le curseur d'édition à l'emplacement où l'objet doit être positionné, puis activez la commande "Coller".

10.4.3. Créer des ensembles OLE DOS

Une particularité réside dans la possibilité de constituer un ensemble avec une ligne de commande DOS, et de l'intégrer dans un document. Cette ligne de commande doit appeler soit un programme, soit un fichier batch, mais ne peut en aucun cas utiliser les commandes internes du DOS. Ces commandes du DOS ne fonctionnent en effet que si l'interpréteur de commandes COMMAND.COM est chargé, ce qui n'est pas le cas lorsqu'on est dans Windows pour Workgroups.

Il n'en demeure pas moins que cette technique permet d'intégrer à vos documents des montages de diapositives, ou des ensembles de sonorités.

Activez la commande "Ligne de commande" dans le menu Edition du gestionnaire de liaisons, et entrez la ligne de commande. Pour valider, actionnez comme d'habitude la touche «Entrée». La commande DOS possède aussi une icône. Passez par conséquent dans la colonne de gauche du gestionnaire de liaisons, et actionnez le bouton "Insérer une icône". Les icônes du gestionnaire de programmes sont alors mises à votre disposition, parmi lesquelles figurent quelques icônes DOS. Vous pouvez évidemment aussi, avant de lancer gestionnaire de liaisons, créer une icône personnalisée, de la manière décrite plus haut, et indiquer son nom de fichier dans la boîte de dialogue.

Que des commandes externes dans les lignes de commandes

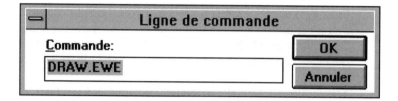

Transmettez l'ensemble dans le presse-papiers, selon la technique habituelle, à l'aide de "Copier un ensemble". Il pourra ensuite être inséré dans le document désiré par extraction du presse-papiers.

Tester les applications DOS auparavant :

Si l'instruction DOS ne peut être exécutée, Windows pour Workgroups renvoie un message d'erreur dès lors que l'utilisateur double-clique sur l'objet. Afin d'éviter des erreurs, vous devriez en conséquence tester l'application DOS avant de copier l'ensemble dans le presse-papiers et de poursuivre votre travail. Double-cliquez à cet effet sur la ligne de commande affichée dans la colonne de droite du gestionnaire de liaisons. Si un message d'erreur est déjà renvoyé dans ce cas, c'est qu'il s'agit d'un défaut mineur qu'il convient dans l'immédiat de corriger : la ligne de commande a pu appeler un programme qui n'existe pas sous le nom ou dans le répertoire indiqué, ou alors vous avez utilisé une commande interne du DOS, alors que ceci est interdit.

La ligne de commande peut non seulement activer des programmes DOS, mais aussi des fichiers batch. Il s'agit là de purs fichiers texte contenant plusieurs commandes DOS. A l'aide de fichiers batch, vous pouvez donc malgré tout activer des commandes DOS, car dans ce cas est d'abord chargé l'interpréteur de commandes qui, lui, se charge d'exécuter les commandes.

Il est par exemple possible de créer un fichier batch dans Write. Ecrivez les commandes DOS désirées les unes sous les autres, puis sauvegardez le fichier. Utilisez à cet effet la commande "Enregistrer sous", entrez le nom et l'extension ".BAT" et commutez le format de l'enregistrement de "Write" sur "Texte". Vous pourrez suite à cela activer ce fichier batch au moyen d'une ligne de commande. Pendant que nous travaillions sur ce livre, le fichier batch suivant nous a été fort utile : il nous renvoyait à la demande la liste des fichiers Word des divers chapitres :

```
DIR C:\WINLIVRE\*.DOC
PAUSE
```

L'expérience met en évidence la nécessité de la commande PAUSE. En effet, si elle est absente, on revient immédiatement à Windows pour Workgroups après exécution du fichier batch, sans avoir le temps de voir la liste des fichiers, si ce n'est pendant une fraction de seconde.

La ligne de commande "C:\COMMAND.COM" lance l'interpréteur de commandes. Avec un tel objet vous pouvez par conséquent lancer un environnement DOS depuis votre document.

10.5. Combinaisons de touches du presse-papiers

Dans le cadre de l'utilisation du presse-papiers, les combinaisons de touches s'avèrent particulièrement utiles pour gagner du temps.

«Suppr»	Détruit le contenu du presse-papiers
«Maj»+«Suppr»	Supprime les passages de texte sélectionnés dans le document et les transcrit dans le presse-papiers
«Ctrl»+«X»	comme ci-dessus
«Ctrl»+«Inser»	Ne modifie pas les passages de texte sélectionnés, mais en place une copie dans le presse-papiers
«Ctrl»+«C»	comme ci-dessus
«Maj»+«Inser»	Insère le contenu actuel du presse-papiers à la position du curseur
«Ctrl»+«V»	comme ci-dessus
«Impr»	Place une copie de l'écran dans le presse-papiers (n'est possible qu'en mode texte avec des applications DOS)
«Alt»+«Impr»	comme ci-dessus, mais copie uniquement la fenêtre active

Chapitre

11

Le système d'aide

Windows pour Workgroups peut vous assister dans tous vos actes et réflexions lorsque vous êtes confronté à des difficultés, ou quand la fonction d'une commande ne vous semble pas évidente. Ce système d'aide comporte deux composantes : le programme d'aide (WINHELP.EXE), qui se charge de visualiser les textes d'aide et de rechercher certains sujets, et le texte d'aide proprement dit, qui est enregistré dans un fichier d'extension ".HLP" (= "help").

11.1. Activer l'aide

Pour pouvoir obtenir de l'aide, il faut d'abord que soit chargé l'utilitaire qui sera en mesure de charger et de visualiser le texte d'aide. Il existe diverses possibilités pour en arriver là, la meilleure dépendant toujours de la situation dans laquelle vous vous trouvez au moment de l'appel à l'aide.

Activation par l'intermédiaire du menu d'Aide

Dans la plupart des cas, les applications proposent des commandes de menus à propos desquelles on peut demander de l'aide. Le menu d'aide standard est divisé en trois parties :

Dans le premier groupe figurent les commandes "Index" et "Rechercher l'aide sur...", grâce auxquelles vous pourrez rechercher le sujet qui vous intéresse dans le texte d'aide associé à l'application ouverte.

Ces deux commandes sont idéales lorsque vous n'êtes pas encore familiarisé avec une application et que vous recherchez des informations fondamentales ou des réponses à d'autres questions que vous vous posez.

Le deuxième groupe propose des commandes explicitant le mode d'emploi de la fonction d'aide. "Utiliser l'aide" active le texte d'aide "WINHELP.HLP", qui propose dans un plan tout ce qu'il faut savoir à propos du programme Winhelp. "Didacticiel Windows pour Workgroups" active un programme d'apprentissage pour l'utilisation de la souris. Ce programme vous est probablement déjà apparu lors de l'installation de Windows pour Workgroups, dans le cadre de laquelle il pouvait être lancé à la demande de l'utilisateur. Le programme d'entraînement à l'utilisation de la souris n'a rien à voir avec le système d'aide WINHELP.EXE, et n'utilise d'ailleurs pas de fichiers .HLP. Dans le dernier groupe vous trouvez la commande "A propos de...", qui permet d'obtenir des informations fondamentales relatives à l'application dont vous avez ouvert le menu d'aide.

La commande "A propos de..." délivre le numéro de la version du programme, et y ajoute souvent des informations sur le système, comme par exemple le mode actif et le taux d'utilisation des ressources du système. Elle équivaut à la commande "A propos" du Macintosh ou à la commande "Info" du NeXT.

Activation par l'intermédiaire de la touche de fonction «F1»

La touche «F1» active au minimum l'index du fichier d'aide actuel, dans lequel vous pouvez choisir un sujet. Cette touche équivaut par conséquent à la commande "Index" du menu d'Aide. Mais les capacités de la touche ne sont pas limitées à cela : si vous avez sélectionné un élément de commande ou une expression dans l'application, «F1» recherche automatiquement le sujet correspondant dans le fichier d'aide. «F1» est donc capable non seulement de reconnaître un élément de commande ou une expression, mais aussi de lui associer un sujet.

Si vous désirez par exemple obtenir des informations plus précises à propos d'une commande de menu, cliquez sur le menu de manière à l'ouvrir durablement. Sélectionnez ensuite la commande, mais sans l'activer, puis actionnez «F1». Suite à cela, le texte d'aide contextuel vous apparaît.

C'est dans cette dituation qu'il faut appuyer sur «F1» pour obtenir une aide contextuelle !

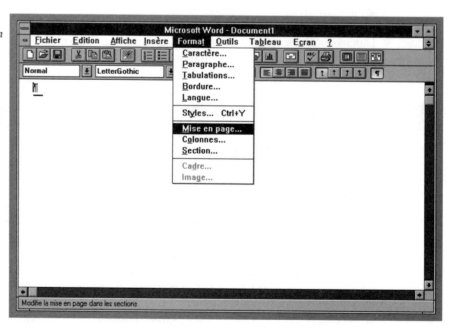

«F1» ne fonctionne que si l'application dispose d'un fichier d'aide, caractéristique que vous pouvez généralement vérifier à la présence d'un menu d'aide. L'activation de l'aide par l'intermédiaire de «F1» est idéale lorsque vous connaissez déjà relativement bien le programme, et que vous ne recherchez de l'aide que sur des points de détail.

Dans certaines applications l'on peut aussi utiliser la combinaison de touches «Maj»+«F1». Celle-ci transforme le pointeur en point d'interrogation et permet de cliquer dans cette situation sur une commande ou une zone qui vous intéresse. Suite à cela, un texte d'aide relatif à ce sujet apparaît à l'écran. Contrairement à ce qui se passe avec «F1», le sujet de l'aide ne sera donc pas choisi avant l'activation, mais après.

Activation par l'intermédiaire d'un bouton "Aide"

Lorsque vous avez activé une commande de l'application et que soudainement vous vous retrouvez dans une boîte de dialogue où des spécifications vous sont demandées, celle-ci met souvent à votre disposition un bouton intitulé Aide. Grâce à lui, vous obtiendrez une aide spécifique à propos de la boîte de dialogue et de ses éléments de commande, de même qu'avec «F1».

La plupart la boîte de dialogue sont équipées d'un bouton pour une aide contextuelle

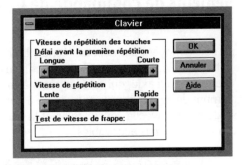

Lancement direct du système d'aide

Le programme WINHELP.EXE peut être lancé directement. Il se trouve dans le répertoire de Windows pour Workgroups et peut être appelé soit depuis le gestionnaire de fichiers, soit, comme nous l'avons décrit dans la section 3.4, après incorporation dans le gestionnaire de programmes. La commande Fichier/Ouvrir permet de charger et d'utiliser tous les fichiers .HLP.

Il n'est donc pas nécessaire de lancer l'application pour laquelle vous avez besoin d'aide. Mais si vous êtes confronté à des difficultés pendant que vous travaillez avec le programme, il reste bien plus efficace d'activer l'aide contextuelle de la manière que nous avons décrite plus haut. L'activation directe du système d'aide est essentiellement intéressante lorsque vous recherchez des renseignements d'ordre général sur un sujet.

Lire des fichiers d'aide

Vous pouvez aussi ouvrir vous-même les fichiers d'aide. Sélectionnez le fichier d'aide qui vous intéresse dans le gestionnaire de fichiers, et chargez-le par double clic. Tous les fichiers d'extension .HLP sont automatiquement liés au programme WINHELP.EXE, qui sera d'abord lancé puis chargera le fichier d'aide .

Les fichiers d'aide fournis avec Windows pour Workgroups se trouvent tous dans le répertoire de Windows pour Workgroups. Des fichiers d'aide supplémentaires peuvent aussi être stockés dans d'autres répertoires s'ils ont été fournis avec des applications acquises et installées ultérieurement. En procédant comme nous l'avons décrit dans la section 6.3.1, imposez le critère de sélection "*.HLP" dans la fenêtre de répertoire du gestionnaire de fichiers, afin que seuls les noms des fichiers d'aide soient affichés. Vous pouvez ainsi vous faire une idée des domaines couverts par l'aide. Les fichiers d'aide sont tous codés, et ne peuvent être lus dans un simple programme de traitement de texte.

11.2. Les éléments de commande de la fonction d'aide

Quel que soit le moyen, parmi ceux décrits plus haut, par lequel vous avez accédé à la fonction d'aide, la fenêtre suivante que vous voyez apparaître à l'écran est celle de la fonction d'aide, qui est équipée d'éléments de commande particuliers. Un maximum de six boutons peuvent être à votre disposition, sur lesquels il est possible de cliquer avec la souris. Suivant la nature du texte d'aide affiché, tous les boutons ne sont pas accessibles.

Les boutons de commande

Afficher la table des matières : Index

A l'aide du bouton Index vous pouvez accéder à tout instant à la table des matières du texte d'aide chargé. Quelle que soit la profondeur à laquelle vous vous êtes engagé dans le texte d'aide, cette fonction vous ramène systématiquement à un index structuré, depuis lequel vous pourrez rayonner vers toutes les directions. Ce bouton équivaut à la commande Index du menu d'aide (voir plus haut).

Dans cet index, vous trouvez des renseignements écrits normalement, et des sujets-clés soulignés. Lorsque vous positionnez la souris sur l'une de ces expressions, le pointeur prend l'apparence d'une main afin de signaler qu'il est possible de cliquer sur l'expression. Vous activerez l'aide relative à ce sujet par un simple clic de souris.

Vue d'ensemble des sujets principaux

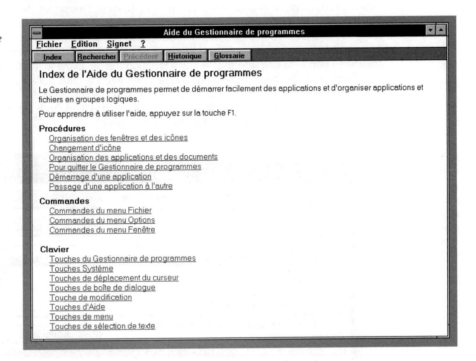

Rechercher un sujet

Lorsque vous recherchez des informations sur un sujet bien précis, cette fonction est celle qui convient le mieux : elle ouvre une boîte de dialogue contenant une liste des mots clés recensés dans le texte d'aide. Vous pouvez y sélectionner une expression clé, ou entrer vous-même directement un mot clé dans zone d'édition située au-dessus de la liste. Dès que vous entrez le premier caractère, la fonction d'aide tente de sélectionner dans la liste un sujet qui pourrait convenir, ce qui permet, le cas échéant, de ne pas saisir en entier l'expression clé qui vous intéresse.

Le moyen le plus sûr consiste à choisir l'expression dans la liste des mots clés recensés. Si vous entrez votre propre expression, la suite des événements dépendra essentiellement de l'auteur du texte d'aide : s'il a établi suffisamment de liaisons avec des mots clés, il est fort probable que vous trouverez le sujet recherché. Sinon, le programme d'aide vous proposera une autre expression, proche de celle qui vous intéresse. Mais l'intelligence qui serait nécessaire pour établir parfaitement de tels parallèles dépasse largement celle de la fonction d'aide. Dans le meilleur des cas, vous tomberez sur une expression de même consonance, mais dont le sens ne sera pas nécessairement en rapport avec celle que vous recherchiez. En raison de ce manque de souplesse, la fonction "Rechercher" n'est pas du tout fiable lorsqu'on recherche des termes entachés d'un certain exotisme.

Il existe parfois des renvois vers plusieurs sujets à partir d'une même expression clé

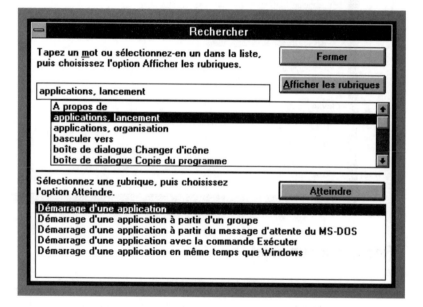

Dès lors que le mot clé a été sélectionné, vous pouvez actionner le bouton de commande "Afficher les rubriques". Tous les sujets liés à ce mot clé seront suite à cela récapitulés dans la liste figurant au bas de la boîte de dialogue, mais le plus souvent il ne s'agira que d'un sujet unique.

Si plusieurs rubriques apparaissent dans la liste, sélectionnez l'une d'elles au moyen d'un clic de souris. Après cela, cette rubrique du fichier d'aide viendra à l'écran par pression sur le bouton "Atteindre" ou sur la touche «Entrée».

Revenir à la rubrique précédente : Précédent

Dans le cadre de la recherche d'informations dans un fichier d'aide, vous accéderez à des sujets de plus en plus spécialisés à force de tourner des pages et de passer d'une expression clé à une autre. Le bouton "Précédent" permet à tout instant de revenir d'une page en arrière. Le système d'aide mémorise en effet toutes les étapes de votre recherche, et des actions successives sur ce bouton vous permettront même de revenir à votre point de départ.

Récapitulation des sujets passés en revue : Historique

Le bouton de commande "Historique" travaille en étroite collaboration avec le bouton "Précédent". Il fait apparaître une petite fenêtre, dans laquelle sont récapitulés les intitulés des quarante derniers sujets par lesquels vous aviez passé. Le dernier sujet choisi figure au sommet de la liste, le plus ancien occupant le bas de la liste. Lorsque vous sélectionnez la commande "Précédent", le système d'aide se réfère aux entrées de cette liste, la parcourant du haut vers le bas.

Compte-rendu d'une session d'aide

Passer en revue les mots clés : >> et <<

Pour un sujet donné, il existe souvent des thèmes apparentés représentés par leurs propres pages d'aide et leurs propres intitulés. Les deux boutons de commande << et >> permettent de passer du sujet courant à un autre, dont le centre d'intérêt est semblable. Tous les sujets voisins sont gérés par le système d'aide au moyen d'une liste que vous pouvez parcourir à l'aide de ces deux boutons de commande. Dès que vous atteignez une extrémité de la liste, l'élément de commande correspondant s'inactive. Si dès le départ les deux éléments de commande sont inactivés, c'est qu'il n'existe aucun sujet apparenté au thème actuel.

Table des expressions clé : Glossaire

Certains fichiers d'aide utilisent un autre bouton de commande intitulé Glossaire (c'est par exemple le cas des gestionnaires de programmes et de fichiers). Il s'agit là d'un glossaire électronique dans lequel des expressions spécialisées sont organisées en liste, un clic de souris sur une entrée renvoyant une définition concise.

Glossaire : vous pouvez cliquer sur chaque entrée de la liste

Renvois entre sujets

Dans les textes d'aide se trouvent encore d'autres éléments de commande : les passages soulignés dans le texte permettent d'accéder à un sujet apparenté. Cliquez sur ces expressions avec la souris pour afficher la page concernant ce sujet.

Explications concises

Certaines expressions sont soulignées en pointillés. Il est possible d'obtenir pour ce qui les concerne une information condensée. A cette occasion, vous ne quitterez pas la rubrique d'aide courante : une petite fenêtre visualise simplement un renseignement optionnel supplémentaire. Un nouveau clic de souris referme cette petite fenêtre.

Il existe aussi des mots clés dans le texte courant

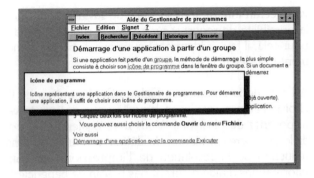

11.3. Les commandes de la fonction d'aide

En plus des boutons de commande qui permettent d'accéder rapidement aux fonctions les plus utilisées, le système d'aide possède des menus qui nous sont familiers.

11.3.1. Charger un fichier d'aide

Lorsque le système d'aide est chargé, vous avez la possibilité de charger n'importe quel fichier d'aide auquel vous avez accès. Vous pouvez imaginer les fichiers d'aide (d'extension .HLP) comme des documents du système d'aide que l'on peut charger à l'aide de la commande Fichier/Ouvrir. Contrairement à la plupart des autres applications, le système d'aide n'est pas en mesure de créer de nouveaux fichiers d'aide. C'est pourquoi il n'est agrémenté d'aucune commande de type "Enregistrer".

Lorsque vous activez la commande Fichier/Ouvrir, vous obtenez la boîte de dialogue standard associée à l'ouverture d'un fichier. Le critère de sélection est implicitement "*.HLP", et il ne vous reste plus qu'à spécifier le nom du fichier d'aide. Tous les fichiers d'aide fournis avec Windows pour Workgroups se trouvent dans le répertoire de Windows pour Workgroups.

11.3.2. Imprimer des informations d'aide

Il est possible de réduire la taille de la fenêtre du système d'aide au point de pouvoir l'utiliser à côté de la fenêtre d'une application en cours d'exécution, afin de pouvoir mettre systématiquement en pratique les informations obtenues progressivement. Si ce procédé vous semble peu convivial, ou si la résolution de votre écran interdit tout sacrifice de surface pour une fenêtre d'aide, vous avez la possibilité de reporter sur papier la rubrique d'aide qui vous intéresse. Mais pour cela, il faut évidemment que vous disposiez d'une imprimante convenablement installée (Cf. section 7.2.3).

A l'aide de la commande Fichier/Configuration de l'impression, vous pouvez choisir l'imprimante avec laquelle vous désirez travailler (au cas où vous en disposeriez de plusieurs). Vous avez également la possibilité, dans la boîte de dialogue correspondante, de définir certaines options comme par exemple la réduction de la résolution de l'impression, car dans la plupart des cas les informations d'aide n'auront pas besoin de bénéficier d'une qualité courrier.

La commande "Imprimer la rubrique" sort sur l'imprimante le contenu du sujet sélectionné. Cette rubrique peut comporter plus de texte que la fenêtre ne permet d'en représenter. Observez dans ce cas la barre de défilement, qui vous renseignera sur la longueur réelle du document.

11.3.3. Copier des information sous forme de texte dans le presse-papiers

Il est possible de copier dans le presse-papiers des extraits de la rubrique d'aide courante. Cette possibilité sera utile si par exemple vous ne désirez archiver ou imprimer que des parties d'un texte d'aide. Vous pouvez aussi extraire ainsi du système d'aide des blocs d'informations destinés à vos propres documentations.

Il n'est toutefois pas possible de sélectionner directement des passages de texte dans la fenêtre d'aide, car la plupart des expressions tiennent lieu d'éléments de commande ouvrant une sous-rubrique. C'est pourquoi il faut d'abord activer la commande Edition/Copier.

Le texte de la rubrique actuelle apparaît suite à cela dans une fenêtre séparée. Toutes les fonctions de commandes sont alors inactivées, ce qui vous permettra de sélectionner le passage désiré du texte en le balayant avec le pointeur tout en maintenant le bouton gauche de la souris enfoncé. Actionnez le bouton Copier pour placer ce texte dans le presse-papiers. De là, vous pourrez sans difficulté le transférer dans d'autres programmes.

11.3.4. Créez vos propres notes : les annotations

Bien qu'il ne soit pas facile de créer vos propres fichiers d'aide, le système d'aide n'en permet pas moins d'intégrer vos remarques personnelles dans les textes existants. De telles remarques se composent généralement de supports mnémotechniques, de références à des sujets apparentés ou de la description d'une astuce que l'on a découverte à ce sujet. En fait, les compléments aux textes d'aide sont exclusivement réservés à un usage personnel.

Des remarques personnelles fixées dans le texte au moyen d'une attache-trombone

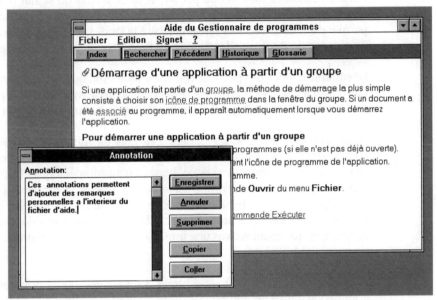

Il n'est pas possible de rattacher plus d'une remarque par rubrique d'aide. Cette annotation unique peut toutefois être modifiée et développée à volonté.

Activez votre propre notice à l'aide de la commande Edition/Annotation. Apparaît une petite zone d'édition dans laquelle vous pouvez saisir vos notes. Avec le bouton de commande Coller, vous pouvez insérer le contenu du presse-papiers dans la notice, et avec Copier, vous placerez le contenu de votre notice dans le presse-papiers.

Dès que votre notice est achevée, actionnez le bouton Enregistrer. L'annotation sera suite à cela liée à la rubrique d'aide, et dans la première ligne du texte d'aide apparaîtra un symbole d'attache-trombone. Lorsqu'ultérieurement vous ouvrirez cette rubrique, vous saurez donc qu'une notice est liée à ce sujet. Dès que vous cliquerez sur l'attache-trombone avec la souris, la notice personnelle réapparaîtra sous vos yeux.

Pour procéder à des modifications et à des extensions, cliquez simplement sur l'attache-trombone, et modifiez le texte. Actionnez ensuite le bouton Enregistrer. Pour détruire une annotation, cliquez également sur l'attache-trombone, mais activez cette fois le bouton de commande Supprimer. Vos annotations sont immédiatement retirées de la fenêtre. Actionnez le bouton Enregistrer pour sauvegarder le feuillet d'annotation vide. Le système d'aide retire alors l'annotation du programme et enlève aussi le symbole de l'attache-trombone.

11.3.5. Les signets : retrouver rapidement des pages

Dans un classique livre fait de papier, vous utiliseriez un signet pour repérer les pages auxquelles vous seriez fréquemment amené à vous reporter. Ce moyen permet d'éviter un recours systématique à la l'index alphabétique avec recherche du numéro de page puis feuilletage du livre jusqu'à trouver la page appropriée.

Le système d'aide vous propose une technique similaire. Si vous avez l'impression qu'à l'avenir vous serez amené à revoir une certaine rubrique, vous pouvez définir un signet pour cette page. Activez à cet effet la commande Signet/Définir.

Alors que dans un livre, les signets sont faits de rubans de plusieurs couleurs, voire même indiscernables les uns des autres, il vous faut, dans le "livre électronique", attribuer à chaque signet un nom spécifique. Dans la boîte de dialogue qui s'ouvre à l'écran, c'est le nom même de la rubrique d'aide qui vous est suggéré. Mais rien ne vous empêche de choisir un intitulé plus explicite et de l'écrire par-dessus celui proposé par défaut. Tous les noms déjà attribués à des signets sont récapitulés dans une liste. Il n'est pas possible d'attribuer à un signet un nom déjà utilisé.

Cliquez sur OK, ou actionnez «Entrée». Le nouveau signet apparaît en tant que commande dans le menu Signet. Vous pouvez dès lors utiliser cette commande de menu pour vous rendre à tout instant dans la rubrique d'aide concernée. A chaque signet est d'autre par associé un chiffre faisant office de raccourci-clavier, en combinaison avec la touche «Alt». Il n'y a donc plus aucun frein au déplacement rapide à l'intérieur d'un même document d'aide.

Dès que vous n'avez plus besoin d'un certain signet, il est préférable de l'effacer afin de gagner de la place et de préserver la clarté du système. Un livre truffé de signets ne serait en effet pas plus clair que s'il n'y en avait aucun.

Activez la commande Signet/Définir et cliquez sur le nom du signet que vous désirez retirer, dans la zone de liste figurant au bas de la boîte de dialogue. Il sera effacé dans la liste et le menu dès que vous actionnerez le bouton de commande Supprimer. Vous pouvez ainsi supprimer successivement plusieurs signets.

11.3.6. L'aide sur l'aide

Comme nous l'avions laissé entendre, le système d'aide dispose lui-même d'un fichier d'aide dans lequel figurent les explications relatives au mode d'emploi du système d'aide. Si le système d'aide a été lancé avec un fichier d'aide, il est à tout instant possible de passer dans le fichier d'aide du système d'aide, en particulier lorsque vous vous trouvez confronté à une situation délicate. Sélectionnez à cet effet "Utiliser l'aide" dans le menu "?". Vous reviendrez à votre ancienne rubrique d'aide si vous actionnez plusieurs fois de suite le bouton de commande Précédent. Ce retour sera encore plus rapide à l'aide du bouton de commande Historique. Celui-ci renvoie la liste de tous les sujets étudiés, et vous pourrez y choisir directement le sujet sur lequel vous vous trouviez au moment d'appeler l'aide sur l'aide. Double-cliquez sur cette entrée pour revenir dans la rubrique concernée.

11.3.7. Une fenêtre d'aide toujours au premier plan

Lorsque vous désirez utiliser des instructions contenues dans la fenêtre d'aide pour effectuer des essais dans votre application, il est pénible de voir la fenêtre d'aide passer systématiquement en arrière-plan à chaque fois que vous cliquez sur la fenêtre d'application. Avec l'option "Toujours visible" du menu "?" vous ordonnerez l'affichage permanent de la fenêtre d'aide au premier plan. Quelle que soit la fenêtre sur laquelle vous cliquez, ou le programme avec lequel vous travaillez, l'aide restera au premier plan, et donc toujours lisible.

Un deuxième clic sur cette option la désactive. Lorsque l'option est active, elle est repérée par un crochet dans le menu.

11.4. Raccourcis clavier

Pour la fonction d'aide, il existe aussi des combinaisons de touches qui complètent le travail avec la souris :

«F1»	Présente une table des matières du système d'aide. Certains programmes proposent une aide contextuelle qui affiche automatiquement la rubrique d'aide correspondant à la commande ou à l'élément de commande sélectionné.
«Tab»	Dans une rubrique d'aide, permet de passer au sujet apparenté suivant.
«Maj»+«Tab»	Comme ci-dessus, mais en sens contraire.
«Ctrl»+«Tab»	Sélection des titres de toutes les rubrique apparentées.
«Maj»+«Inser»	Insère le contenu du presse-papiers dans une annotation
«Ctrl»+«Inser»	Copie la rubrique d'aide actuelle, ou une annotation, dans le presse-papiers.
«Alt»+«F4»	Quitte l'aide

Chapitre

12

Accessoires Windows pour Workgroups

Microsoft fournit gratuitement avec Windows pour Workgroups quelques applications, qui se retrouvent toutes dans le groupe d'applications Accessoires du gestionnaire de programmes.

12.1. Traitement de texte : Write

Write est un programme de traitement de texte qui, en comparaison des normes des années passées, offre une multitude de fonctions. Mais ces normes ont été considérablement étendues, ces derniers temps, en raison des progrès fulgurants réalisés dans ce domaine, et il manque ainsi à Write, par rapport aux traitements de textes commercialisés, les aptitudes suivantes :

■ Traitement simultané de plusieurs documents

■ Fonctions de publipostage

■ Dictionnaire et césure automatique

■ Dictionnaire des synonymes

■ Mise en page de haute qualité

Write est devenu une partie de Windows pour Workgroups parce que dans tout système de gestion d'une quantité importante de données doit exister un programme standard capable de lier et de visualiser des fichiers (Cf. section 6.8). Nombreux sont aussi les fichiers d'informations de Windows pour Workgroups qui, par exemple, s'affichent dans Write. Il n'en demeure pas moins que l'utilisateur moyen pourra liquider toute sa correspondance courante avec Write. Mais par la même occasion, Write ne fauche pas l'herbe sous les pieds des concepteurs de logiciels, ne serait-ce qu'en raison de l'absence des fonctions évoquées ci-dessus. S'il est vrai que dans Write vous ne pouvez ouvrir et traiter qu'un seul document à la fois, il n'en existe pas moins la possibilité de lancer Write en plusieurs exemplaires afin d'éditer simultanément des documents distincts. Mais dans ce cas, chaque document sera géré par son propre programme Write.

12.1.1. Lancement de Write

Lancez le traitement de textes par double clic sur son icône dans le groupe Accessoires du gestionnaire de programmes. Vous avez également la possibilité d'activer un document Write (d'extension .WRI) depuis le gestionnaire de fichiers en double-cliquant sur son icône. Dans ce cas, Write démarre, puis charge automatiquement le document.

Apparaît la fenêtre d'application de Write, qui affiche le titre du document dans sa barre titre. Si vous avez lancé Write directement, la mention dans la barre titre est "Sans titre", car aucun nom n'a encore été attribué au document. Si Write a été lancé indirectement par activation d'un document Write, c'est le nom du document qui apparaît dans la barre titre.

La fenêtre de Write avec un texte non structuré

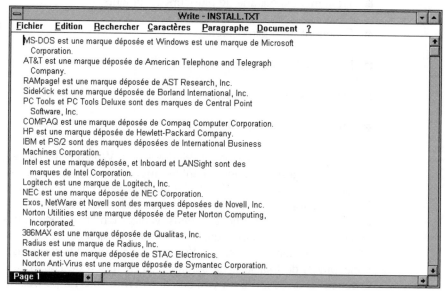

Le document est, quant à lui, représenté directement dans la fenêtre d'application. Write ne travaille pas avec des fenêtres de documents, puisqu'il n'est capable de traiter qu'un document à la fois. L'apport de fenêtres supplémentaires ne présenterait donc aucun avantage.

Dans le coin inférieur gauche se trouve le numéro de la page visualisée du document. A côté de cette zone, ainsi que sur la droite de la fenêtre se trouvent des barres de défilement permettant de faire défiler le reste du texte dans la fenêtre.

12.1.2. L'aire d'édition

Dans ce qui suit, nous considérerons que vous avez lancé Write directement. Au cas où à cet instant un document serait déjà chargé, sélectionnez la commande Fichier/Nouveau afin de "vider" l'aire d'édition.

Dans l'aire d'édition se trouve le curseur texte, un tiret vertical clignotant. Lorsque la souris se déplace dans la zone d'activité de ce curseur, et que la fenêtre est active (c'est à dire si l'on a cliqué dessus), son pointeur se transforme lui aussi en un trait vertical. Vous pouvez alors saisir du texte. Lorsque vous amenez le pointeur dans la zone de la marge de gauche de l'aire d'édition, il adopte l'apparence d'une flèche. Cette colonne de gauche n'est donc pas en mesure de recevoir du texte : elle est destinée à réaliser des marquages (sélections).

La règle

Vous pouvez sacrifier une partie de votre aire d'édition au profit de la règle. La règle n'indique pas seulement la position du curseur dans l'unité que vous aviez définie dans le panneau de configuration (Cf. section 7.3.2), mais est aussi agrémentée de boutons de commande destinés à la souris, grâce auxquels il est possible de réaliser directement un certain nombre de mises en forme du texte sans recourir à des commandes de menus. Vous activerez la règle à l'aide de la commande Document/Afficher la règle. La commande Masquer la règle du même menu permettra de la désactiver.

Accès rapide à des outils de mise en forme à l'aide de la règle

Dans cette commande, les termes "Afficher" et "Masquer" se comportent comme la coche qui signale l'activité d'une option dans un menu. "Masquer" équivaut à la coche, et signale que la règle est active, alors que "Afficher" correspond à une règle absente, c'est à dire à une option non cochée.

12.1.3.   Mise en page

Avant de vous lancer dans la rédaction d'un document, il vaudrait mieux définir le format de la page. Ce travail peut aussi être effectué par la suite, mais dans ce cas un texte déjà saisi changerait d'apparence, plus particulièrement au niveau des ruptures de lignes.

Marges

La commande Document/Mise en page renvoie une boîte de dialogue, dans laquelle peuvent être définies les quatre marges. Il s'agit là des marges qui se réfèrent au bord physique des feuilles. La place qui reste disponible pour le texte à l'issue de la définition des marges dépend par conséquent de la taille du papier utilisé.

Les unités de mesure se réfèrent au format choisi pour le papier

Numéros de pages

Au-dessus des zones de définition des marges se trouve la zone "Numéroter à partir de". Write est en effet capable de numéroter automatiquement les pages de vos textes. Dans cette zone d'édition, vous entrerez le numéro à affecter à la première page de ce document.

Numérotation de pages :

En principe, la première page reçoit toujours le numéro "1", mais si par exemple vous avez rédigé les divers chapitres d'un mémoire ou d'un rapport sous forme de documents autonomes, et que vous désirez obtenir un foliotage continu à l'impression, commencez par imprimer le premier chapitre puis, lorsque vous lancez l'impression du chapitre suivant, entrez dans la zone "Numéroter à partir de:" le numéro de la dernière page du chapitre précédent augmenté de 1.

Unités de mesures

Au-dessous des zones de définition des marges se trouvent deux boutons radio, proposant le choix entre deux unités de mesure : "centimètre" et "pouce". L'unité proposée par défaut est celle qui avait été définie pour Windows pour Workgroups dans le panneau de configuration. Si vous modifiez l'activité des boutons radio, Write utilisera le système de mesures choisi, avec répercussion sur la règle et toutes les indications de mesures pouvant se présenter dans des boîtes de dialogue.

Ces boutons radio mettent d'ailleurs en évidence le fait qu'un programme utilise en principe les paramètres définis globalement pour le système, tout en permettant à l'utilisateur de choisir d'autres options, sans pour autant que cela se répercute sur le système. C'est d'ailleurs dans un traitement de textes que la commutation du système de mesures s'avère être le plus utile, en particulier dans les secteurs de travail bilingues.

Taille du papier

La taille du papier est déterminante pour la mise en page, puisque tous les autres paramètres de mise en forme s'y réfèrent. Mais le choix de la taille du papier ne se trouve pas dans la boîte de dialogue "Mise en page", et ce pour deux raisons : la première est que les dimensions du papier que vous pouvez utiliser dépendent en priorité de l'imprimante, et c'est pourquoi la définition de ces paramètres entre dans le cadre de la configuration de l'impression. La deuxième raison est liée au fait que l'utilisateur moyen changera rarement de format de papier, se contentant le plus souvent du format A4 traditionnel, et c'est pourquoi le paramètre "Taille du papier" serait plus gênant que bénéfique dans la boîte de dialogue "Mise en page".

Une mise en forme correcte requiert une définition préalable de la taille du papier utilisé

Configuration de l'impression	
Imprimante :	OK
⦿ Imprimante par défaut	Annuler
(Actuellement HP LaserJet 4Si/4Si MX sur \\microapp\4simx (LPT3:))	Options...
○ Imprimante spécifique :	
HP LaserJet 4Si/4Si MX sur \\microapp\4simx (LPT3:) ⬇	Réseau...

Orientation ⦿ Portrait ○ Paysage

Papier Taille : A4 (210 x 297 mm) ⬇ Alimentation : Automatique ⬇

Vous définirez la taille du papier par l'intermédiaire de la commande Fichier/Configuration de l'impression. Dans la zone Orientation, vous avez le choix entre "Paysage" et "Portrait", c'est à dire respectivement "horizontal" et "vertical". A droite de ce groupe, une zone de liste déroulante propose toutes les tailles de papier supportées par l'imprimante. Les entrées de cette liste dépendent essentiellement du type de l'imprimante : les imprimantes à laser ne disposent le plus souvent que des formats de papier standards, alors que pour les imprimantes matricielles où le guidage du papier est assuré par tracteur vous pouvez aussi spécifier des tailles personnalisées.

Format correct :

L'importance du choix du format de papier convenable pour une visualisation correcte d'un texte est mise en évidence par les fichiers texte fournis avec Windows pour Workgroups. Ceux-ci ont bien été traduits pour être intégrées à la version française, mais le format américain du papier a été conservé. Il en résulte des erreurs de mise en forme, comme par exemple des traits de soulignement s'étendant sur deux lignes. Si par conséquent vous désirez lire ces textes dans la forme pour laquelle ils ont été conçus, il vous faudra d'abord commuter la taille du papier sur le format américain Letter, comme nous l'avons décrit plus haut, ce format étant légèrement plus large et plus court que le format A4 européen. Dans ce format, vous ne pourrez toutefois, le plus souvent, pas imprimer le document concerné, car la taille "Letter" n'est pas diffusée dans les services de distribution grand public, en France.

Sauts de pages

Dès que vous aurez défini les paramètres "Taille du papier" et "Marges", le nombre de caractères pouvant trouver place sur une page, compte tenu de leur taille, est également déterminé. Il en résulte que la situation dans laquelle un saut de page doit être exécuté est déterminée par avance. A l'aide de la commande Fichier/Repaginer, vous pouvez demander au programme de confirmer les sauts de pages. Par défaut, cette confirmation est désactivée. Un saut de page est signalé dans la barre de sélection, sur la gauche du texte, par le symbole ">>".

Lorsque l'option "Confirmer les sauts de page" est active, Write passe en revue tous les emplacements du document où figure un saut de page, et vous demande de le valider. Mais avant de confirmer, vous avez la possibilité de déplacer le point de rupture à l'aide des boutons de commande Haut et Bas. Etant donné que Write exploite au mieux la taille de la feuille lors de la rupture de pages automatique, il n'est pas possible de déplacer dès le départ le point de rupture vers le bas. Cette opération n'est possible qu'à la suite d'un premier déplacement de ce point de rupture vers le haut.

Confirmation des sauts de page :

Une confirmation de la rupture est par exemple utile pour les questions touchant à la présentation : vous pouvez ainsi faire en sorte qu'en bas de page ne reste jamais seule la première ligne du paragraphe suivant. Tous les travaux de mise en forme que des programmes de PAO font automatiquement (comme par exemple la suppressions des "orphelines" et des "veuves", les lignes uniques situées en fin ou en début de page), pourront donc au moins être réalisés manuellement. Cette technique pourra aussi être utilisée pour imprimer des passages déterminés d'un texte. Pour éviter l'impression de passages figurant avant ou après la partie de texte désirée, vous pouvez déplacer les sauts de pages de manière à ce que le texte concerné apparaisse seul sur une page. Mais avant cela, il est souhaitable de sauvegarder le document, sinon il vous faudra repositionner les sauts de page à la main après l'impression. Ainsi, vous pourrez simplement recharger le document tel qu'il avait été enregistré.

12.1.4. Saisie de textes

Il existe trois possibilités pour intégrer du texte dans un nouveau document :

❶ La saisie directe du texte

❷ Le chargement d'un document précédemment enregistré

❸ L'importation de texte depuis le presse-papiers

Pour les lecteurs qui n'auraient encore jamais travaillé avec un traitement de textes, rappelons que les sauts de lignes sont pris en charge par l'ordinateur, et qu'en aucun cas il ne faut actionner la touche «Entrée» pour les retours à la ligne. La touche «Entrée» sert à marquer la fin d'un paragraphe. Le saut de ligne automatique est déterminé en fonction de la longueur d'une ligne et de la taille des caractères, la longueur des lignes dépendant des marges et du format de papier.

Si après chaque ligne vous appuyez sur «Entrée», Write interprète chaque ligne comme un paragraphe indépendant. Si suite à cela on modifie le texte, et c'est habituellement le cas dans un traitement de textes, les lignes ne seront plus réparties de façon homogène sur une page, puisque les paragraphes sont indépendants les uns des autres. Il peut en résulter des lignes excessivement courtes dans le texte. Dans ce cas il ne reste qu'une solution : la suppression des marques de fin de paragraphe. A cet effet, il faut vous rendre à la fin de chaque ligne et appuyer sur «Suppr». Le plus souvent, il faudra ensuite entrer un espace.

Si vous entrez du texte dans un nouveau document, encore anonyme, vous devriez le sauvegarder dans les plus brefs délais. A cette occasion, vous serez amené à lui donner un nom, et en cas de plantage du système ou de coupure de courant, le travail déjà enregistré pourra toujours être récupéré.

Les documents sauvegardés peuvent être ouverts (on dit aussi "chargés"). Il peut s'agir là de textes complets destinés, par exemple, à être édités, ou de textes modèles constituant la base d'un nouveau document. Pour ce qui concerne ces modèles, il peut par exemple s'agir d'une en-tête ou d'un formulaire.

Création de modèles :

Il est très facile de créer des modèles : Entrez le texte du modèle sous forme de document, et sauvegardez-le sous un nom bien explicite (par exemple "ENTETE"). Dès que vous désirez utiliser ce texte implicite, chargez-le de la manière décrite ci-dessous, puis enregistrez-le immédiatement sous un autre nom. Vous pouvez dès lors travailler sur la copie de ce texte. Si vous n'enregistrez pas le modèle sous un autre nom, il deviendra inutilisable comme modèle pour toutes vos créations futures.

Utilisez la commande Fichier/Ouvrir pour afficher la boîte de dialogue associée à l'ouverture de fichiers. Si à cet instant se trouve encore dans votre aire d'édition un texte qui a subi des modifications depuis son dernier enregistrement, le système renvoie d'abord une demande de confirmation par l'intermédiaire de laquelle vous aurez l'occasion de sauvegarder encore le texte concerné. Etant donné que Write n'est capable de traiter qu'un document à la fois, l'ouverture d'un nouveau document entraînerait la destruction du document existant si cette mesure de sécurité n'était pas implantée dans le programme.

La boîte de dialogue est prédéfinie pour charger des documents Write, c'est à dire des fichiers munis de l'extension .WRI. Seuls ces fichiers sont proposés dans les listes. Mais une liste de sélection située dans la partie inférieure gauche de la boîte de dialogue permet de sélectionner d'autres formats de fichiers. Dans la zone d'édition Nom de fichier, vous pouvez aussi entrer un critère de sélection personnalisé (voir à ce propos la section 6.3.1).

Write est également capable d'interpréter d'autres formats de textes

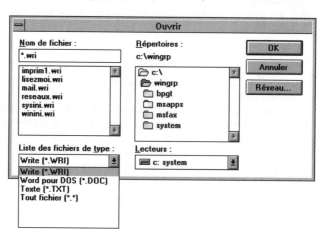

Voici les formats de fichiers supportés par défaut :

■ Fichiers Write d'extension .WRI

■ Fichiers Word pour DOS d'extension .DOC

■ Fichiers texte ASCII normaux d'extension .TXT

■ Tous les fichiers correspondant au critère de sélection *.*

Lorsque vous chargez un fichier au format de Word pour DOS, le programme vous demande s'il doit convertir ce fichier dans le format de Write. Cette conversion est nécessaire pour une représentation correcte de tous les caractères particuliers (comme les lettres accentuées). Si vous refusez la conversion, ce sont des rectangles noirs qui seront affichés à la place des lettres accentuées.

Importation de texte depuis le presse-papiers

A l'aide du presse-papiers, vous pouvez intégrer dans votre document des blocs de textes provenant d'autres documents. Sélectionnez le texte que vous désirez importer, et activez la commande Edition/Copier. Passez ensuite dans le programme Write, positionnez le curseur d'édition à l'emplacement auquel le nouveau texte devra être inséré, puis activez la commande Edition/Coller.

Si vous désirez intégrer dans votre document des blocs provenant d'un autre document Write, il est nécessaire de lancer Write une seconde fois et de charger dans ce deuxième exemplaire du programme le document depuis lequel le texte devra être exporté, afin de pouvoir travailler en parallèle sur le document source et le document de destination. Il est par exemple possible ainsi de sauvegarder une liste d'adresses sous forme de document texte afin d'en extraire systématiquement une adresse pour l'intégrer dans l'en-tête d'une lettre.

12.1.5. Sauvegarder des documents

Deux commandes permettent de sauvegarder vos travaux dans un fichier : Enregistrer et Enregistrer sous, toutes deux présentes dans le menu Fichier.

Lorsque vous avez commencé à travailler sur un nouveau document, encore anonyme, les deux commandes se comportent de la même façon : apparaît une boîte de dialogue dans laquelle il faudra indiquer le nom du fichier dans lequel le texte devra être sauvegardé.

Si votre texte existait déjà sous forme de fichier et qu'il n'a subi que des modifications, la commande Enregistrer suffira. Elle sauvegarde le document sous le nom existant. Durant cette opération, l'ancienne version du texte sera écrasée.

Copie de sécurité

Si dans la boîte de dialogue vous cochez la zone Secours, l'ancienne version du texte ne sera pas écrasée, mais sauvegardée sous le même nom avec l'extension .BKP. Vous pouvez ainsi, en cas de fausse manoeuvre, récupérer le fichier .BKP et l'ouvrir à la place du fichier .WRI. A cet effet il faut transformer le critère de sélection de la boîte de dialogue Ouvrir, en remplaçant "*.WRI" par "*.*", ou mieux, par "*.BKP".

Les saisies et modifications de texte ne sont considérées comme définitives qu'à l'issue de leur sauvegarde. Jusque là, toutes les modifications sont recensées dans une copie du document, qui ne se trouve que dans la mémoire de l'ordinateur. Vous pouvez par conséquent toutes les rejeter toutes les modifications effectuées depuis la dernière sauvegarde, en n'enregistrant pas le document, et en le réouvrant sous son propre nom. Inversement, vous devriez sauvegarder à intervalles réguliers les modifications apportées à un document, en activant la commande Enregistrer, car un plantage du système, une coupure de courant, l'infestation par un virus ou un débranchement accidentel de l'ordinateur réduiraient votre travail à néant, vous replaçant dans la situation qui était celle de la précédente sauvegarde. La fréquence des sauvegardes ne dépend que de vous : jugez-en d'après la fiabilité de vos modifications, car n'oubliez pas que toute sauvegarde est simultanément un point de non retour à une étape précédente du développement du texte. Une technique qui a fait ses preuves consiste à faire des sauvegardes par mesure de sécurité après chaque nouvelle page. Pour lancer une sauvegarde régulière, vous pourrez réaliser à l'aide de l'enregistreur de macros une macro, qui pourra être affectée à l'une des touches de fonctions.

Pour ce qui concerne le choix d'un nom pour le document, souvenez-vous qu'il ne s'agit là pas seulement d'une marque de différenciation pour le Disk Operating System (DOS), mais aussi pour vous-même. Choisissez par conséquent un nom explicite qui vous permettra d'identifier le document, et ce même après plusieurs semaines.

Write travaille et enregistre dans le répertoire, depuis lequel il a été chargé. Il n'est dans la plupart des cas pas judicieux d'y sauvegarder vos textes. Pour préserver la clarté de votre système, vous devriez plutôt créer un sous-répertoire spécifique pour les textes, à l'aide du gestionnaire de fichiers, et sélectionner ce répertoire lors de la sauvegarde.

12.1.6.　Exporter des textes

En informatique, "exporter" signifie transférer un document d'un programme dans un autre, une conversion du format du document vers le format du programme de destination étant généralement nécessaire.

Si par exemple vous désirez poursuivre dans MS-Word le traitement d'un texte créé dans Write, il faut d'abord que ce texte soit converti au format de Word.

Write n'est pas équipé d'un menu d'exportation spécifique. Mais les conversions de documents peuvent toutefois être effectuées directement lors de la sauvegarde d'un document, dans certaines limites. Sélectionnez à cet effet la commande Fichier/Enregistrer sous.

Dans la partie inférieure gauche de la boîte de dialogue se trouve une liste de sélection, dans laquelle peut être choisi le format pour l'enregistrement. De même que pour le chargement, le programme propose ici, en plus du format de Write, le format de Word ainsi que la possibilité d'enregistrer un pur texte ASCII.

Textes ASCII

Si vous ne travaillez pas en collaboration avec Word, vous devriez choisir soit le format "Word pour DOS/TXT" (texte seul) soit "Texte". La différence entre ces deux formats réside dans les codes des caractères particuliers, et la meilleure solution serait, pour vous, de déterminer expérimentalement celui des deux formats qui vous convient le mieux. L'avantage des fichiers "ASCII" et "Texte seul" est que ceux-ci peuvent être compris par tout programme de traitement de texte. Cela provient du fait que toutes les informations concernant la mise en forme en sont retirées. Ce sont justement ces mises en forme qui constituent la cause d'incompatibilité de la plupart des formats spécifiques de textes. Il en résulte par contre la perte de toutes les caractéristiques de mise en forme que vous aviez affectées au texte dans Write : polices, alignement et tabulations ne sont plus associées à aucune qualité après la conversion.

Si vous ne manipulez pas les fichiers système avec l'éditeur du bloc-notes, mais dans Write, il faut veiller à sauvegarder ces fichiers au format "Texte", sinon Write y intègre les informations concernant la mise en forme. Ce sera le cas même si vous-même n'avez pas procédé à des mises en forme explicites, car dans ce cas le programme utilise les paramètres par défaut comme informations de mise en forme. Des fichiers système avec des informations relatives à la mise en forme sont défectueux, car le système interprète ces entrées supplémentaires comme des données normales. Des événements imprévisibles peuvent se produire dans ces circonstances, et il est préférable de les éviter. C'est la raison pour laquelle il est préférable de ne pas utiliser Write, mais l'éditeur du bloc-notes, pour effectuer ce travail, car le bloc-notes ne travaille de toute façon qu'en format ASCII, et que toute confusion est par là exclue.

Il existe encore un deuxième standard de format texte, plus moderne que le format ASCII, et offrant davantage de possibilités pour importer des formats texte externes et même des graphismes dans des programmes qui supportent ce standard. Ce "Rich Text Format" (RTF) n'est malheureusement pas supporté par Write.

12.1.7. Structurer des textes

Toutes les fonctions texte et de mises en forme s'appliquent exclusivement à du texte sélectionné. Le reste du document est insensible aux effets de ces commandes.

Sélectionner des passages de texte

Pour sélectionner du texte, placez le curseur d'édition sur le début ou la fin de la zone à sélectionner, et balayez le passage jusqu'à l'autre extrémité avec le pointeur en maintenant le bouton gauche de la souris enfoncé. Vous pouvez aussi appliquer un clic de souris sur l'une des extrémités du passage de texte, puis amener le pointeur à l'autre extrémité, et cliquer en maintenant enfoncée la touche «Maj». Un texte sélectionné est toujours affiché en inversion vidéo.

Des mots peuvent être sélectionnés à l'unité au moyen d'un double clic : amenez le pointeur sur le mot concerné, et cliquez rapidement deux fois de suite.

Pour sélectionner des lignes entières, positionnez le pointeur dans la barre de sélection, juste sur la gauche du texte. L'apparence du pointeur passe du trait vertical à une flèche. Cliquez maintenant pour sélectionner la ligne devant laquelle se trouve le pointeur. Plusieurs lignes seront sélectionnées si vous maintenez le bouton gauche de la souris enfoncé pendant que vous faites glisser le pointeur vers le bas ou le haut dans la barre de sélection. Une autre technique consiste à sélectionner la première ligne d'un passage au moyen d'un clic de souris, puis à amener le pointeur, dans la barre de sélection, en face de la dernière ligne du passage, et, pour finir, à cliquer de nouveau en maintenant enfoncée la touche «Maj».

Il est nécessaire de sélectionner un texte avant de vouloir le mettre en forme

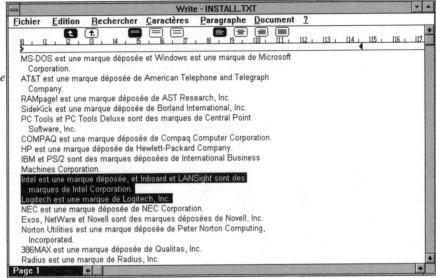

Un paragraphe sera sélectionné par double clic dans la barre de sélection.

Vous avez également la possibilité de sélectionner le texte en entier, en une seule opération. Positionnez à nouveau le pointeur dans la barre de sélection, maintenez «Ctrl» enfoncé et cliquez une seule fois.

Copier, déplacer, effacer

Dans le cadre du travail sur votre document, vous serez souvent amené à déplacer des blocs de texte à d'autres endroits, ou à les effacer. Pour que ces opérations puissent être réalisées, il faut que le texte concerné ait préalablement été sélectionné à l'aide des méthodes décrites plus haut.

Pour supprimer un passage sélectionné, actionnez «Suppr» ou la touche «Backspace».

Pour déplacer et copier du texte, il faut utiliser le presse-papiers, dont nous avons déjà parlé dans le cadre de l'importation de texte. Si vous désirez copier un passage de texte, activez la commande Edition/Copier. Pour effectuer un déplacement, activez Edition/Couper. Positionnez alors le curseur d'édition à l'emplacement auquel le bloc de texte devra être copié ou déplacé, et activez la commande Edition/Coller.

Formats de paragraphes

Chaque paragraphe peut recevoir sa mise en forme spécifique. Parmi les caractéristiques de mise en forme que vous pouvez définir il y a l'alignement et l'interligne. Toutes les commandes nécessaires se trouvent dans le menu Paragraphe.

L'alignement sera déterminé dans le groupe de commandes : Aligné à gauche, Centré, Aligné à droite, Justifié. L'activation d'une commande de ce groupe neutralise les effets de la commande précédente.

Les paragraphes peuvent avoir des alignements différents

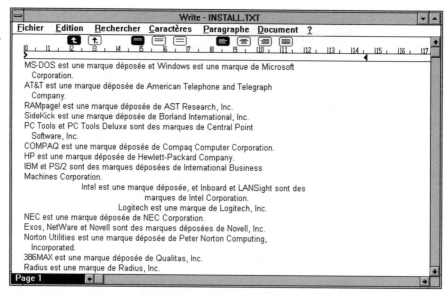

Trois interlignes vous sont proposés : Interligne simple, d'une ligne et demie et double. Il s'agit là des interlignes standards que vous retrouvez sur toutes les machine à écrire. Il n'est pas possible de spécifier des valeurs intermédiaires. L'interligne actif est repéré par un coche dans le menu.

Si vous désirez mettre en place un retrait, sélectionnez la commande Paragraphe/Retraits... Vous pouvez ainsi réduire la largeur d'un paragraphe. Il n'est pas possible d'augmenter la largeur d'un paragraphe, sinon le texte déborderait dans les marges que nous avons décrites dans la section 13.1.2. Ne spécifiez par conséquent que des valeurs positives pour les retraits à gauche et à droite. En principe, il suffit d'indiquer simplement une valeur numérique. Write utilise alors l'unité de mesure que vous aviez indiquée sous Mise en page dans le menu

Document. Si vous indiquez une autre unité de mesure, Write interprète la valeur numérique en conséquence, et la convertit dans le système de mesure actif.

C'est dans la zone Première ligne que sera défini le véritable retrait. Spécifiez ici une valeur positive afin d'affecter un renfoncement à la première ligne d'un paragraphe. Si pour le retrait à gauche a été imposé un nombre supérieur à zéro, vous avez également la possibilité de mettre en place un renfoncement négatif de première ligne. Entrez à cet effet dans la zone Première ligne une valeur négative. Si le renfoncement négatif de première ligne est supérieur, en valeur absolue, au retrait à gauche, le programme renvoie un message d'erreur : le début de la première ligne se retrouverait en effet dans la marge.

A l'aide de la commande Normal, vous reviendrez rapidement à la forme implicite des paragraphes, avec alignement à gauche, et sans retraits.

Formats de paragraphe par la règle :

Il est encore plus facile d'accéder aux formats de paragraphes lorsque la règle a été activée à l'aide de la commande Document/Afficher la règle. A chaque commande de mise en forme de paragraphe est associé, dans cette règle, un bouton sur lequel vous pouvez cliquer. La règle pourra être désactivée après le processus de mise en forme, afin de regagner de la surface dans l'aire d'édition.

Formats de caractères

Contrairement aux formats de paragraphes, les formats de caractères sont applicables à des caractères pris à l'unité. Vous êtes bien entendu libre d'appliquer des formats de caractères à une lettre unique ou à tout le texte.

Les commandes de mise en forme de caractères se trouvent toutes dans le menu Caractères, et concernent exclusivement l'apparence d'un caractère. Le premier groupe de commandes affecte des attributs tels que le gras ou l'italique, ces attributs pouvant tous être combinés. Le deuxième groupe permet d'activer d'autres familles de polices et de faire varier la taille des caractères.

Aucune de ces commandes n'est suivie d'effet si une portion de texte n'a pas préalablement été sélectionnée. Si vous désirez étendre un format à l'ensemble du document, comme par exemple le choix d'une nouvelle police, sélectionnez d'abord intégralement le texte comme nous l'avons décrit dans la section 13.1.4.

Toutes les polices du système sont à votre disposition

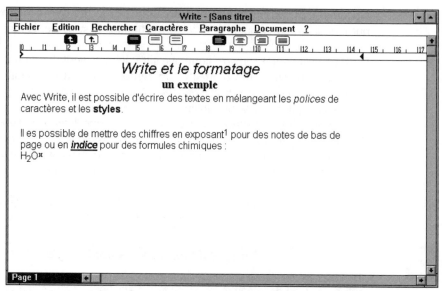

Gras, Italique et Souligné sont des commandes que l'on peut combiner. Pour obtenir une impression en caractères gras, italiques et soulignés - peu recommandable d'un point de vue typographique...- il convient d'activer successivement les trois commandes. Il n'existe aucun moyen de neutraliser individuellement l'un de ces attributs : la seule possibilité consiste à activer la commande Normal, qui supprime tous les attributs, et ne fournit plus que le texte normal. Cette commande est toutefois sans incidence sur la police.

Pour ces quatre commandes, que l'on utilise souvent dans les mises en forme de texte, il existe des raccourcis-clavier bien pratiques, qui sont d'ailleurs mentionnés dans le menu, derrière les intitulés de commandes.

La simplicité d'emploi des attributs de caractères incite parfois les néophytes de la typographie à en abuser, et plus particulièrement à recourir à toutes les combinaisons imaginables. Mais cela est déconseillé : les caractères gras constituent une mise en relief brutale qui anéantit l'harmonie d'un texte. Ce n'est en général que dans des ouvrages techniques que les mots clés sont mis en gras dans le corps du texte, car dans ce genre de documents ils représentent l'essentiel. En principe, le gras est utilisé essentiellement dans les titres et sous-titres. Une mise en évidence plus élégante est produite par les italiques. Il est une règle d'or en typographie qui interdit l'usage simultané du gras et de l'italique dans un même mot. Une mise au point exagérée de ce genre est le plus souvent totalement injustifiée.

Les commandes Exposant et Indice permettent d'écrire des puissances, et d'autres notations du même genre. Celles-ci sont, elles aussi, neutralisées par la commande Normal, avec retour au texte initial.

A l'aide de la commande Police, vous obtenez la boîte de dialogue des polices dont nous avons déjà parlé plus haut. Vous pouvez ici choisir une police de la taille qui vous convient. Si, pour vous, c'est surtout l'esthétique qui revêt de l'importance, il est de votre intérêt d'utiliser les polices TrueType, dont la qualité est de loin supérieure à celle des polices traditionnelles, et qui de surcroît disposent d'un grand nombre de caractères particuliers (Cf. chapitre 15).

Lorsque vous avez juste à faire varier la taille des caractères, vous pouvez utiliser les commandes "Taille inférieure" et "Taille supérieure" qui, dans le texte sélectionné, modifient progressivement la taille des caractères tout en conservant les familles de polices et les attributs.

Le choix des polices est, lui aussi, régi par des règles de typographie, lorsqu'on désire obtenir des résultats de qualité professionnelle. La sobriété est de rigueur, et dans un même texte, il vaut mieux se limiter à deux ou trois familles de polices au maximum. Les polices à empattements, reconnaissables aux tirets horizontaux au pied des caractères, sont plus faciles à lire parce qu'elles offrent à l'oeil un semblant de ligne comme support de lecture. Elles conviennent donc plus particulièrement au corps des textes. Bien que les polices sans empattements soient plus nettes, elles ne permettent pas d'obtenir des textes harmonieux. Les polices sans empattements conviennent surtout aux titres et aux tableaux. Les titres entièrement écrits en majuscules devraient d'ailleurs être systématiquement réalisés avec des polices sans empattement. Dans les tableaux, on pourra tirer avantage aussi des polices proportionnelles, dans lesquelles tous les caractères ont la même largeur, comme sur une machine à écrire. Une largeur de caractères uniforme permet de réaliser plus facilement les mises en forme.

Formats pour le document

Certaines commandes de mise en forme ne sont applicables qu'à un document entier. Elles concernent l'en-tête et le pied de page. Les commandes En-tête et Pied de page se trouvent donc fort logiquement dans le menu Document. Le mode de fonctionnement de ces deux commandes est exactement le même : elles ouvrent une petite boîte de dialogue dans laquelle vous pourrez spécifier la distance entre la ligne d'en-tête et le bord supérieur de la feuille, ou la ligne de bas de page et le bord inférieur de la feuille. Dans l'aire d'édition vous pouvez saisir le texte de la ligne concernée. De plus, le bouton de commande Ajouter les numéros de page permet d'intégrer dans le document un code de contrôle à la place duquel Write imprimera par la suite le numéro de chaque page.

Le texte de l'en-tête et du pied de page peut être formaté au même titre que le texte du document, et vous pouvez donc recourir à divers alignements ou polices. Il peut même comporter plus qu'une ligne, mais le plus souvent, il vaut mieux éviter un tel volume, afin de réserver un maximum de surface au corps du texte.

Lorsque vous cochez la case Imprimer sur la première page, les lignes d'en-tête et pied de page figureront aussi sur la première page du document. En principe, cette option ne sera jamais active, car la première page est le plus souvent mise en évidence par son titre, et l'en-tête ou le pied de page ne feraient que surcharger sa présentation.

Il n'existe aucune possibilité pour désactiver l'en-tête et le pied de page sur les autres pages du document. Si par exemple vous désirez réaliser sur plusieurs pages un catalogue d'où ces lignes devraient être absentes, il faudra le créer sous forme de document indépendant.

Le bouton de commande Effacer supprime le texte de l'en-tête ou du pied de page (selon le titre de la boîte de dialogue). Cela équivaut à désactiver l'en-tête ou le pied de page. Le bouton de commande Retourner au document referme la boîte de dialogue et vous ramène dans le texte principal. Si vous avez défini une en-tête ou/et un pied de page, celles-ci n'apparaîtront qu'à l'impression du document. Ces lignes ne sont pas visualisées pendant votre travail à l'écran, mais peuvent malgré tout être modifiées (ou supprimées) ultérieurement par activation des commandes En-tête ou Pied de page.

12.1.8. Rechercher et Remplacer

Write dispose d'une fonction de recherche et remplacement qui permet de localiser des chaînes de caractères déterminées, et de les remplacer par des mots ou expressions de votre choix. Cette fonction sera par exemple utilisée pour remplacer des noms dans des circulaires, mais son domaine d'application ne se limite pas à cela, comme vous pouvez le lire dans la description qui fait l'objet de la section 13.1.9. Toutes les commandes relatives à ce domaine sont regroupées dans le menu Rechercher.

Rechercher seulement

A l'aide de la commande Rechercher, vous pourrez localiser un passage dans un texte. Celui-ci ne pourra pas être remplacé par un autre terme, puisque cette fonction se consacre exclusivement à la recherche d'une chaîne de caractères dans un long document, ou à la localisation d'une commande dans le texte source d'un programme.

Caractères génériques (jokers)

Apparaît une boîte de dialogue dans laquelle vous entrerez le mot à rechercher. Vous pouvez comme caractères génériques (jokers) le point d'interrogation qui remplace n'importe quel autre caractère. Ainsi, le critère de recherche "?iseau" permettra de localiser non seulement les mots "ciseau", "biseau", "oiseau", mais aussi "damoiseau", puisque la chaîne de caractères appropriée est incluse dans ce terme.

Lorsque la case à cocher Mot seulement est activée, la chaîne de caractères ne sera trouvée que si elle constitue un mot entier, c'est à dire si elle est entourée d'espaces ou de signes de ponctuation. Dans ce cas, le critère de recherche précédent ne permettrait par exemple plus de localiser le terme "damoiseau".

La zone Respect des majuscules et des minuscules fait en sorte que seuls seront identifiées les chaînes de caractères respectant la même graphie que le critère de recherche. Notez qu'en principe les termes ne commencent par une majuscule que lorsqu'ils introduisent une phrase, à moins qu'il ne s'agisse de noms propres. L'activation de cette case ne devrait donc être décidée qu'après réflexion.

Le bouton de commande Poursuivre lance la recherche de la première chaîne de caractères correspondant au critère de recherche. Cette chaîne sera alors sélectionnée. Une nouvelle activation de Poursuivre localise la chaîne suivant. Dès que la fin du document est atteinte, Write renvoie le message "Recherche terminée". Si le critère de recherche n'a pas pu être localisé, un message est également retourné. La commande de menu Poursuivre la recherche relance la recherche sans faire apparaître la boîte de dialogue.

La recherche commence à la position actuelle du curseur d'édition. Lorsque la fin du texte est atteinte, la recherche reprend depuis le début du document, jusqu'à la position du curseur. Vous pouvez également positionner le curseur d'édition à un autre endroit pendant que la boîte de dialogue est ouverte.

Caractères particuliers

Si vous désirez rechercher des caractères particuliers, ou des passages de texte contenant des caractères particuliers, il faudra utiliser les codes suivants pour ces caractères :

^w	Espace
^t	Tabulation
^p	Marque de fin de paragraphe
^d	Saut de page forcé

Rechercher et Remplacer

La commande Remplacer active une boîte de dialogue semblable à la précédente dans la plupart de ses aspects, si ce n'est que celle-ci dispose de deux zones d'édition, ce qui permet de spécifier non seulement le critère de recherche mais aussi la chaîne de caractères de substitution.

Où une chaîne
de caractères
en remplace
une autre

Le bouton Poursuivre permet, comme nous l'avons décrit plus haut, de localiser le critère de recherche suivant dans le texte, et de le sélectionner. Vous devriez à cette occasion disposer la fenêtre de Write et la boîte de dialogue de manière à ce qu'elles ne se chevauchent pas.

Dès que le critère de recherche est localisé, vous pouvez décider s'il doit être remplacé ou non. Une nouvelle activation de Poursuivre vous amène sur l'occurrence suivante du critère de recherche, sans remplacement de la précédente. Mais si vous sélectionnez Remplacer, il y aura d'abord substitution, avec saut automatique à l'occurrence suivante du critère de recherche.

Ce procédé de recherche/remplacement est le plus sûr, car vous pouvez vérifier avant chaque substitution si le remplacement est convenable. La fonction est sensiblement plus rapide lorsque vous cliquez sur Remplacer tout. Dans ce cas, toutes les occurrences du critère de recherche présentes dans le texte seront remplacées sans votre intervention.

N'utilisez la fonction Remplacer tout que si vous êtes absolument persuadé que la définition du critère de recherche ne souffre d'aucune ambiguïté. C'est surtout lorsque la case à cocher Mot seulement n'est pas activée, que vous risquez de provoquer des remplacements inopinés. Ainsi, avec le critère de recherche "valeur", la substitution de la chaîne de caractères s'effectuerait aussi dans "avaleur" ou "cavaleur".

La fonction Rechercher/Remplacer permet aussi de générer rapidement des raffinements typographiques tels que des accents ou des repères de lecture (tirets).

12.1.9. Tabulations

Les tabulations sont des repères invisibles auxquels on peut sauter à l'aide de la touche de tabulation, afin de réaliser des colonnes ou des tableaux équilibrés. Lorsqu'on utilise une police proportionnelle, les tabulations sont quasi obligatoires, puisque les caractères n'ont pas tous la même largeur et qu'il serait extrêmement difficile de réaliser des alignements en n'utilisant que des espaces. Vous devriez toutefois aussi accorder votre préférence aux tabulations, même si vous travaillez avec des polices non proportionnelles, en raison surtout de leur grande souplesse d'emploi.

Write connaît deux types de tabulations : les tabulations normales se réfèrent au début du texte, et sont prévues pour le texte courant. Les tabulations décimales se réfèrent à la virgule des nombres décimaux, et sont conçues pour réaliser des colonnes de nombres, dans lesquelles les séparateurs décimaux doivent être alignés.

Les tabulations ne sont applicables qu'aux paragraphes dont l'alignement n'est pas "Centré".

Il existe deux possibilités pour mettre en place des butées de tabulation. Utilisez dans ce but la commande Document/Tabulations, ou activez la règle conformément à la description qui figure dans la section 13.1.2.

Définition des tabulations par valeur numérique

Lorsque vous activez la commande Tabulations, une boîte de dialogue comportant douze zones de définition de tabulations s'ouvre à l'écran. Il n'est pas possible d'installer plus de douze butées de tabulation. Dans les diverses zones d'édition, vous pouvez entrer les positions des taquets de tabulation. Au-dessous de chacune d'entre elles se trouve une case à cocher, grâce à laquelle vous déciderez s'il doit s'agir d'une tabulation normale ou de type décimal.

Des tabulations définies au millimètre près

Tabulations					
Positions: 3,37 cm	5,37 cm	7,25 cm			
Décimale: ☐ .	☒ .	☐ .	☐ .	☐ .	☐ .
Positions:					
Décimale: ☐ .	☐ .	☐ .	☐ .	☐ .	☐ .

[OK] [Annuler] [Effacer tout]

Tabulations définies à l'aide de la règle

Lorsque la règle est active, deux symboles figurent sur sa gauche : le premier concerne les tabulations normales, et le second les tabulations décimales. Au moyen d'un clic de souris, vous déciderez du type de tabulation à créer. Cliquez ensuite avec la souris dans la bande étroite qui se trouve juste au-dessous de la graduation de la règle. Chaque clic crée une butée de tabulation. Cette position peut être modifiée ultérieurement : saisissez le symbole de tabulation avec la souris, et translatez-le horizontalement en maintenant le bouton gauche de la souris enfoncé. Même avec la règle, il n'est pas possible de définir plus de douze tabulations.

Les icônes de
tabulation
dans la règle

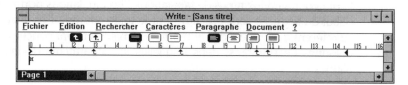

C'est à l'aide de la règle que vous définirez des tabulations de la façon la plus simple et la plus intuitive. Si une parfaite précision est nécessaire, il faudra soit recourir à la commande Tabulations, soit placer d'abord les tabulations à l'aide de la règle puis affiner leur position dans la boîte de dialogue de la commande Tabulations. Cette dernière technique permettra aussi de convertir des tabulations normales en tabulations décimales (et réciproquement).

12.1.10. Intégrer des graphismes

Dans Write, il est extrêmement simple d'intégrer des graphismes dans un texte. L'on peut dans ce but utiliser soit le presse-papiers, soit les variantes de fusion plus modernes que Windows pour Workgroups propose grâce à OLE.

Toutes les possibilités d'intégration de graphismes (et de nombreux autres objets) sont décrites dans le chapitre "Communication de données" sur la base de plusieurs exemples.

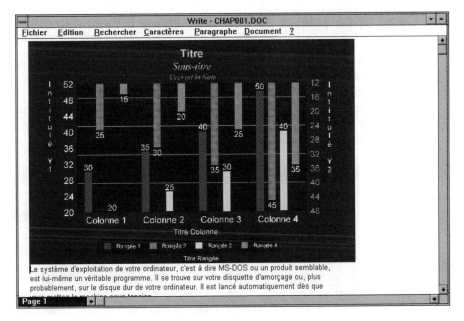

12.1.11. Intégrer des caractères particuliers dans le texte

En plus des caractères alphanumériques "normaux", accessibles par action directe
sur les touches du clavier, les jeux de caractères de Windows pour Workgroups
proposent des caractères particuliers pour les monnaies étrangères, des caractères nationaux spécifiques, et bien d'autres. Write supporte tous les caractères
présents dans une police, mais pour l'utilisateur il n'est pas toujours facile de
porter sur papier les caractères désirés. En principe, on recourt dans ce cas à
des tables où sont récapitulés les codes, puis à la combinaison de touches «Alt»
+ code de caractère.

Windows pour Workgroups apporte son aide dans ce domaine grâce à l'utilitaire
"Table de caractères" du groupe Accessoires du gestionnaire de programmes. Ce
programme représente un jeu de caractères complet d'une police, et sa tâche est
double :

■ copier des caractères particuliers dans le presse-papiers

■ retourner les codes des caractères

En principe, les deux méthodes ne fonctionnent qu'avec des programmes
Windows pour Workgroups.

Copie de caractères particuliers dans le presse-papiers

Une possibilité permettant d'intégrer des caractères particuliers dans des documents Write fait appel au presse-papiers. Cliquez à cet effet sur le caractère concerné dans la table des caractères et cliquez sur le bouton de commande Sélectionner. Le caractère apparaît alors dans la zone Caractères à copier. On peut aller plus vite en double-cliquant sur le caractère concerné, car il n'est alors plus nécessaire d'actionner un bouton de commande.

Un jeu de caractères est intégralement visualisé

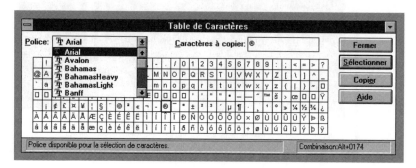

Vous pouvez de cette manière introduire dans la zone des caractères à copier tous les caractères dont vous avez besoin. Si par mégarde vous avez placé dans cette zone des caractères qui ne vous sont pas utiles, vous pouvez cliquer sur la zone et y effacer les caractères concernés à l'aide de l'une des touches «Suppr» ou «Backspace».

Améliorer la visualisation des caractères :

Lorsque vous cliquez sur un caractère de la table et ne relâchez pas le bouton de la souris, mais le maintenez enfoncé, ce caractère sera visualisé en agrandissement. Dès que vous lâcherez le bouton de la souris il réapparaîtra en taille normale.

Un agrandissement du caractère sélectionné

Lorsque vous avez choisi tous les caractères dont vous avez besoin, cliquez sur Copier. Les caractères particuliers seront ainsi transférés dans le presse-papiers. Passez à présent dans Write, et sélectionnez-y la commande Edition/Coller. Les caractères particuliers seront insérés dans votre document, depuis le presse-papiers, à la position courante du curseur.

Dans le coin supérieur gauche du programme qui affiche la table de caractères se trouve une zone de liste déroulante dans laquelle peut être sélectionnée la police. Les caractères particuliers présents dans une police n'existent pas nécessairement dans une autre. Avant de se lancer dans le choix des caractères particuliers, il est par conséquent nécessaire de sélectionner la police avec laquelle vous souhaitez travailler dans votre document. Il n'est pas possible de transférer dans le presse-papiers des caractères particuliers de diverses polices dans une même phase de travail. Il faut dans ce cas procéder en plusieurs étapes, et après chaque étape, copier le contenu du presse-papiers dans votre document, comme nous l'avons décrit plus haut, puisque ce contenu du presse-papiers sera écrasé lors de l'étape suivante.

Si vous transféré en une fois plusieurs caractères particuliers dans votre document, vous pouvez décomposer cette chaîne en caractères individuels à l'intérieur de votre document, afin de les placer en divers endroits du texte. Sélectionnez à cet effet successivement les divers caractères du groupe et utilisez systématiquement les commandes Edition/Copier et Edition/Coller.

Déterminer les caractères par leurs codes

Une autre solution consiste à recourir aux codes de caractères. Lorsque vous cliquez sur un caractères particuliers dans le programme Table de caractères le code étendu correspondant au caractère sera affiché dans coin inférieur droit de la fenêtre. Exemple :

```
Combinaison : Alt+0240
```

Prenez note des codes des caractères particuliers avec lesquels vous désirez travailler, puis passez dans Write. Amenez, dans le texte, le curseur d'édition à l'emplacement où vous désirez voir figurer un caractère particulier, et maintenez la touche «Alt» enfoncée. Entrez maintenant sur le pavé numérique le numéro de code, puis relâchez la touche «Alt». Le caractère particulier apparaît dans le document.

Le code est à quatre chiffres !

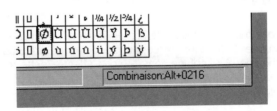

Notez bien que les caractères particuliers n'apparaîtront convenablement que si la police utilisée dans Write et celle activée dans la table de caractères sont les mêmes. Le code de caractère doit impérativement être saisi sur le pavé numérique. Si vous tentez d'utiliser les touches numériques normales, la machine renvoie un avertissement sonore. Etant donné qu'il s'agit de codes de caractères étendus, il faut nécessairement entrer les quatre chiffres, c'est à dire aussi le zéro initial, sinon vous utiliserez le code ASCII et obtiendrez des caractères erronés.

La méthode recourant aux codes clavier est dans la plupart des cas la plus pratique, car elle permet de placer des caractères particuliers rapidement et sans difficulté à n'importe quel endroit du texte. Les caractères sont immédiatement activables au moyen de leur code, sans qu'il soit nécessaire de les transcrire d'abord dans le presse-papiers par l'intermédiaire de la table de caractères.

Caractères particuliers et polices

Les polices TrueType sont celles dont le jeu des caractères particuliers est le plus riche. Deux jeux de caractères fournis avec Windows pour Workgroups ne renferment que des caractères particuliers : "Wingdings" et "Symbol".

Véritables tirets de repérage

On pourrait par exemple remplacer les tirets de repérage par de véritables tirets. Les petits tirets que l'on utilise couramment ne sont en effet que des traits d'union, dont la longueur n'est que la moitié de celle qui, d'un point de vue typographique serait correcte. Le code des véritables tirets de repérage dans les polices TrueType est «Alt»+0150. La stratégie consiste à remplacer l'ensemble "Espace et Trait d'union et Espace" par "Espace et «Alt»+0150 et Espace". Notez qu'aux Etats-Unis on utilise le caractère «Alt»+0151 pour les tirets de repérage, qui est plus long que celui de code 0150. Par contre, ils ne l'entourent pas d'espaces.

Vous pouvez, à l'aide de l'enregistreur de macros, créer une petite macro qui se charge d'effectuer toutes les modifications précédentes dans un texte, par recherche et remplacement. Si vous affectez cette macro à l'une des touches de fonctions, vous disposez d'une possibilité aisée pour affecter un style de qualité typographique à tous vos textes.

Les caractères particuliers dont vous avez besoin n'existent que dans les polices TrueType ou PostScript. Sélectionnez par conséquent pour le texte une police satisfaisant à cette exigence. Les polices TrueType sont repérées par le symbole "T" dans la boîte de dialogue Caractères/Polices, alors que, si vous utilisez l'Adobe Type Manager ou une imprimante PostScript, les polices PostScript sont repérées comme polices d'imprimante.

12.1.12. Raccourcis clavier

En plus des combinaisons de touches que nous avons déjà évoquées, Write dispose de quelques fonctions particulières qui permettent de travailler encore plus rapidement sur un texte. A cet effet, le programme utilise une touche bien précise : le «5» du pavé numérique.

Cette touche ne tient lieu de touche de fonction que lorsque la production de chiffres sur le pavé numérique a été désactivée par pression sur «Num». Dans ce cas, le voyant lumineux "NUM LOCK" sur le clavier est éteint. Si le pavé numérique est actif, la touche «5» n'assume aucune fonction particulière, si ce n'est celle de produire le chiffre 5.

Vous passerez dans le mode spécial par pression sur le «5» du pavé numérique. Si ensuite vous actionnez l'une des touches suivantes, les fonctions particulières s'activeront.

«Flèche gauche»	Positionne le curseur sur le premier caractère de la phrase précédente.
«Flèche droite»	comme ci-dessus, mais sur la phrase suivante.
«Flèche bas»	Positionne le curseur au début du paragraphe suivant
«Flèche haut»	Positionne le curseur au début du paragraphe précédent
«PgDn»	Positionne le curseur sur le premier caractère de la page précédente.
«PgUp»	Positionne le curseur sur le premier caractère de la page suivante.

12.2. PaintBrush

La deuxième grande application que Microsoft fournit avec Windows pour Workgroups est PaintBrush. Avec Write, elle constitue le second pilier de la liaison de fichiers, car PaintBrush permet de représenter la plupart des graphismes compatibles avec Windows pour Workgroups.

Pour disposer de l'intégralité des fonctions de l'application, il est nécessaire d'acheter la version commercialisée de PaintBrush. Il n'en demeure pas moins que le programme, dans la version dont vous disposez, est largement suffisant pour réaliser la plupart des opérations de dessin dont a besoin un amateur.

PaintBrush est un programme de dessin orienté pixel (travaillant en mode points), dans lequel les points peuvent être allumés ou éteints de la même façon que sur un écran à cristaux liquides. A ce type d'applications s'opposent les programmes graphiques vectoriels, dans lesquels les objets ne sont pas définis par des ensembles de points, mais par la spécification de sommets et de courbes de Bézier qu'il est possible de reconstruire dans n'importe quelle résolution. Les programmes de dessin qui, comme PaintBrush, fonctionnent en mode points sont peut-être plus accessibles pour le débutant que les programmes vectoriels, mais offrent généralement une qualité plus réduite à l'impression, car la résolution de la construction est différente de celle de l'impression, et qu'à la place des points d'impression, très fins, le travail repose sur les points d'affichage, plus grossiers.

Contrairement aux programmes de dessin plus anciens travaillant en mode points, PaintBrush connaît la couleur "transparente". Toutes les parties non coloriées d'un graphisme restent transparentes, et lorsqu'on superpose ces éléments d'un graphisme à d'autres parties du graphisme, le dessin inférieur transparaît.

L'icône de PaintBrush se trouve, avec Write, dans le groupe des accessoires du gestionnaire de programmes, et peut être activée, selon la technique habituelle, par double clic.

12.2.1. L'aire de dessin

L'aire de dessin est délimitée sur sa droite et à sa partie inférieure par des barres de défilement. A sa gauche se trouve une zone de boutons de commande où figurent les fonctions de dessin. Dans la suite, nous la qualifierons de "boîte à outils". La fonction de dessin active est systématiquement affichée en inversion vidéo. Au dessous des fonctions de dessin se trouve une zone permettant de définir l'épaisseur de la plume. Enfin, sous l'aire de dessin figurent des zones de couleurs.

Structure de la fenêtre de PaintBrush

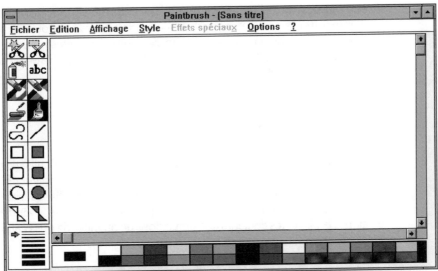

Lorsque vous travaillerez avec PaintBrush, vous aurez besoin d'une grande aire de dessin, et vous aurez intérêt à porter la fenêtre de PaintBrush à sa présentation plein écran, en particuliers si votre machine est équipée d'une carte graphique de résolution réduite.

Modifier la taille de l'aire de dessin

L'aire de dessin possède en principe les dimensions implicites de 16,94 cm x 12,7 cm, et il n'est donc généralement pas possible de la représenter en entier dans la fenêtre. Vous modifierez les dimensions de cette surface à l'aide de la commande Options/Attributs de l'image.

Si la surface du dessin ne peut être entièrement représentée dans la fenêtre, les portions masquées sont à l'abri du regard de l'utilisateur, et il n'est pas rare qu'en "artiste" qui se respecte, il oublie totalement leur existence. Des parties vides involontaires apparaîtront alors à l'impression, ou lors de l'importation dans un autre programme. Vous devriez par conséquent prendre l'habitude de définir la taille du dessin avant de commencer les constructions, en fonction de vos besoins.

Suite à l'activation de la commande Attributs de l'image, vous voyez apparaître une boîte de dialogue dans laquelle vous pourrez spécifier l'unité de mesure, puis, en fonction de cette unité, la largeur et la hauteur du dessin. A la fin de vos saisies dans cette boîte de dialogue, actionnez OK.

Avant que PaintBrush ne puisse modifier l'aire de dessin, tout dessin qui pourrait s'y trouver devra être effacé. PaintBrush demande dans ce cas si le dessin doit être sauvegardé. Si l'utilisateur répond par l'affirmative, l'occasion lui sera donnée d'enregistrer le dessin concerné. Suite à cela apparaît la nouvelle aire de dessin. Si les dimensions que vous avez choisies ont été réduites au point que l'aire de dessin est plus réduite que la surface de la fenêtre, cette aire de dessin active sera entourée d'un cadre fin.

Couleurs ou Noir & Blanc

PaintBrush propose deux modes de fonctionnement : l'utilisation de couleurs pures, avec affectation à chaque point de l'image d'une couleur spécifique, ou la représentation en noir et blanc. Dans ce cas, vous ne disposerez effectivement que du noir et du blanc. Mais dans sa palette de couleurs, PaintBrush propose alors à la place des couleurs des simulations de nuances de gris réalisées au moyen de divers motifs en noir et blanc.

Définir la taille de l'image

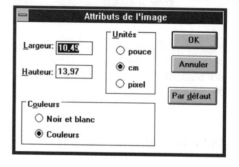

Le choix du mode le mieux adapté dépend essentiellement de l'usage que vous envisagez pour le graphisme. S'il doit faire office d'arrière-plan pour Windows pour Workgroups, et si vous disposez d'un moniteur couleur ou à niveaux de gris, ou si vous désirez imprimer le graphisme sur une imprimante couleur, il est préférable d'opter pour le mode de fonctionnement en couleur. Si par contre vous travaillez avec une simple imprimante matricielle, l'affichage en noir et blanc est préférable, car de toutes façons, vous ne porterez sur papier que du noir et du blanc.

12.2.2. Dessiner

C'est la souris qui fait office de porte-plume. Dès que vous amenez le pointeur dans une zone dans laquelle il est possible de dessiner, la flèche se transforme en une pointe de plume. Vous poserez cette pointe sur la surface en appuyant sur le bouton gauche de la souris et la relèverez en lâchant ce bouton.

Mieux dessiner avec les touches de direction :

Pour les tracés de précision, le pointeur pourra également être mû avec les touches fléchées du clavier. A chaque pression sur une touche il subira alors un très faible déplacement. Après chaque "micro-mouvement", relâchez systématiquement les touches fléchées, sinon la répétition automatique de frappe se mettra en action, et le pointeur effectuera un mouvement rapide difficile à contrôler.

Lorsque vous dessinez, les paramètres suivants ont une influence sur le résultat produit :

■ l'épaisseur de la plume

■ la couleur de la plume

■ l'outil de dessin

Lorsque vous commencez, l'épaisseur de la plume est fine, la couleur de la plume est le noir, et l'outil de dessin est le tracé à main levée.

Modifier l'épaisseur de la plume

Huit épaisseurs de plume prédéfinies sont à votre disposition, que vous pouvez sélectionner dans le coin inférieur gauche de la fenêtre. L'épaisseur actuelle de la plume repérée par une pointe de flèche. Pour en choisir une nouvelle, cliquez sur le trait dont l'épaisseur vous convient. L'épaisseur de la plume agit sur la plupart des outils de dessin.

L'épaisseur de la plume se répercute sur de nombreux outils de dessin

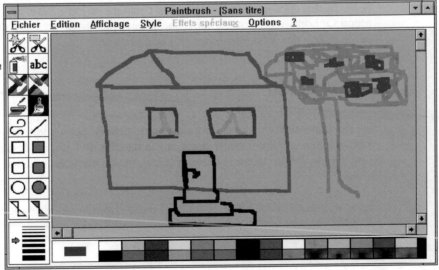

Modifier la couleur de la plume

Au bas de la fenêtre se trouve la palette des couleurs qui, à la manière de celle d'un peintre, propose à votre choix vingt-huit couleurs. La couleur active est visualisée sur la gauche de la palette.

Un double clic sur une zone de la palette active une boîte de dialogue dans laquelle cette couleur pourra être redéfinie par mélange. Vous disposez de trois sélecteurs pour les parts de rouge, de vert et de bleu. Si vous désirez valider une telle couleur personnalisée, actionnez OK. Une pression sur le bouton Annuler laisse la couleur initiale inchangée.

Définition d'une couleur par mélange de rouge, de vert et de bleu

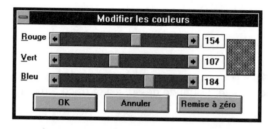

Si vous travaillez en Noir & Blanc, les sélecteurs des trois couleurs fondamentales occupent des positions parallèles. Ils reflètent ainsi la luminosité de la couleur, et il n'est pas possible de créer une "couleur" de même luminosité par une autre combinaison. Si vous modifiez des couleurs dans la palette, cela ne se répercute pas sur les éléments déjà construits d'une image, quel que soit le mode de couleur en vigueur. Vous pouvez par conséquent utiliser simultanément plus de vingt-huit couleurs, à condition de changer une fois au moins de palette de couleurs.

A l'aide des commandes Charger des couleurs et Enregistrer des couleurs du menu Options, vous pouvez sauvegarder une palette de couleurs personnalisée sur le disque dur, et la recharger en cas de besoin.

Les outils de dessin

les dix-huit outils de dessin pourront être activés par l'intermédiaire de leurs icônes, dans la boîte à outils située sur la gauche de l'aire de dessin. Seule une fonction de dessin peut être active à la fois, et son icône est affichée en inversion vidéo.

La description qui suit ne respecte pas l'ordre chronologique des outils de la boîte à outils, mais se base sur des points de vue pratiques.

Dessiner à main levée avec le pinceau

La fonction "pinceau" est active dès que vous lancez PaintBrush. Vous pouvez immédiatement vous mettre à dessiner en amenant le pointeur dans l'aire de dessin et en enfonçant le bouton gauche de la souris. Si maintenant vous déplacez le pointeur, un trait sera tracé à l'écran.

Etant donné qu'il est très difficile de guider la souris de manière à obtenir des lignes droites, vous pouvez aussi utiliser dans ce but les touches fléchées du clavier. Une pression unique déplace le pointeur d'un point d'écran, et une action prolongée engendre un déplacement accéléré du pointeur dans la direction indiquée par la touche.

Il n'est malheureusement pas possible de faire recenser deux touches fléchées simultanément par le système : les tracés rectilignes se limitent donc à l'horizontale et à la verticale. On pourrait contourner cette carence en appuyant successivement sur deux touches fléchées d'orientation différente, mais ce procédé serait extrêmement long. Dans ce but, il vaudra mieux utiliser l'outil de construction de lignes (voir plus loin). N'utilisez d'ailleurs les touches fléchées que pour intégrer de petits segments de droites dans un dessin à main levée. A l'aide de la commande Options/Formes du pinceau, vous pouvez modifier la pointe de votre plume. Un pinceau biseauté associé à un trait épais produit des effets calligraphiques de bon aloi.

L'outil de construction de lignes

Fixez l'origine de la ligne à l'aide du pointeur, et maintenez le bouton gauche de la souris enfoncé. Si à présent vous déplacez la souris, PaintBrush construit une ligne de rappel qui s'allonge à mesure que vous éloignez le pointeur de cette origine. Vous définirez aussi la pente de la ligne à l'aide du pointeur. Dès que la ligne répond à vos exigences, relâchez le bouton de la souris. PaintBrush construit dans le dessin le segment définitif, dans la couleur et l'épaisseur convenables.

Suivre un mouvement parfaitement horizontal ou vertical avec la souris n'est pas facile. Si vous désirez tracer un segment horizontal, cliquez sur son origine, maintenez le bouton gauche de la souris enfoncé, et déplacez celle-ci vers la droite ou la gauche tout en appuyant sur la touche «Maj». La même technique permet de construire des traits verticaux ou des lignes possédant des pentes multiples de 45 (entre 0 et 360).

Etant donné que PaintBrush est un programme de dessin orienté pixel, il n'existe aucune méthode (raisonnable) pour modifier ou déplacer des objets dès lors qu'ils ont été dessinés. Il est donc indispensable de fixer correctement dès le départ l'origine d'un segment, car celle-ci ne pourra plus être modifiée. Autre conséquence du mode points : à partir d'une certaine inclinaison, les lignes présentent un aspect d'escalier. La largeur des "marches" de cet escalier correspond à la taille du plus petit point qu'il soit possible de représenter sur l'écran. Il en résulte que les écrans de haute résolution produisent un effet d'escalier plus atténué.

Construction de polygones

Un polygone est un ensemble de segments de droite consécutifs. Bien qu'il soit possible de construire un polygone par juxtaposition de segments indépendants, il vaut tout de même mieux recourir à la fonction de construction de polygones : vous construirez des segments de droite, les uns à la suite des autres, et l'extrémité d'un segment sera automatiquement utilisée par le programme comme origine du segment suivant. Dès que l'extrémité du dernier segment sera superposée à l'origine du premier, Write considérera l'ensemble comme un polygone qu'il dessinera dans la couleur active. Vous pouvez à tout instant fermer un polygone par double clic. PaintBrush construit alors automatiquement un segment entre l'origine du premier segment et la dernière extrémité mise en place. La fonction de construction de polygones pleins est encore bien supérieure à celle de tracé de segments : elle remplit automatiquement le pourtour construit avec la couleur active.

Rectangles

La fonction de construction de rectangles permet de construire très facilement de telles figures. Avec la souris, vous définirez un sommet du rectangle en cliquant, puis, en maintenant le bouton de la souris enfoncé, vous vous rendrez sur le sommet diagonalement opposé. Suite à cela, relâchez le bouton de la souris. Le rectangle vous apparaît dans la couleur et l'épaisseur de trait actives. Il existe deux fonctions de construction de rectangles : l'icône de gauche produit des rectangles vides (pourtour, uniquement), et celle de droite réalise des rectangles pleins. Juste au-dessous se trouvent deux fonctions semblables, qui permettent de réaliser des rectangles à sommets arrondis.

Cercles et ellipses

Dans PaintBrush, les cercles et les ellipses seront respectivement décrites par le carré et le rectangle qui leurs sont circonscrits. Définissez la taille du rectangle comme nous l'avons décrit plus haut. PaintBrush y construit alors l'ellipse, qui sera un cercle si la longueur et la largeur du rectangle sont égales. Cette fonction existe, elle aussi, en deux exemplaires : l'une pour les ellipses vides, et l'autre pour les surfaces elliptiques pleines.

Fonction de construction de courbes

A l'aide de la fonction de construction de courbes, dont l'icône fait à première vue penser à l'outil de construction à main levée d'autres programmes, il est possible de dessiner des segments curvilignes. Les courbes sont, dans ce cas, définies mathématiquement, technique qui est plus simple et surtout plus précise qu'une construction à main levée.

Sélectionnez avec le pointeur l'origine du segment curviligne, et maintenez le bouton gauche de la souris enfoncé. Si maintenant vous déplacez la souris, PaintBrush dessine une ligne de rappel. Celle-ci correspond au segment curviligne qui, dans une deuxième étape pourra être déformé. Rendez-vous avec la souris sur l'extrémité du segment curviligne prévu, et lâchez le bouton de la souris.

PaintBrush visualise les étapes intermédiaires. Il faut à présent donner sa forme définitive à la courbe. A cet effet, vous pouvez utiliser deux points de repère, qui agiront à la manière d'aimants, en attirant la courbe vers eux. Le premier point de repère agit sur la première partie de la courbe, et le second point de repère sur la deuxième. Cliquez dans l'aire de dessin pour définir les deux points de repère.

Plus les points de repère sont éloignés du segment curviligne plus la courbe sera étirée dans cette direction, et plus le rayon de courbure sera important. Si vous désirez coller un deuxième segment curviligne au premier, le passage de l'un à l'autre ne sera continu que si la pente de l'extrémité de la première courbe est la même que la pente de l'origine de la courbe suivante. Vous satisferez cette exigence non pas en définissant les points de repère au moyen d'un clic de souris, mais en maintenant enfoncé le bouton gauche de la souris. Il est ainsi possible de mouvoir le point de repère et d'observer les effets produits sur la courbe. Dès que le passage d'une courbe à l'autre est harmonieux, vous pouvez lâcher le bouton de la souris. Il n'est malheureusement pas possible de définir des points de repère en-dehors de l'aire de dessin, et les segments curvilignes proches des limites de l'aire de dessin pourront alors ne pas être déformés comme on le souhaiterait. Dans ce cas, il convient de définir dès le départ une aire de dessin plus grande.

Si dès le départ vous double-cliquez avec l'outil de construction de courbes, vous obtenez en guise de segment curviligne non pas un segment, mais un point unique. Par déplacement des deux "aimants", vous pourrez par exemple réaliser à partir de là des ballons de baudruche.

Remplissage de surfaces : le rouleau

Le rouleau (à peinture) permet aisément de peindre des surfaces. Sélectionnez d'abord cet outil, puis la couleur de coloriage. Le pointeur prend l'apparence d'un rouleau assorti d'une flèche, la pointe de cette flèche représentant le point actif de l'outil. Positionnez la pointe sur la surface à colorier, et cliquez une seule fois avec la souris.

Pour que tout se déroule comme prévu, il faut que la surface à peindre soit fermé. Si elle comporte la moindre "fissure", la périphérie de l'objet sera aussi remplie de couleur. Dans le pire des cas, c'est tout le dessin qui sera inondé de couleur.

La fonction de remplissage est régie par un procédé simple : le point indiqué par la pointe de flèche du pointeur impose la couleur. Partant de là, tous les points voisins du point indiqué se voient affectés de la même couleur. Cette réaction se poursuit en chaîne jusqu'à ce que tous les tous les points voisins possèdent la même couleur que le point de départ. Deux conséquences en résultent : lorsque vous remplissez un objet, le fait que celui-ci soit entouré d'un pourtour à une ou plusieurs couleurs est sans importance, à condition qu'aucune des couleurs du pourtour ne soit la même que celle de l'intérieur de la figure. Il est d'autre part possible de modifier la couleur d'un trait, car elle aussi représente une surface bien définie de couleur unie. Mais cela ne fonctionne que si le trait a été réalisé avec une couleur pure. Si en effet sa couleur est une nuance de gris, ou une teinte résultant de la juxtaposition de plusieurs points de couleurs distinctes, il n'y a pas moyen de changer sa teinte en raison des motifs évoqués plus haut.

Le vaporisateur

A l'aide de cet outil vous pourrez imiter un vaporisateur (ou un pistolet à peinture). Un simple clic de souris dessine un disque coloré rempli de "gouttelettes" de peinture. Si vous déplacez la souris en maintenant son bouton gauche enfoncé, la fonction dessine en permanence de tels disques.

Si les mouvements de la souris sont lents, nombreux seront les disques à être superposés, produisant ainsi une teinte sombre. Lorsque la souris est déplacée rapidement, les disques ne se chevaucheront que légèrement, la teinte produite étant alors plus claire. Dès que des bandes vaporisées se croisent, il y a à nouveau superposition de plusieurs disques, avec apparition de zones sombres aux intersections.

L'effet produit est réellement proche de celui d'un véritable pistolet à peinture, car lui aussi produit des ensembles de points en forme de disques, fournissant des couleurs de plus en plus profondes au fur et à mesure que l'on s'attarde sur une même surface. Procédez à plusieurs essais en modifiant la largeur du trait : une épaisseur trop faible va à l'encontre de l'effet de vaporisation.

Saisie de texte

La fonction Texte permet d'intégrer du texte dans un graphisme. Sélectionnez l'origine du texte avec le pointeur et cliquez. Un curseur d'édition vous apparaît. Vous pouvez maintenant entrer le texte, et, en cas de faute de frappe, effacer les erreurs à l'aide de la touche «Backspace».

La commande Style/Polices permet de choisir la police désirée parmi celles déclarées dans le système. Le menu Style propose par ailleurs d'autres fonctions pour la présentation du texte.

Intégration de polices

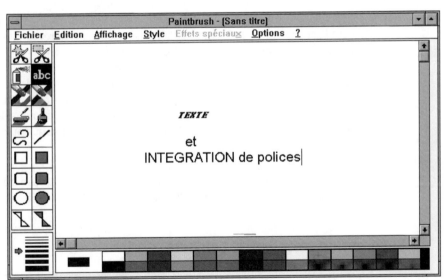

Pour être suivies d'effet, toutes les commandes agissant sur du texte doivent être activées avant ou pendant la saisie du texte. Dès que le texte a été saisi et que vous avez cliqué sur un nouvel emplacement dans l'aire de dessin, ou sélectionné un autre outil, il n'y aura plus moyen de modifier ce texte.

Les fonctions Ombré et Relief vous permettent d'obtenir respectivement des caractères sur fond blanc ou à contours blancs qui seront particulièrement aisés à lire si le texte est placé sur un arrière-plan coloré.

Rectangle de sélection

Le rectangle de sélection permet de sélectionner des portions rectangulaires d'une image. La sélection est nécessaire pour les commandes Couper et Copier du menu Edition, qui assurent le transfert de la sélection dans le presse-papiers. En maintenant le bouton de la souris enfoncé, il est également possible de positionner la partie sélectionnée à un autre endroit du même dessin.

Vous sélectionnerez une partie d'une image en cliquant sur l'outil représentant le rectangle de sélection, puis en étirant un cadre rectangulaire de la même manière qu'avec la fonction de construction de rectangles décrite plus haut. Dès que vous lâchez le bouton de la souris, la portion délimitée par ce rectangle est sélectionnée. Si la sélection est incorrecte, vous pouvez immédiatement le reprendre dès le début.

Ciseaux

Cet outil est presque représenté par la même icône que le rectangle de sélection. Les ciseaux permettent aussi de sélectionner des portions d'une image, mais celles-ci ne seront pas nécessairement rectangulaires. Contournez à cet effet la portion de dessin désirée en maintenant le bouton gauche de la souris enfoncé. Les touches fléchées du clavier pourront une fois de plus être utilisées pour les travaux de précision. Pour ce qui concerne l'élément graphique sélectionné, les mêmes possibilités que pour le rectangle de sélection lui sont applicables.

Il n'est pas aussi facile de sélectionner une partie d'une image avec les ciseaux qu'avec le rectangle de sélection. Pour la liaison ou l'incorporation de graphismes par OLE, il est nécessaire de se limiter aux portions rectangulaires.

Suppression sélective de couleurs

La couleur actuelle sera retirée du dessin si vous le balayez avec cet outil. Les parties du graphisme qui ont été dessinées avec la couleur indiquée disparaissent totalement, alors que les couleurs simulées, qui ne contenaient que partiellement cette couleur ne seront également effacées qu'en partie, et deviendront plus claires.

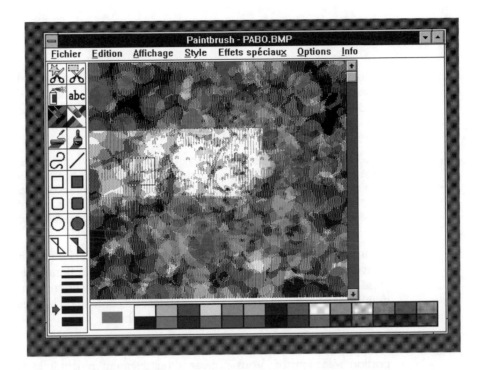

Contrairement à d'autres programmes travaillant en mode points, PaintBrush n'efface pas les objets en les redessinant en couleur blanche, mais remplace les zones effacées par la couleur "transparente". Si vous sélectionnez une partie effacée avec le rectangle de sélection, et que vous la faites glisser par-dessus le reste du graphisme, celui-ci reste visible par transparence aux endroits qui avaient été effacés.

Transparence

Lorsque vous effacez partiellement une couleur simulée, vous obtenez une couleur transparente dont la luminosité varie en fonction de l'arrière-plan.

Gomme

A la différence de la fonction précédente, la gomme efface toutes les couleurs. Il ne reste après l'effacement que des surfaces entièrement transparentes.

12.2.3. Les effets spéciaux

Le menu Effets spéciaux contient des fonctions de symétrie, d'inclinaison, d'inversion et de modification de taille applicables à des portions de dessins. Pour que ce menu soit accessible, il faut qu'une partie du dessin ait été sélectionnée à l'aide des ciseaux ou du rectangle de sélection (voir plus haut).

Il est impératif que seule soit sélectionnée la partie du graphisme à laquelle doit être appliquée une fonction. Si, par exemple, le rectangle de sélection a été positionné à une trop grande distance de l'élément graphique, l'objet sera probablement décalé excessivement en cas de symétrie horizontale, car les autres parties du rectangle de sélection, probablement vides, seront soumises elles aussi à cette opération.

Les trois premières opérations, Retournement horizontal, Retournement vertical et Inverser, s'appliquent automatiquement à la partie sélectionnée du graphisme, et se distinguent en cela des autres fonctions. Sélectionnez une partie du graphisme et activez l'une trois commandes. Le contenu de la sélection change immédiatement en fonction de la commande choisie.

Avec la fonction Rétrécir + Agrandir, il est possible de changer l'échelle d'une portion sélectionnée. Vous pouvez simultanément redéfinir la hauteur et la largeur. Sélectionnez un extrait, et activez la commande. La sélection disparaît, montrant que cette opération ne concerne plus la zone sélectionnée. Positionnez le pointeur à l'endroit où devra se trouver le coin supérieur gauche du nouvel objet, et redéfinissez les dimensions de celui-ci en maintenant le bouton gauche de la souris enfoncé.

Etant donné que la résolution du graphisme est définie au moment de la construction de l'objet, un agrandissement ne peut s'accompagner d'une augmentation de définition. Vous obtenez par conséquent un objet agrandi, mais qui de toute façon sera défini par une quantité constante de points. En fait, seuls sont agrandis les points qui composent le graphisme. L'objet se présente ensuite avec un grain plus grossier, avec des effets d'escalier plus apparents. Réciproquement, lorsque vous réduisez la taille d'un objet, vous perdez en définition. La perte de qualité d'un objet devient énorme lorsqu'on le soumet à un rétrécissement suivi d'un agrandissement.

La commande Incliner permet de projeter une partie sélectionnée du graphisme selon une direction inclinée. La sélection disparaît dès que vous activez la commande. De même que lors de la modification de taille, il vous faut redéfinir le sommet supérieur gauche. Si toutefois vous cliquez approximativement sur la position du sommet supérieur gauche original de la sélection, la sélection réapparaît à son emplacement initial. Etirez le rectangle de sélection en maintenant le bouton gauche de la souris enfoncé, jusqu'à obtention de l'inclinaison désirée. Dès que vous lâchez le bouton, la portion du graphique sera projetée sur la direction inclinée.

Que ce soit après une inclinaison ou un changement de taille, la sélection se trouve neutralisée en fin d'opération, et vous restez dans le mode de fonctionnement sélectionné. Pour pouvoir exécuter l'une des trois premières fonctions, il faudra d'abord réactiver les ciseaux ou le rectangle de sélection afin de procéder à une nouvelle sélection.

Il n'y a pas que les graphismes que l'on puisse déformer et inverser...

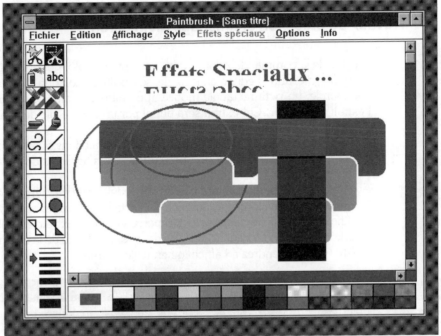

La dernière entrée du menu Effets spéciaux est l'option Effacer, qui est repérée par un crochet lorsqu'elle est active. Cette option décide de ce qu'il doit advenir de la partie sélectionnée du graphisme lorsque vous lui appliquez l'une des commandes Rétrécir + Agrandir ou Incliner. Lorsque l'option Effacer est active, la portion originale du dessin sera supprimée, sinon, elle restera en place.

12.2.4. Autres options

Dans le menu Affichage se trouvent d'autres options concernant la visualisation de l'aire de travail et permettant d'effectuer des travaux de précision.

Travaux de précision et affichage plein écran

A l'aide de la commande Zoom avant, vous pouvez plonger en profondeur dans le graphisme afin d'éditer chacun de ses points. Lorsque vous activez cette commande, un petit rectangle mobile apparaît dans l'aire de dessin, qui définit l'extrait à agrandir. Cet extrait sera défini par un simple clic de souris.

Apparaît alors dans le coin supérieur gauche l'extrait dans sa taille normale, alors que le reste de la fenêtre est occupé par les points agrandis de l'image.

Avec la souris, il est maintenant possible de redéfinir de manière ciblée des points à l'unité, ou d'améliorer l'apparence de certaines "franges" du graphisme, les modification étant immédiatement répercutées sur l'extrait en taille originale, dans le coin supérieur gauche de l'aire de dessin. A l'aide de la commande Zoom arrière, vous reviendrez à l'affichage en taille normale.

Des travaux de précision à la loupe

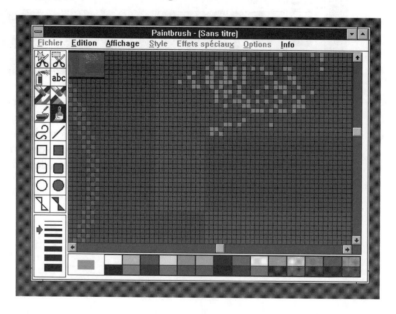

La commande Plein écran sert uniquement à visualiser un graphisme entier. Dans ce mode, aucune fonction de dessin ne peut être activée. Le graphisme est affiché dans sa taille normale sur toute la surface de l'écran. Cette commande Plein écran ne correspond donc pas aux visualisations plein écran proposées par d'autres programmes, dans lesquels le graphisme est rapetissé pour trouver entièrement place dans la fenêtre. Un clic de souris ramène à l'affichage normal.

Occulter certains outils

Les trois commandes suivantes du menu sont des options qui, lorsqu'elles sont actives, sont repérées par un crochet.

Outils et épaisseur du trait concerne la boîte à outils, dans laquelle se trouvent les icônes des outils de dessin et la zone de sélection des épaisseurs de traits. Lorsque cette option est inactive, les icônes des outils de construction et la zone de sélection ne sont pas affichés. L'on dispose ainsi de plus de place pour les dessins, en évitant même, le cas échéant, de recourir aux barres de défilement. Notez d'autre part que, dans ce type d'affichage, il n'est plus possible de changer d'outil ni d'épaisseur de tracé.

Lorsque vous travaillez sur un grand dessin, vous pouvez activer votre outil de construction et sélectionner l'épaisseur du trait, puis désactiver cette option. Effectuez alors les opération de dessin nécessaires puis réactivez l'option lorsqu'il conviendra de choisir un autre outil de dessin.

Palette se rapporte aux zones colorées situées au bas de la fenêtre. Vous pourrez, comme ci-dessus, désactiver temporairement la palette afin de gagner en surface de travail.

L'option Position de la souris est, par défaut, désactivée. Si vous activez cette option, la position courante du curseur, c'est à dire la position de votre outil de dessin, sera affichée en temps réel dans le coin supérieur droit de la fenêtre. Sont indiquées les coordonnées x et y (abscisse et ordonnée). A l'aide de ces valeurs, vous pouvez créer des parties jointives dans un dessin. Ainsi, les segments d'une série de lignes superposées seront équidistants de la marge de gauche si l'origine de chacun d'entre eux possède la même abscisse (valeur de x). Il sera, de même, possible de contrôler la distance entre les segments et leur longueur.

N'activez l'affichage des coordonnées que si vous en avez vraiment besoin : cette visualisation des coordonnées diffère en effet la régénération de l'affichage, et s'approprie une partie du temps de calcul dont pourraient bénéficier les éventuels programmes fonctionnant en arrière-plan.

12.2.5. Hardcopies et applications

Windows pour Workgroups place une hardcopy, c'est à dire une copie du contenu de l'écran, dans le presse-papiers lorsque vous appuyez sur la touche «Impr» située juste à côté de «F12». La combinaison de touches «Alt» et «Impr» copie seulement le contenu de la fenêtre active dans le presse-papiers. Le graphisme ainsi obtenu peut ensuite être édité dans PaintBrush, afin d'y intégrer des légendes ou d'en extraire une partie. A cet effet, il faut activer la commande Edition/Coller.

La même image, mais traitée comme copie d'écran dans PaintBrush

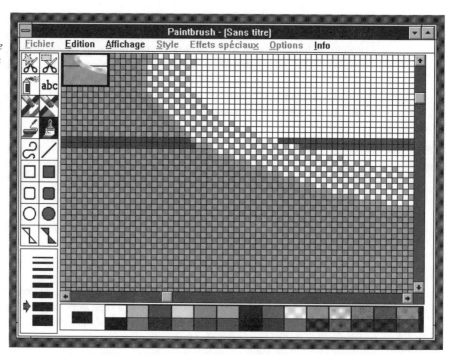

Choisir une aire de dessin suffisamment grande :

Faites en sorte que les dimensions de votre aire de dessin soient suffisantes pour pouvoir accueillir le graphisme, en utilisant la technique que nous avons décrite dans la section 13.2.1. Une résolution standard en mode VGA est de 640 x 480 Pixel. Dans la boîte de dialogue qui permet de définir la taille de l'aire de dessin, vous pouvez non seulement spécifier des centimètres et des pouces, mais aussi des points, ce qui permet de définir au point près la surface de l'image. PaintBrush ne peut malheureusement importer depuis le presse-papiers que la partie de son contenu pouvant trouver place dans la portion visible de l'aire de dessin. Le cas échéant, il vaudra donc mieux désactiver la boîte à outils et la palette, comme nous l'avons décrit plus haut, et porter la fenêtre de PaintBrush à sa taille maximale.

Voici les résolutions des cartes graphiques les plus courantes :

Carte	horizontal x vertical
Hercules	720 x 348
CGA	620 x 200
EGA	640 x 350
VGA	640 x 480
Super-VGA	800 x 600
max-VGA	1024 x 768

De nouveaux arrière-plans pour Windows pour Workgroups

Conformément à la description qui figure dans la section 7.1.2, il est possible de décorer l'arrière-plan de l'aire de travail de Windows pour Workgroups à l'aide d'un graphisme. De nombreuses images sont fournies à cet effet avec Windows pour Workgroups, que vous pouvez charger et modifier dans PaintBrush. Mais vous pouvez aussi créer vos propres graphismes qui, ensuite, seront utilisables pour l'arrière-plan de l'écran à l'aide des fonctions du panneau de configuration.

Les images pour l'arrière-plan sont fournies sous forme de graphismes au format de bitmap reconnaissables à l'extension .BMP. Vous chargerez ces graphismes au moyen de Fichier/Ouvrir.

Modifier les graphismes d'arrière-plan livrés avec Windows

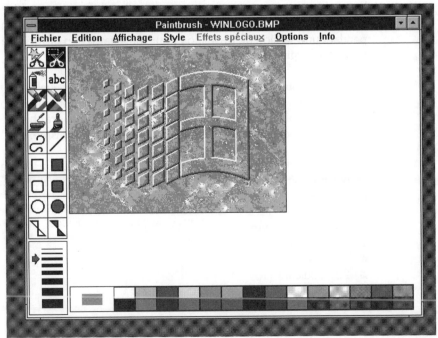

Avant de vous lancer dans la modification d'un ou de plusieurs graphismes originaux, qui seraient suite à cela irrémédiablement perdus, vous devriez immédiatement enregistrer votre future version personnalisée sous un nouveau nom, à l'aide de la commande Enregistrer sous. Vous obtiendrez ainsi un nouveau graphisme sans perte de l'original. Mais cette sécurité ne sera donc acquise qu'au détriment de l'espace mémoire sur le disque dur.

Lors du chargement, vous remarquerez que certains graphismes originaux sont en fait très petits. La fonction Mosaïque de l'application Bureau du panneau de configuration (Cf. section 7.1.2) permet de juxtaposer ces graphismes à la manière d'un carrelage jusqu'à ce que l'arrière-plan de l'écran soit entièrement rempli. La même possibilité vous est évidemment offerte également pour vos propres graphismes. Ceux-ci doivent toutefois être rectangulaires.

Les graphismes destinés aux papiers peints de l'arrière-plan doivent impérativement être enregistrés au format de bitmap dans le répertoire de Windows pour Workgroups. Veillez à ce que les graphismes ne soient pas plus grands que l'arrière-plan de l'écran, sinon ils risquent de ne pas pouvoir être visualisés.

12.2.6.   Enregistrer des graphismes

Les graphismes seront enregistrés sur une mémoire de masse à l'aide des commandes habituelles Enregistrer et Enregistrer sous. Enregistrer sauvegarde le graphisme sous son nom courant, et utilise le format graphique actif. Cette commande convient parfaitement à la réalisation d'enregistrements de sécurité pendant une session de travail, ou pour sauvegarder un graphisme modifié dont la version originale ne présente plus d'intérêt.

Enregistrer sous devra être utilisé pour un graphisme nouvellement créé, afin de lui attribuer un nom et un format graphique. Cette commande peut d'autre part être utilisée pour sauvegarder une nouvelle version d'un graphisme sous un autre nom, avec un changement éventuel du format du graphisme.

Dans la boîte de dialogue associée à cette commande apparaît une zone de liste déroulante contenant les formats graphiques à votre disposition. Voici les formats proposés :

- Format de bitmap
- Monochrome
- 16 couleurs
- 256 couleurs
- 24-bit (Restitution des couleurs naturelles)
- Format PCX

Les divers formats de bitmaps dépendent des possibilités techniques de votre matériel. La réalisation et l'enregistrement d'un graphisme couleur au format de 24 bit sur un système monochrome est non seulement sans intérêt, mais gaspille énormément d'espace disque : dans les graphismes monochromes, seul un bit est utilisé par point, alors que dans la représentation en couleurs naturelles, 24 bits sont prévus pour chaque point. En fait, vous devriez simplement choisir le format qui permet de stocker toutes les couleurs que vous utilisez, sans plus.

12.2.7. Imprimer des graphismes

L'impression de graphismes est gérée par les commandes Imprimer et Configuration de l'impression. La commande Mise en page du menu Fichier constitue une particularité. Vous pouvez définir ici une en-tête et/ou un pied de page qui figureront sur chaque feuille imprimée. Dans le texte de ces lignes peuvent être intégrés les codes de contrôle suivants :

&d	date du système
&t	heure du système
&f	nom du fichier
&p	numéro de page
&l	texte suivant aligné à gauche
&r	texte suivant aligné à droite
&c	texte suivant centré

Impression partielle

La commande Imprimer présente quelques particularités spécifiques à Paint-Brush. En plus du choix de la résolution, vous avez la possibilité de préciser si l'impression doit porter sur tout le dessin ou seulement une partie de celui-ci. Si vous optez pour l'impression partielle, PaintBrush passe en mode plein écran dès que vous activez le bouton OK, afin de représenter intégralement le dessin. Avec la souris, vous pouvez alors définir la plage rectangulaire à imprimer.

Echelle

Dans la zone d'édition Echelle, vous pouvez préciser si le graphisme doit être imprimé en agrandissement ou en réduction. Etant donné que l'image concernée est à définition fixe de points, un agrandissement ne pourra que s'accompagner d'une perte en finesse. Par contre, une image réduite pourra gagner en qualité lors de sa sortie sur une imprimante de haute résolution, car la taille des points de l'image se rapprochera alors de celle des points d'impression.

Des options particulières pour l'impression

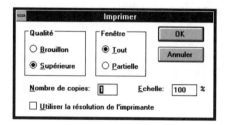

Résolution de l'imprimante

Lorsque la case Utiliser la résolution de l'imprimante est cochée, l'image sera imprimée de façon à ce que chaque point d'impression corresponde à un point de l'affichage. Etant donné que la résolution des imprimantes est le plus souvent supérieure à celle des cartes graphiques, vos points d'impression seront également plus fins que des pixels de l'écran. Le graphisme sera donc probablement sensiblement plus petit sur le papier que sur l'écran, le taux de la réduction dépendant de la définition physique de l'imprimante. Toujours est-il que cette technique est celle qui offre la meilleure qualité d'image, puisqu'elle exploite totalement la résolution de l'imprimante utilisée.

12.2.8. Combinaisons de touches

«Tab»	Déplace le pointeur entre les divers groupes de fonctions. Parmi ceux-ci il y a la boîte à outils, la zone des épaisseurs de traits, la palette de couleurs et l'aire de dessin. Certaines de ces zones peuvent être désactivées par l'intermédiaire d'options.
«Maj»+«Tab»	Comme ci-dessus, mais déplace le pointeur de la souris dans le sens contraire
touches fléchées	Déplacent le curseur à l'intérieur de la fenêtre
«Inser»	Clic de souris avec le bouton gauche
«Suppr»	Clic de souris avec le bouton droit

«F9»+«Inser»	Double clic avec le bouton gauche
«F9»+«Suppr»	Double clic avec le bouton droit
«Maj»+«Origine»	Défilement vers la droite
«Maj»+«Fin»	Défilement vers la gauche
«PgUp»	Défilement vers le bas
«PgDn»	Défilement vers le haut
«Backspace»	Fonction Undo: Sélectionnez ensuite avec le curseur la partie de l'image dont les modifications doivent être annulées
«Ctrl»+«Z»	Supprime toutes les modifications effectuées avec le dernier outil de dessin utilisé.

12.3. Le bloc-notes

Le bloc-notes est un programme de traitement de texte simple dont les possibilités sont limitées à la visualisation et la modification de texte. Aucune mise en forme telle que la composition justifiée ou le choix d'une police ne peut y être définie. Le bloc-notes remplit donc une condition primordiale pour travailler sur des textes "purs" sans caractères de contrôle. Ce programme convient donc tout particulièrement pour le traitement des fichiers système qui, justement, sont enregistrés comme textes purs. Parmi ceux-ci il y a tous les fichiers INI.

Essentiellement conçu pour des textes d'ordre technique

En plus de son aptitude à éditer des textes, le bloc-notes possède d'autres fonctions qui, justement, font de lui un "bloc-notes", et non seulement un simple éditeur. C'est ainsi que chaque saisie de texte peut être automatiquement affectée de la date et de l'heure.

La longueur d'un document pouvant être traité avec le bloc-notes est limitée. Lorsqu'un document est trop long pour le bloc-notes, il faudra utiliser un autre programme de traitement de texte, comme par exemple "Write".

La capacité du bloc-notes est parfois insuffisante

12.3.1. Charger et modifier des textes

Dès que vous lancez le bloc-notes par double clic sur son icône dans le groupe Accessoires du gestionnaire de programmes, vous obtenez une aire d'édition vide, dans laquelle vous pouvez saisir du texte de la même façon que dans Write. La commande Fichier/Ouvrir permet, quant à elle, de charger des textes déjà enregistrés.

Le bloc-notes utilise le jeu de caractères ANSI, qui ne se distingue du code ASCII bien connu que par des codes différents pour les caractères particuliers, parmi lesquels les lettres accentuées françaises. Les fichiers système de MS-DOS, AUTO-EXEC.BAT et CONFIG.SYS, utilisent le code ASCII et ne pourront être édités avec le bloc-notes que s'ils ne comportent aucun caractère particulier (ni graphique, ni accentué).

Si vous chargez un fichier texte provenant d'un programme de traitement de texte plus élaboré (par exemple Write ou WinWord), il est fort probable que celui-ci contienne des codes de contrôle de mise en forme que le bloc-notes est incapable d'interpréter. Ces codes de contrôle sont alors représentés comme s'il s'agissait de texte, l'effet résultant étant généralement très gênant. Pour pouvoir traiter dans le bloc-notes des textes provenant d'autres traitements de textes, ceux-ci doivent avoir été enregistrés au format ANSI, sans mise en forme.

L'apparence d'un texte structuré dans le bloc-notes est épouvantable...

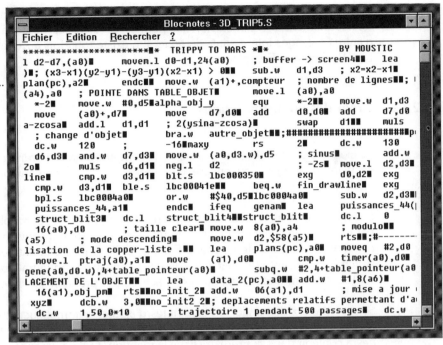

```
************************** TRIPPY TO MARS *** BY MOUSTIC
l d2-d7,(a0)█    movem.l d0-d1,24(a0)   ; buffer -> screen4██   lea
)█; (x3-x1)(y2-y1)-(y3-y1)(x2-x1) > 0██   sub.w   d1,d3   ; x2=x2-x1█
plan(pc),a2█      endc██ move.w (a1)+,compteur  ; nombre de lignes██; |
(a4),a0   ; POINTE DANS TABLE_OBJET█       move.l  (a0),a0
 *-2█    move.w #0,d5█alpha_obj_y     equ      *-2█    move.w  d1,d3
 move    (a0)+,d7█       move   d7,d0█ add      d0,d0█ add    d7,d0
a-zcosa█  add.l  d1,d1   ; 2(ysina-zcosa)█       swap   d1██   muls
 ; change d'objet█       bra.w  autre_objet██;##################p|
 dc.w   120     ;       -16█maxy      rs    2█     dc.w   130
 d6,d3█  and.w  d7,d3█  move.w (a0,d3.w),d5  ; sinus█        add.w
Zo█     muls   d6,d1█  neg.l  d2           ; -Zs█ move.l  d2,d3█
line█    cmp.w  d3,d1█ blt.s  lbc000350█       exg    d0,d2█  exg
 cmp.w  d3,d1█ ble.s  lbc00041e██      beq.w  fin_drawline█   exg
 bpl.s  lbc0004a0█      or.w   #$40,d5█lbc0004a0█      sub.w  d2,d3█|
 puissances_44,a1█      endc█  ifeq    genam█ lea    puissances_44(|
 struct_blit3█ dc.1    struct_blit4██struct_blit█        dc.1   0
 16(a0),d0      ; taille clear█ move.w 8(a0),a4      ; modulo██
(a5)    ; mode descending█      move.w d2,$58(a5)█      rts██;#-------
lisation de la copper-liste .██       lea    plans(pc),a0█  moveq  #2,d0
 move.l ptraj(a0),a1█   move   (a1),d0█        cmp.w  timer(a0),d0█
gene(a0,d0.w),4+table_pointeur(a0)█        subq.w #2,4+table_pointeur(a0|
LACEMENT DE L'OBJET██   lea    data_2(pc),a0██ add.w  #1,8(a6)█
 16(a1),obj_pm█ rts██no_init_2█ add.w  (a0),d1     ; mise a jour |
xyz█    dcb.w  3,0██no_init2_2█; deplacements relatifs permettant d'a|
 dc.w   1,50,0*10       ; trajectoire 1 pendant 500 passages█    dc.w |
```

Passer à la ligne :

Lorsque vous entrez du texte, un saut de ligne ne se produit par défaut qu'après 256 caractères. La commande Edition/Passer à la ligne permet de faire en sorte que la rupture de ligne se fasse dès qu'on atteint le bord droit de la fenêtre. La longueur d'une ligne dépend alors de la largeur de la fenêtre, et la barre de défilement située au bas de la fenêtre disparaît. Ce passage à la ligne change naturellement dès que vous modifiez la largeur de la fenêtre. Vous forcerez un saut de ligne par pression sur «Entrée» en fin de ligne.

Le bloc-notes travaille exclusivement avec la police Système et ne permet pas d'utiliser les autres polices. La police Système est une police non proportionnelle, dans laquelle chaque caractère possède la même largeur. Ce type d'affichage convient particulièrement aux textes d'ordre technique dans lesquels les tableaux sont mis en forme au moyen d'espaces.

Pour éditer le texte, vous disposez des mêmes possibilités que dans Write: à l'aide des commandes du menu Edition, on peut copier des passages sélectionnés dans le presse-papiers afin de les réorganiser à l'intérieur du texte ou de les insérer dans un autre texte. Contrairement à Write, il existe ici une commande dont le nom est Sélectionner tout (dans le menu Edition), grâce à laquelle la totalité du texte peut être sélectionnée en une opération.

De même que Write, le bloc-notes dispose d'une fonction de recherche, dont le fonctionnement est semblable, qui permet de localiser des commandes ou d'autres passages intéressants du texte. Il n'existe toutefois aucune fonction de type Rechercher/Remplacer.

12.3.2. Créer des comptes-rendus

Le bloc-notes est prédestiné à la saisie de comptes-rendus d'ordre technique, ou de plans de projets, ou encore de simples idées au moment où elles vous effleurent.

Les saisies de texte dans un fichier pourront être ordonnées chronologiquement par insertion de la date et de l'heure système. A cet effet, il convient d'utiliser la commande Heure/Date du menu Edition. Celle-ci insère la date et l'heure du système en utilisant le format défini dans le panneau de configuration (Cf. section 7.3). Cette commande peut aussi être activée par pression sur «F5».

Si vous désirez demander au bloc-notes d'ajouter automatiquement la date et l'heure à chaque fois que vous complétez un fichier, le fichier texte concerné devra contenir dans sa première ligne la mention .LOG. Lorsque vous sauvegardez un tel fichier puis que vous le rechargez, le bloc-notes ajoute automatiquement à son extrémité la date et l'heure actuelles.

Une pression sur «F5» intègre automatiquement la date et l'heure

12.4. Le programme Terminal

Un programme de terminal permet de transmettre des données. Ceci est par exemple nécessaire lorsque via une ligne téléphonique et un modem on désire établir une communication avec un autre ordinateur où se trouverait une base de données ou une boîte aux lettres électronique.

La fenêtre du terminal

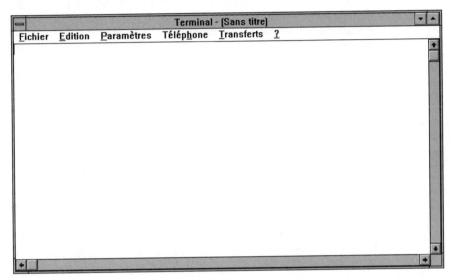

L'application Terminal se trouve sous forme d'icône dans le groupe des Accessoires du gestionnaire de programmes et peut être activée au moyen d'un double clic.

12.4.1. Les paramètres implicites de configuration

Lorsque vous lancez le programme Terminal pour la première fois, il s'enquiert du port de communication à utiliser par défaut. Les transferts de données s'effectuent en principe via un port de communication série, car ces ports sont bidirectionnels, contrairement aux ports parallèles. Cela signifie qu'ils supportent à la fois l'émission et la réception de données. Suivant l'équipement de votre ordinateur, vous pouvez avoir le choix entre plusieurs ports de communication.

La plupart des souris étant également connectées à un port de communication série, il est nécessaire de recourir à un autre port pour la transmission de données. Dans la plupart des cas, la souris est connectée au port COM1, c'est à dire au premier port série. Si votre ordinateur comporte déjà quatre ports de communication série (maximum supporté), et que tous les sont utilisés par des périphériques, il pourra être nécessaire de se passer des services de l'un de ces périphériques pendant une communication de données. Dans ce cas, il convient de déconnecter le périphérique concerné et de brancher le modem sur ce port de communication. Vous avez également la possibilité d'utiliser un "Data-Switch" (commutateur multiple de lignes) où plusieurs broches sont à votre disposition, la position du sélecteur permettant d'établir le contact entre l'une de ces broches et le port de communication. Une autre solution consiste à utiliser une souris de type bus qui, contrairement aux modèles les plus répandus, se branche sur une carte d'extension spécifique directement connectée sur le bus de l'ordinateur. Vous regagnez ainsi l'usage d'un port de communication série.

Dès que vous avez sélectionné le port de communication, Terminal peut signaler que celui-ci est déjà utilisé par un autre périphérique, ou qu'il n'existe pas. Sinon, il validera votre choix. Si le port choisi ne peut être utilisé, il vous faut en choisir un autre, ou opter pour l'entrée Aucun. Celle-ci ne peut assurer une communication de données, mais vous permettra malgré tout de travailler avec le programme Terminal, le cas échéant dans l'attente de vous procurer un port de connexion série.

Le menu Paramètres contient les commandes de définition de tous les paramètres de transfert. Ces spécifications doivent être entreprises avant de lancer un transfert.

Modem

La commande Paramètres/Modem permet de définir les codes à composer pour les types de modems les plus répandus. Le numéro à composer devra être défini par l'intermédiaire de la commande Paramètres/Numéro de téléphone.

Les séquences de commandes du modem

Modem		
Commandes	Préfixe:	Suffixe:
Composer:	ATDT	
Raccrocher:	+++	ATH
Envoi binaire:		
Réception binaire:		
Origine:	ATQ0V1E1S0=0	

OK
Annuler

Modem par défaut
● Hayes
○ Multi Tech
○ TrailBlazer
○ Aucun

Numéro de téléphone

Par l'intermédiaire de la commande Numéro de téléphone, vous indiquerez le numéro du correspondant que vous désirez joindre via le modem ou le coupleur acoustique. Vous pouvez également préciser la durée maximale de l'attente avant l'établissement de la liaison, et si le numéro doit être recomposé automatiquement si la ligne est occupée. Une connexion peut d'autre part être confirmée par un signal sonore.

Numéro du correspondant, dans une communication par modem

Le numéro de téléphone ne doit évidemment être spécifié que s'il est nécessaire à la transmission. Si vous désirez par exemple transférer des données par une ligne privée (un câble série entre deux ordinateurs voisins, par exemple) ou sans fil (radio-amateur) il est inutile de spécifier un numéro de téléphone.

Pause dans la composition :

Une virgule dans un numéro de téléphone permet de marquer une pause dans la composition. Si par exemple à partir d'un poste d'un standard téléphonique il faut d'abord composer le zéro ou une autre combinaison de chiffres pour accéder au réseau public, cette pause permettra d'attendre la connexion effective au réseau. Insérez dans ce cas la virgule derrière la combinaison de chiffres nécessaire pour accéder au réseau externe. Les traits d'union ne sont pas pris en considération par le modem. Vous pouvez donc les utiliser pour structurer les numéros de téléphone afin de les rendre plus lisibles.

Emulation de terminal

Il existe divers standards de terminaux, qui se distinguent par la quantité et l'efficacité des séquences de contrôle. TTY (TTY = Teletype = Téléscripteur) est le standard le plus simple, et se contente d'afficher côte à côte les caractères entrants. TTY se comporte ainsi comme un simple téléscripteur électro-mécanique. Les autres émulations imitent des standards de terminaux très répandus permettant de communiquer des informations supplémentaires pour la couleur ou les attributs de caractères.

*Quel est le
terminal à
l'autre bout du
fil ?*

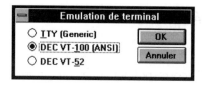

L'émulation de terminal à utiliser dépend du correspondant branché à l'autre extrémité du câble. S'il s'agit d'un réseau avec macro-ordinateur, renseignez-vous auprès du personnel du centre informatique. Si vous désirez transmettre des données à titre privé, vous pouvez vous accorder avec votre correspondant, et choisir votre type de terminal en fonction de vos goûts et des données à transmettre.

Par l'intermédiaire de la commande Paramètres du terminal, vous pouvez agir sur l'interprétation des données entrantes.

*Des
paramètres
pour
interpréter des
données*

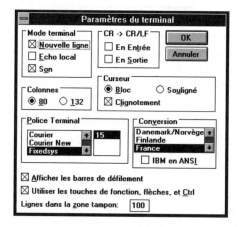

Un retour à la ligne (option Nouvelle ligne dans la boîte de dialogue Paramètres du terminal) est nécessaire si les données entrantes ne contiennent pas leurs propres repères de changement de ligne, ou si la longueur de colonnes n'est pas la même chez l'émetteur et le récepteur. En l'absence de sauts de lignes, les caractères entrants seront placés les uns à la suite des autres jusqu'à ce qu'une ligne soit pleine. Suite à cela, le dernier caractère de chaque ligne sera écrasé, et il en résulte donc une perte de données. Si l'option Nouvelle ligne est active, le passage à la ligne se fera sans écrasement de ce dernier caractère.

Echo local visualise vos données avant de les expédier. Cette option ne présente un véritable intérêt que dans une liaison de type Half-Duplex, dans laquelle le correspondant est limité soit à l'émission soit à la réception.

Si les lignes que vous émettez ne sont pas affichées pendant la transmission, vous devriez activer cette option. Si par contre ces lignes apparaissent en double exemplaire, il faudra la désactiver.

Lorsque l'option Son est active, le terminal supportera les informations sonores, en se limitant toutefois au beep système. Celui-ci pourra être généré par la séquence de contrôle "Bell". Si l'option Son est désactivée, le beep système vous sera épargné.

Les expressions Carriage Return (CR) et Line Feed (LF) datent encore de l'époque des téléscripteurs mécaniques. CR désigne un retour chariot, et place le curseur d'édition au début de la ligne actuelle. LF crée une nouvelle ligne sans modifier la position horizontale du curseur. Un saut de ligne "normal" résulte de la combinaison des deux opérations. Les appareils électroniques modernes se contentent généralement d'un simple CR pour un passage à la ligne. Mais si vous communiquez avec une machine réclamant explicitement les deux commandes, il vous faudra faire en sorte qu'à l'émission depuis votre poste les deux codes soient bien générés, afin que votre correspondant puisse correctement réceptionner les données.

Le nombre de colonnes dépend, lui aussi, du correspondant et également de l'écran utilisé. Le curseur peut, au choix, être représenté par un rectangle ou un tiret statiques, ou par les mêmes symboles clignotants. Ce choix n'est régi que par vos goûts personnels, mais n'interfère nullement avec la transmission de données proprement dite.

La même remarque vaut pour le choix de la police, qui ne concerne que la visualisation des données réceptionnées, mais pas les caractères que vous transmettez.

Grâce aux conversions aux spécificités nationales, vous pouvez utiliser non seulement les caractères alphanumériques "normaux", mais aussi des caractères particuliers. En raison du nombre limité de bits de données, il n'est possible de transmettre que 128 (sur sept bits) ou 256 (sur huit bits) caractères distincts, les caractères particuliers nationaux spécifiques n'étant donc pas affectés de codes individuels normalisés. Chaque pays affecte à ces précieux codes libres des caractères qui lui sont spécifiques.

Il existe deux standards pour les textes non structurés : le code ASCII et le code ANSI. Ils se distinguent uniquement par la codification des caractères particuliers, alors que les codes des caractères alphanumériques de base sont les mêmes. Si par conséquent vous réceptionnez des données dans lesquelles seules les lettres accentuées sont mal représentées, il est probable que la conversion ANSI-ASCII résoudra le problème.

L'option Lignes dans la zone tampon gère la mémorisation des lignes de données entrantes. Si vous avez à faire à des masses volumineuses d'informations, vous pouvez ainsi vous déplacer dans le tampon des données sans pour autant devoir réexpédier des données. Si vous utilisez le programme Terminal pour extraire des données d'une base de données commerciale, vous devriez agrandir la zone tampon, car dans ce cas les durées de transmission sont coûteuses.

La commande Touches de fonction permet de mémoriser des chaînes de caractères qui, par exemple, sont utilisées comme commandes dans une communication. Les niveaux de touches se réfèrent aux combinaisons de touches avec «Ctrl» et «Maj».

12.5. Le répertoire

Le répertoire qui, dans le groupe Accessoires du gestionnaire de programmes, se présente sous forme d'une icône représentant une boîte de fiches cartonnées, et une petite base de données dont le comportement est celui d'un fichier traditionnel. Avec le répertoire, vous pouvez :

- Gérer jusqu'à 1260 "fiches" telles que
  - chaque fiche pouvant être munie d'un titre de 40 caractères
  - chaque fiche pouvant comporter 11 lignes de 40 caractères
  - un graphisme pouvant être intégré dans les fiches

- Trier alphabétiquement des fiches d'après leurs titres

- Ajouter de nouvelles fiches qui seront immédiatement classées dans l'ordre alphabétique existant

- Rechercher des mots clés dans les titres des fiches

- Rechercher des mots clés dans le texte des fiches

- Imprimer des fiches

Par rapport à une base de données habituelle, les possibilités sont limitées, mais de par sa simplicité, le répertoire convient très bien pour des fichiers personnels tels qu'un fichier d'adresses ou un fichier de clients.

Un répertoire avec une fiche vide

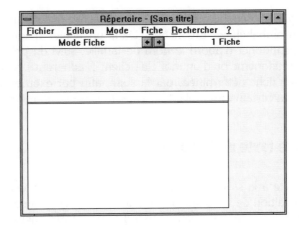

12.5.1. Créer un fichier répertoire

Lorsque vous lancez le répertoire, c'est le fichier "Sans nom" qui est actif. Avant de continuer, vous devriez d'abord créer votre propre fichier en sauvegardant "Sans nom" sous un intitulé suffisamment explicite. Utilisez à cet effet la commande Fichier/Enregistrer sous. Le nom choisi apparaît suite à cela dans la barre titre de la fenêtre du répertoire, et le fichier sera enregistré avec l'extension .CRD (= "Card").

Dans la fenêtre du répertoire se trouve une fiche vide composée d'une en-tête prévue pour 40 caractères, et d'un corps conçu pour recevoir 11 lignes de 40 caractères également.

Nommer une fiche : l'onglet

L'onglet d'une carte est prévu pour recevoir le titre. Ce titre devrait être explicite au point de permettre de sélectionner une fiche déterminée rien qu'à sa vue. Si dans votre répertoire se trouvent plusieurs fiches, celles qui suivent la première ne sont plus visualisées que par leur onglet, c'est à dire leur barre titre.

Entrer d'abord l'onglet, comme titre de carte...

Activez la commande Edition/Onglet, ou appuyez sur «F6». Dans une boîte de dialogue, vous pourrez entrer le texte de la barre titre. La disposition de cette ligne ne dépend que de vous, mais sachez que son premier caractère décide du tri alphabétique des fiches. Dans un fichier d'adresses, il convient donc de mentionner d'abord le nom de famille, suivi du prénom et éventuellement du pseudonyme ou d'un mot clé ("client", "adhérent"). Vous pourrez alors retrouver une fiche déterminée, par la suite, afin par exemple de recenser les éléments d'un certain ensemble, tous caractérisés par un même mot clé.

Entrer le texte de la fiche

Suite à la saisie du texte de la barre titre, le curseur texte passe dans la zone d'édition de la fiche. Une liberté totale vous est acquise pour cette saisie. Vous pourrez ultérieurement rechercher n'importe quelle chaîne de caractères dans cette zone.

... Suite à cela, vous remplirez le reste de la fiche

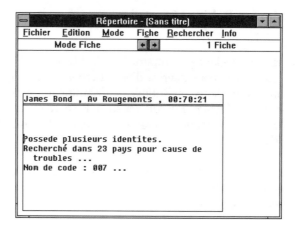

La taille de chaque fiche étant fixe, il faut se contenter de la surface disponible et la gérer au mieux. Les saisies en style télégraphique sont généralement celles qui conviennent le mieux.

Intégration d'une image dans une fiche

Une fiche peut aussi être décorée avec un graphisme. A cet effet, il est nécessaire de changer de mode de travail (mode graphique) au moyen de la commande Edition/Image.

Vous pouvez à présent insérer une image via le presse-papiers :

Lancez PaintBrush, et dessinez une figure, ou chargez une image existante. Sélectionnez-en l'extrait de votre choix (pas trop grand, si possible) afin que l'image puisse être entièrement affichée dans la carte. Activez alors dans

PaintBrush la commande Edition/Copier, afin de placer la surface sélectionnée dans le presse-papiers.

Lorsque le dessin est trop grand, il masque le texte

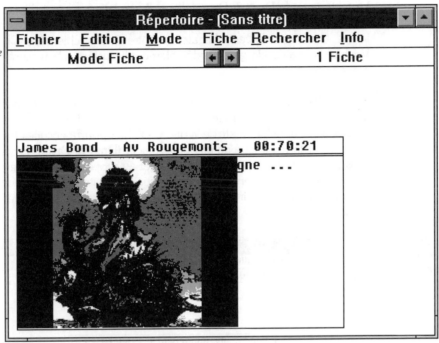

Passez alors dans la fiche. Si le mode de travail est Image, vous pouvez maintenant activer la commande Edition/Coller. Dans la négative, cette commande est inaccessible, car le système remarque que dans le presse-papiers se trouve un graphisme qu'il est impossible d'intégrer en mode texte.

L'image apparaît dans le coin supérieur gauche de la fiche. Avec la souris, vous pouvez la placer à un autre endroit, en amenant le pointeur sur le graphisme, et en le déplaçant tout en maintenant le bouton gauche de la souris enfoncé.

Vous pourrez par exemple illustrer un fichier de personnes au moyen de photos digitalisées, ou réaliser une collection de timbres-postes avec les images digitalisées de ces timbres. Par souci d'économie de mémoire, les figures sont toujours restituées en mode monochrome. N'oubliez pas de revenir au mode texte (par Edition/Texte) dès que l'image est intégrée dans la fiche.

Intégrer des objets dans des fiches

La technique de Drag & Drop (glisser & déplacer) permet d'installer dans une fiche des objets du gestionnaire de fichiers, aussi bien en mode texte qu'en mode image. Ces objets doivent obligatoirement être des fichiers liés (Cf. section 6.8). Vous pouvez ainsi élargir considérablement la surface très mesurée qu'une fiche met à votre disposition.

Si l'espace disponible dans une fiche ne suffit pas, contentez-vous de n'y mentionner que les informations strictement nécessaires, et écrivez par exemple le reste dans un fichier texte de Write. Ce fichier pourra ensuite être reporté dans la fiche par la technique de glisser/déplacer (Drag & Drop). En cas de besoin, vous pourrez ultérieurement ouvrir l'objet au moyen d'un double clic, afin d'en lire le contenu. Cela fonctionne ne fonctionne toutefois qu'en mode Image, car un objet intégré est interprété par le répertoire de la même façon qu'un graphisme.

Intégrer des textes supplémentaires en tant qu'objets

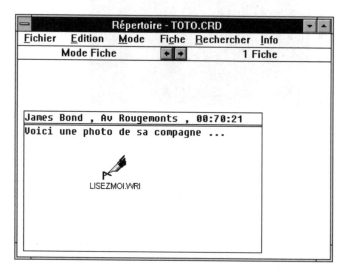

Dans chaque fiche ne peut être intégré qu'un objet ou une image. Lorsque vous intégrez un objet alors qu'un graphisme se trouvait déjà dans la fiche, ce graphisme sera écrasé par l'objet.

12.5.2.   Créer de nouvelles fiches

Vous savez maintenant comment remplir une fiche. Vous pourrez procéder de la même manière avec les autres fiches (maximum : 1259). Pour créer une nouvelle fiche, vierge, utilisez la commande Ajouter du menu Fiche.

> **Création d'un modèle :**
>
> Si vous désirez structurer de façon homogène le texte de vos fiches, vous pouvez créer un genre de formulaire. Entrez à cet effet toutes les composantes fixes dans une fiche, et activez la commande Fiche/Dupliquer. Vous obtenez ainsi une nouvelle fiche, contenant les éléments par défaut, et qu'il ne reste plus qu'à remplir. S'il existe plusieurs fiches, elles sont présentées en cascade, la fiche courante occupante le premier plan, en bas, à gauche, alors que les autres fiches ne sont visibles que par leur onglet. Les fiches sont automatiquement triées dans l'ordre alphabétique des onglets. Au moyen d'un clic de souris sur l'onglet d'une fiche, celle-ci pourra être amenée au premier plan. Les fiches restent malgré tout ordonnées alphabétiquement. En fait, tout se passe comme si le fichier était un cylindre qui tourne à chaque fois que vous sélectionnez une fiche : l'ordre ne change pas, il n'y a que l'origine qui se déplace.

Si dans votre fichier se trouvent plus de fiches qu'il n'est possible d'en visualiser en cascade, il vaut mieux recourir à l'affichage sous forme de liste, mode dans lequel les onglets des diverses fiches sont présentés les uns sous les autres, dans une simple liste. Activez la commande Mode/Liste. Pour visualiser la fiche sélectionnée dans la liste, il faut réactiver la commande Mode/Fiche. La fiche actuelle peut être retirée du fichier par l'intermédiaire de la commande Fiche/Supprimer. La commande Appel automatique du menu Fiche permet de transmettre à un modem un numéro de téléphone figurant dans la barre titre d'une fiche.

12.5.3. Rechercher des fiches

Si vous désirez retrouver certaines informations dans votre fichier, trois possibilités s'offrent à vous :

Affichage en mode liste

Vous pouvez passer dans le mode Liste, comme nous l'avons décrit dans la section 12.6.2, et tenter d'identifier la fiche recherchée à partir de son onglet. Cette méthode conviendra en particulier si vous désirez passer rapidement en revue les noms d'un fichier d'adresses.

Rechercher des mots clés dans les onglets

A l'aide de la commande Rechercher/Aller à..., vous pouvez localiser un mot-clé présent dans un onglet. La fonction recherche n'importe quelle chaîne de caractères. Le critère de recherche n'a donc pas besoin d'être écrit entre des caractères séparateurs ou des espaces. La première fiche contenant le critère de recherche dans sa barre titre sera activée. S'il existe plusieurs fiches comportant ce critère de recherche, la suivante sera affichée dès que vous réactiverez la commande.

Si vous avez inséré dans la barre titre de vos fiches des expressions clés, comme par exemple "adhérent", vous pourrez ainsi retrouver tous les membres de votre association.

Rechercher des mots clés dans le texte

La commande Rechercher/Rechercher permet de trouver une chaîne de caractères dans la zone de texte des fiches. La différence d'emplacement mise à part, cette commande se comporte de la même façon que Rechercher/Aller à.

12.5.4. Fusionner des fichiers

Grâce à la commande Fichier/Fusionner, il est possible de réunir en un fichier unique plusieurs fichiers enregistrés séparément. Toutes vos fiches se retrouveront alors dans un fichier. Il n'est pas nécessaire de modifier les fichiers originaux pour parvenir à ce résultat.

Sélectionnez dans la boîte de dialogue le nom du fichier à fusionner. Vous pouvez ainsi fusionner successivement plusieurs fichiers, à condition de ne pas dépasser le nombre maximal de 1260 fiches. Si vous voulez éviter toute modification du fichier initial, il faudra sauvegarder le "gros" fichier, immédiatement après la fusion, sous un nouveau nom à l'aide de la commande Enregistrer sous. Sinon, c'est l'intitulé du fichier qui était ouvert au début de la fusion qui lui sera affecté.

12.5.5. Combinaisons de touches

En mode Fiche :

«PgUp»/«PgDn»	Passe à la fiche précédente/suivante
«Ctrl»+«Origine»	Amène la première fiche du fichier au premier plan
«Ctrl»+»«Fin»	Comme ci-dessus, mais dernière fiche
«Ctrl»+«Caractère»	Amène au premier plan la première fiche dont l'onglet commence par ce caractère.

En mode Liste :

«PgUp»/«PgDn»	Passe au premier/dernier onglet visualisé dans la fenêtre. Une seconde action tourne la page.
«Ctrl»+«Origine»	Sélectionne la première fiche du fichier
«Ctrl»+»«Fin»	Comme ci-dessus, mais dernière fiche
«Ctrl»+«Caractère»	Sélectionne la première fiche dont l'onglet commence par ce caractère.

12.6. L'enregistreur de macros

Une macro est une succession de commandes définie par l'utilisateur, présentant en cela une certaine analogie avec les fichiers batch de l'univers DOS. Grâce aux macros, vous pouvez automatiser des processus appelés à se répéter fréquemment. Une application possible pourrait être la macro suggérée dans le chapitre 12 pour créer des guillemets français. Il est nécessaire de lancer l'enregistreur de macros lorsque vous désirez :

■ enregistrer une macro

■ charger une macro enregistrée

■ activer des macros

Tant que l'enregistreur de macros ne figure pas dans l'aire de travail, au moins sous forme d'icône, vous ne pouvez pas travailler avec des macros. L'enregistreur de macros se trouve dans le groupe principal du gestionnaire de programmes sous l'intitulé "Enregistreur". Lancez-le au moyen d'un double clic.

Il y a quatre macros dans la liste

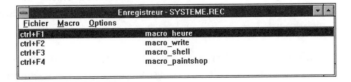

12.6.1. Enregistrer une macro

Une macro se compose d'un ensemble d'actions de clavier et de souris. Il n'est pas nécessaire de saisir ces commandes : vous pouvez les enregistrer comme avec un magnétoscope. L'enregistreur de macros recense automatiquement toutes les actions de clavier et de souris jusqu'à ce que vous cliquiez à nouveau sur l'icône de l'enregistreur de macros.

Lorsque vous enregistrez une macro, il convient de ne pas perdre de vue que, lors de l'exécution ultérieure de cette macro, seront aveuglément exécutées les mêmes actions de souris et de clavier que lors de l'enregistrement. Il convient donc d'éviter à l'enregistrement toutes les opérations inutiles. Si par exemple vous désirez travailler dans la fenêtre de Write, vous devriez porter celle-ci à l'écran avant de lancer l'enregistrement. Imaginez qu'avant de passer dans Write vous soyez obligé de fermer ou de déplacer plusieurs autres fenêtres, voire même de lancer Write : toutes ces actions seraient recensées dans la macro si l'enregistrement était déjà activé à cet instant. Lors de son exécution ultérieure, la macro tenterait à nouveau de dégager les fenêtres gênantes, même si elles n'existaient pas. Si de plus la macro était lancée alors que l'application Write fonctionne déjà, et si elle n'avait pas encore été interrompue avec production d'un message d'erreur, vous pourriez vous retrouver dans une autre situation désagréable : la macro lancerait Write... mais pas sa version déjà active ! Vous vous retrouveriez dans la fenêtre d'un deuxième exemplaire de Write.

Choix du mode d'enregistrement et d'exécution

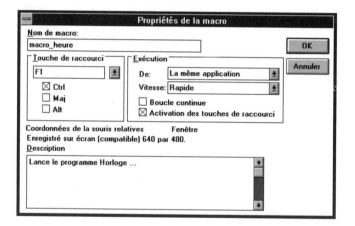

Activez la commande Macro/Enregistrer. Apparaît une boîte de dialogue dans laquelle il sera nécessaire d'apporter quelques spécifications concernant l'enregistrement.

Attribuez d'abord un nom à la macro, par l'intermédiaire duquel elle sera aisée à identifier par la suite. Au-dessous de cette zone d'édition, vous pouvez définir une combinaison de touches grâce à laquelle la macro pourra ultérieurement être activée. Il est vivement conseillé d'associer une combinaison de touches à une macro. La touche de raccourci sera choisie dans la zone de liste déroulante, où elle peut d'ailleurs être aussi saisie directement. A l'aide des trois cases à cocher situées sous la liste déroulante, vous pouvez sélectionner une touche de contrôle (ou une combinaison de ces touches) à associer à la touche de raccourci définie précédemment. La macro ne sera alors lancée que si toutes les touches cochées sont enfoncées en même temps que la touche de raccourci. Le nombre de combinaisons dont vous pouvez disposer sera alors largement suffisant.

Dans le groupe Exécution, vous préciserez si la macro enregistrée doit être valable pour toutes les applications, ou seulement pour l'application dans laquelle elle a été enregistrée. La macro ne devra être validée dans toutes les applications que si elle touche à des opérations fondamentales, comme par exemple le chargement d'un fichier. En effet, pour les activations de commandes plus spécifiques, on peut considérer que les commandes choisies ne sont pas disponibles dans la totalité des applications.

Il y a moyen de spécifier deux vitesses d'exécution. La vitesse rapide fait défiler le plus vite possible les séquences de commandes enregistrées. Ce réglage est nécessaire dans tous les cas où la macro a été conçue pour simplifier le travail et automatiser des processus répétitifs. Si vous choisissez l'option "Vitesse enregistrée", les commandes seront exécutées avec la même rapidité (ou lenteur...) qu'à l'enregistrement. C'est là le réglage à choisir pour les macros didactiques destinées à montrer à l'observateur une certaine technique ou un type de mode de fonctionnement. De telles macros sont également utilisées pour piloter les animations que vous pouvez voir dans les vitrines des distributeurs de matériel informatique (entre autres).

Grâce à l'option Boucle continue, l'on peut ordonner une répétition automatique de la macro, procédé qui ne présente un intérêt qu'à des fins didactiques ou de démonstration dans une vitrine. Il est enfin possible de décider si la combinaison de touches doit être active ou non.

Dans une autre liste de sélection, vous pouvez définir la nature de ce qui doit être enregistré. Les actions de clavier sont toujours prises en compte. La souris peut être totalement occultée, ou entièrement retenue. Lorsqu'elle est intégralement prise en compte, toutes ses actions sont enregistrées, c'est à dire aussi les déplacements sans action sur les boutons. Le paramètre "Clics + déplacements" constitue un bon compromis : seules les actions déterminantes de la souris sont enregistrées, et les "déplacements gratuits" sont ignorés, quelle que soit leur ampleur.

Pour finir, il est nécessaire de spécifier si l'enregistrement doit être limité à la fenêtre de l'application courante (proposition implicite), ou si les actions de la souris doivent être recensées quel que soit l'emplacement de l'écran où elles sont effectuées.

Dans la zone d'édition Description, vous pourrez entrer une spécification précise sur les fonctions de la macro. Il vaut mieux ne pas négliger cette zone car, sans description, il n'est pas évident de reconstituer l'objectif d'une macro.

Le bouton Démarrer lance l'enregistrement. Pour vous rappeler à la concentration, afin d'éviter toute erreur de saisie, l'icône de l'enregistreur clignote dans l'aire de travail. Suivant les paramètres que vous avez définis, toutes les opérations de souris et de clavier seront dès à présent mémorisées. Commencez par cliquer sur la fenêtre de l'application dans laquelle vous désirez travailler. Cliquez ensuite sur toutes les commandes nécessaires et répondez aux interrogations qui vous sont adressées.

Comme nous l'avons dit plus haut, l'enregistreur recense aveuglément toutes les actions. Si par exemple vous activez la fonction Remplacer de Write, et que vous trouvez, par hasard, dans la boîte de dialogue correspondante, les chaînes de caractères, dont vous avez besoin il serait extrêmement maladroit de les valider sous cette forme pour lancer le remplacement. Vous ne pouvez en effet pas connaître systématiquement le contenu de cette boîte de dialogue au moment ou vous activerez la macro. Il est donc indispensable de remplir toutes les zones concernées, même si elles contiennent au départ les valeurs qui vous conviendraient. Pour arrêter l'enregistrement, cliquez sur l'icône de l'enregistreur. Suite à cela, le programme vous donne le choix entre la sauvegarde de la macro, la poursuite de l'enregistrement, ou son annulation pure et simple. Si une grossière erreur de manipulation s'était glissée dans la macro durant l'enregistrement, mieux vaut reprendre ce dernier depuis le début. Arrêtez alors immédiatement l'enregistrement, et actionnez dans la boîte de dialogue le bouton Annuler.

12.6.2.   La liste des macros

Dès que la macro est enregistrée et sauvegardée, elle apparaît dans la fenêtre de l'enregistreur de macros sous forme d'une ligne de texte : à son début se trouve le combinaison de touches associée à la macro, suivie du nom de la macro. Vous pourrez dès lors activer la macro en double-cliquant sur sa ligne de texte. La commande Macro/Supprimer détruit la macro sélectionnée dans la liste.

Grâce à la commande Macro/Propriétés, vous pourrez modifier ultérieurement les caractéristiques définies précédemment, comme par exemple la combinaison de touches de raccourci, ou la vitesse d'exécution. Toutes les macros présentées dans la liste affichée par l'enregistreur appartiennent à un groupe. Ce groupe doit être sauvegarder si vous désirez conserver l'ensemble de ses macros. Utilisez à cet effet la commande Fichier/Enregistrer sous. Un groupe de macros est toujours sauvegardé dans un fichier d'extension .REC.

Vous pouvez créer plusieurs fichiers REC contenant des groupes de macros d'objectifs distincts. Mais seul un groupe peut être chargé à la fois. Il n'est donc possible à un instant donné de n'accéder qu'aux macros d'un groupe unique, que ce soit par combinaison de touches ou par l'intermédiaire de la liste des macros.

Mais à l'aide de la commande Fichier/Fusionner il est également possible d'adjoindre les macros d'un autre groupe au groupe de macros actif. Les macros qui se rajoutent de cette manière pourront ainsi être activées dans les mêmes conditions que celles d'origine. Dans le cadre d'une telle fusion, il convient toutefois de veiller à éviter les interférences entre combinaisons de touches.

12.7. Horloge et Calculatrice

Avec Windows pour Workgroups sont également livrés une horloge et une calculatrice. Ces programmes sont toutefois d'un maniement d'une simplicité telle qu'une description ne se ferait qu'en pure perte (de place).

Chapitre

13

Multimédia

L'expression "multimédia" s'est fait une place dans le vocabulaire à la mode, alors qu'elle désigne en fait simplement l'utilisation de plusieurs médias (film, écriture, son) dans le cadre d'un système. Les composants d'un système multimédia - magnétoscope, livres ou bandes magnétiques sonores, par exemple - existent depuis des lustres, et dans leur principe de fonctionnement, rien n'a changé depuis leurs origines.

Ce qu'il y a de nouveau, dans le domaine multimédia, c'est la faculté des systèmes informatiques modernes de combiner ces composantes afin de créer des systèmes pédagogiques et de formation uniques en leur genre, ainsi que des bases de données ou des archives d'un type entièrement nouveau. En fait, l'on tend à intégrer dans le système multimédia toutes les facultés sensorielles de l'être humain.

13.1. L'empire des sens...

Ecriture

Pour qu'un ordinateur puisse communiquer avec des périphériques, il faut d'abord qu'il puisse y accéder. C'est pourquoi, pour des écrits, on n'utilise pas les livres, mais des unités CD-ROM capables d'emmagasiner des volumes considérables de données, qui suffisent même pour des encyclopédies entières. Les unités CD-ROM peuvent par exemple être connectées à l'ordinateur par l'intermédiaire d'un port SCSI.

Images

Des images sont également disponibles sous forme de collections sur CD-ROM. L'on peut d'autre part digitaliser des photographies à l'aide de scanners couleurs. La technique la plus récente qui s'approche le plus du concept multimédia est celle des appareils photographiques à disque magnétique, qui permettent de faire des clichés semblables aux photos traditionnelles, mais dont le principe de fonctionnement est plutôt proche de celui du caméscope : les images sont stockées sur des supports magnétiques, ou dans la mémoire de l'appareil. Il est ainsi possible de les communiquer directement à l'ordinateur, sans perte de temps en développement ou en digitalisation, puisqu'ils existent de suite sous forme digitalisée. Le "film", qui dans ce cas est une disquette, peut immédiatement être réutilisé, d'où une économie non négligeable en consommables. Pour connecter un tel appareil à un ordinateur, une interface est tout de même nécessaire.

Film & vidéo

L'ordinateur peut aussi être alimenté directement en images vidéo mobiles. La plupart des systèmes sont capables d'absorber des prises de vue en VHS ou SVHS aux normes NTSC (standard américain) et PAL (standard d'Europe occidentale... sauf en France). Pour faire "ingurgiter" des images mobiles par un ordinateur, il est nécessaire de disposer d'une carte additionnelle capable de digitaliser les images en temps réel. Etant donné que les images vidéo sont réalisées habituellement à raison de 25 unités par seconde (ou plutôt 50 demi-images par seconde), l'accumulation de données est extrêmement rapide. L'on se sert alors d'algorithmes de compression, soit logiciels, soit implantés dans le matériel, pour comprimer ces données.

Musique

Le système MIDI s'est quasiment établi comme standard de fait pour la gestion d'instruments de musique électroniques et d'appareils Hi-Fi de pointe. Par l'intermédiaire de ce port de communication extrêmement rapide, on peut réaliser par l'intermédiaire d'un ordinateur le mixage de partitions entières. Etant donné qu'un ordinateur courant ne dispose pas d'un port de communication MIDI, une carte d'extension est nécessaire. La même remarque vaut pour la restitution de bruitages digitalisés : l'ordinateur doit à cet effet être équipé d'une carte son (du type SoundBlaster Pro de chez Creative Labs, par exemple, pour ne citer que le modèle le plus connu).

13.2. Multimédia et Windows pour Workgroups

Le système informatique sur lequel vous désirez pratiquer le multimédia est sans importance. Certains ordinateurs modernes comme le modèle NeXT satisfont dès le départ à bon nombre des conditions requises qui, sur des machines de conception plus ancienne comme les ordinateurs MS-DOS, ne peuvent être réalisées qu'à l'aide de cartes d'extension additionnelles.

Un PC multimédia

Dans la famille des ordinateurs MS-DOS l'on désigne par "PC multimédia" une configuration permettant d'aborder tous les domaines du multimédia. Il s'agit là au minimum d'une machine équipée du processeur 80386 et de 2 Moctets de mémoire de travail, d'une carte graphique VGA, d'une unité CD-ROM, ainsi que d'une carte son pour restituer les sonorités digitalisées. Par l'intermédiaire de l'unité CD-ROM on peut transférer sur l'ordinateur l'extension multimédia de chez Microsoft, qui est une version de Windows pour Workgroups comportant des applications multimédia et des gestionnaires supplémentaires. Certains de ces éléments ont d'ailleurs été intégrés à Windows 3.1, mais ne sont utilisables que si dans l'ordinateur se trouve au moins une carte son.

13.3. Installer une carte son

Il ne suffit pas d'enficher une carte son dans l'ordinateur. Il faut aussi signaler au système de quel type de carte il s'agit, des fonctions qu'elle est capable d'assurer, et comment il faut s'y adresser. Cette tâche est prise en charge par des gestionnaires - de la même façon que pour les autres périphériques comme l'imprimante, la souris et la carte vidéo -.

Activez la fonction Gestionnaires, dans le panneau de configuration, afin de sélectionner le pilote qui convient à votre carte son. Lors de la configuration, il faut indiquer l'interruption et le canal DMA convenables. L'interruption est un moyen pour le périphérique de requérir immédiatement l'attention de l'ordinateur, principe essentiel pour une communication rapide et spontanée avec le périphérique. Le canal DMA (DMA = Direct Memory Access) est un moyen extrêmement rapide pour véhiculer les grandes quantités de données provenant des sons digitalisés entre la carte sonore et l'ordinateur (dans les deux sens).

Il est évident que la carte son ne travaillera pas correctement si le canal DMA et/ou l'interruption sont déjà affectés à une autre carte du système. L'ordinateur MS-DOS ne dispose malheureusement d'aucun moyen pour détecter automatiquement quels canaux et interruptions sont réquisitionnés par quel élément. Si par conséquent votre carte ne fonctionne pas correctement avec les valeurs implicites proposées, il vous faudra recourir à d'autres valeurs, et procéder par tâtonnement. Pour les cartes d'extension, il est un autre aspect qui mérite une vérification, l'ordinateur étant éteint : la carte est-elle bien connectée dans sa fiche ?. L'engagement d'une carte dans son support est souvent difficile (du point de vue physique), et nécessite un engagement musculaire non négligeable. Encore une réminiscence de l'âge de pierre des PC...

13.4. Travailler avec une carte sonore

Même la version normale de Windows 3.1 propose déjà des balbutiements de multimédia si l'on dispose d'une carte son. Conformément à la description qui figure dans la section 7.1.3, il est possible d'affecter des sonorités à divers événements par l'intermédiaire de la fonction Son du panneau de configuration.

Windows pour Workgroups pourrait ainsi se présenter en fanfare (au sens propre du terme) après son lancement, ou accompagner la fermeture d'une fenêtre par un vacarme de vitre brisée. En fait, les seules limites dans ce domaine sont celles de votre imagination.

Associer des sonorités à des événements

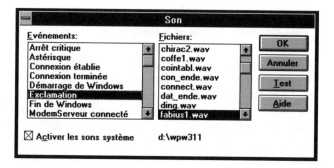

Vous ne pouvez associer des sonorités à des événements que si vous possédez les fichiers de sons appropriés. Quelques-uns sont fournis avec Windows pour Workgroups, mais cette collection pourra être complétée par des sonorités personnalisées, enregistrées par vos soins.

13.4.1. L'enregistreur de sons

L'enregistreur de sons se trouve dans le groupe des accessoires du gestionnaire de programmes. Grâce à lui vous pouvez :

■ enregistrer et reproduire des fichiers de sons

■ digitaliser des sonorités provenant de sources audio, et en faire des fichiers de sons

■ fusionner plusieurs fichiers de sons

■ modifier des sonorités

Si vous lancez l'enregistreur de sons sans disposer d'une carte sonores, ou si cette dernière est mal installée, le programme vous en informe, et signale que des sonorités ne pourront être ni enregistrées ni reproduites. Il n'en demeure pas moins que l'enregistreur de sons démarre, ce qui permet malgré tout de l'analyser, ne serait-ce que par curiosité, si vous ne possédez pas encore la carte d'extension requise.

Charger des sons

La commande Fichier/Ouvrir permet de charger des sonorités préalablement enregistrées.

Sans carte sonore, la plupart des fonctions ne présentent pas d'intérêt

Etant donné qu'aucun répertoire de travail n'aura généralement été attribué à l'enregistreur de sons par l'intermédiaire de la commande Fichier/Propriétés du gestionnaire de programmes, la commande Ouvrir recherche d'abord les fichiers dans le répertoire dans lequel l'enregistreur de sons est lui-même enregistré : le répertoire System de Windows pour Workgroups.

S'y trouvent dès l'installation de Windows pour Workgroups quatre fichiers de sons d'extension .WAV. Sélectionnez-en un, et chargez-le.

Dans la partie supérieure de sa fenêtre, juste sous la barre des menus, l'enregistreur de sons indique l'état actuel. Etant donné qu'aucun son n'est actuellement produit, vous voyez ici la mention "Arrêté".

Juste au-dessous de la barre d'état se trouve le contrôle de défilement de bande. Sur la gauche est indiquée la position de la bande magnétique imaginaire, exprimée en centièmes de seconde. Au milieu de la fenêtre se trouve une petite zone d'affichage indiquant la forme ondulatoire correspondant à cette position. A la droite de celle-ci est mentionnée la durée totale du bruitage digitalisé, elle aussi exprimée en centièmes de seconde. Au-dessous de ces trois zones se trouve une barre de défilement indiquant la position actuelle de la bande, et qui peut être utilisée pour se caler à une autre position.

Au bas de la fenêtre se trouvent les touches de commande rappelant celles d'un magnétophone de grande diffusion. Si vous ne possédez pas de carte sonore, toutes les touches sont désactivées, sauf celles de bobinage/rembobinage rapide.

Reproduire les sons

Le bouton de lecture lance la production du bruitage à partir de la position actuelle. Le bouton de stop arrête la reproduction. Vous constaterez que cet "appareil" n'est pas équipé d'une touche <Pause>.

Les touches de bobinage rapide permettent de se rendre au début ou à la fin d'un fichier de sons.

Digitaliser des sons

L'enregistreur de sons se comporte, pour ce qui concerne ses documents - les fichiers de sons -, de la même manière que le traitement de textes Write (ou toute autre application simple) : seul un document - dans ce cas un son - peut être traité à la fois.

Lorsque vous lancez l'enregistreur de sons, tout commence par un document vide. Le même effet pourra être obtenu avec la commande Fichier/Nouveau.

De la même façon que vous pouvez modifier ou écraser un texte, un fichier de sons pourra être développé ou réduit. C'est ce qui se produit lorsqu'un fichier de sons est chargé et qu'on démarre un enregistrement. L'ancien fichier de sons sera écrasé par la nouvelle sonorité si on était positionné au début de la "bande". Mais le nouveau son pourra aussi être enregistré à la suite de l'ancien si l'on a pris soin de se positionner à la fin de l'ancien son avant de lancer le nouvel enregistrement.

Il existe divers formats de sons qui, par exemple, se distinguent par la forme de compression des données. Si votre carte son ne supporte pas le format de l'un des fichier de sons existants, il ne sera pas possible de reproduire ou modifier ce fichier.

Allonger la durée d'un son :

Un son enregistré ne doit pas dépasser une durée de 60 secondes. La fusion de plusieurs sonorités permet toutefois de produire des sonorités plus longues, dont la durée ne sera plus limitée que par la mémoire de travail.

L'enregistrement sera lancé par le bouton de commande de l'enregistreur de sons matérialisé par un microphone. Dès que l'enregistrement aura démarré, vous pourrez parler dans le microphone de votre carte sonore, et arrêter l'enregistrement à tout moment par la touche Stop.

Lors de l'installation de la carte sonore, il est nécessaire de configurer le microphone utilisé conformément aux indications du constructeur. Les précisions à ce sujet se trouveront dans la brochure technique du constructeur fournie avec la carte sonore.

Fusionner des sons

Vous pouvez ajouter à la fin du fichier de sons courant un autre fichier, enregistré antérieurement. Activez à cet effet la commande Edition/Insérer un fichier. Dans la boîte de dialogue associée à cette commande, spécifiez le nom du fichier désiré. Vous pouvez procéder plusieurs fois de suite de cette manière.

Si vous voulez éviter que le son original soit modifié par le complément, n'activez pas la commande Fichier/Enregistrer, sinon le résultat de la fusion écraserait le fichier de sons initial. Utilisez plutôt la commande Enregistrer sous, et attribuez un nom spécifique au fichier résultant de la fusion.

Mixer des sons

Vous pouvez mixer un fichier de sons avec une autre sonorité. Les deux sonorités seront ensuite jouées simultanément. Ce résultat est obtenu par addition des formes ondulatoires des deux sons. Il en résulte une courbe ondulatoire unique correspondant au mixage des deux sons. Positionnez la bande à l'emplacement à partir duquel le mixage doit être réalisé, puis activez la commande Edition/Mixer avec un fichier. Le programme vous demande alors de spécifier le nom d'un fichier de sons à mixer avec le précédent.

Si le fichier à mixer est très court, seule cette courte portion de la sonorité originale sera mélangée avec le nouveau bruitage. Il est ainsi possible de créer certains effets spéciaux, par exemple en intégrant un hurlement, un bruit de tonnerre ou un piaillement d'oiseux dans une partition musicale. Il est judicieux d'ajuster l'intensité du fichier sonore mixé à celle du fichier de sons initial en fonction de l'effet recherché : la nouvelle sonorité doit-elle être dominante, ou apparaître simplement en toile de fond, ou encore être audible à égalité d'intensité ?

Pour tout ce qui touche aux effets sonores, il faut savoir que le nouveau bruitage ne pourra être produit qu'après sa sauvegarde. Avant cela, il est toujours possible de récupérer le son original à l'aide de la commande de même nom du menu

Fichier. C'est là le dernier son enregistré : cette commande pourra donc, le cas échéant, faire perdre de nombreuses phases de la modification.

Modifier l'intensité sonore

Ouvrez le fichier de sons que vous désirez modifier, et sélectionnez dans le menu Effets soit la commande Augmenter le volume (de 25%), soit la commande Réduire le volume. Les deux commandes sont équivalentes, mais en sens contraire, leurs effets se neutralisant mutuellement.

Pour que les effets de cette modification soient durables, il est nécessaire, ensuite, d'enregistrer le fichier.

Modifier la vitesse

La vitesse d'exécution des fichiers de sons peut être réduite de moitié, ou doublée. Les commandes Augmenter la vitesse (de 100%) et Réduire la vitesse sont prévues à cet effet.

Ces deux commandes sont, elles aussi, équivalentes en sens contraire, et leurs effets se neutralisent mutuellement.

Pour que les effets de cette modification soient durables, enregistrez ensuite le fichier résultant.

La modification de la vitesse de défilement se répercute sur la hauteur des sons. Plus les courbes ondulatoires défilent rapidement, plus le nombre des vibrations par seconde, c'est à dire la fréquence, sera élevé. On peut ainsi obtenir à partir d'une voix normale la voix d'un petit personnage de dessins animé (celle de Mickey, par exemple). Inversement, un ralentissement de la vitesse rendra une voix plus grave.

Ajouter de l'écho

L'effet d'écho est, lui aussi, obtenu par une opération mathématique sur la forme de l'ondulation, suite à l'activation de la commande Echo Effets/Ajouter de l'écho. Cette opération mathématique peut être répétée plusieurs fois de suite sur le même fichier, afin d'obtenir des effets multiples. L'écho ne sera toutefois intégré durablement au fichier qu'après sa sauvegarde.

Défilement à l'envers

A l'aide de la commande Effets/Inverser, il est possible de faire défiler un fichier de sons en sens inverse. Une seconde activation de cette commande réinverse la sonorité, lui rendant son aspect original.

On reproche (à tort ou à raison...) à certains chanteurs de rock d'intégrer à leurs textes des bruitages sous-jacents dont le sens n'apparaît à l'audition que lorsqu'on joue leur musique à l'envers. Toujours est-il que la voix humaine écoutée à l'envers est un moyen simple permettant d'intégrer des effets spéciaux surprenants dans les créations sonores personnalisées, car bien que la modulation de la voix humaine soit parfaitement perceptible, il n'en demeure pas moins que le sens en est absent, d'où une certaine déconcertation de l'auditeur.

13.4.2. Editer des sons

La "bande magnétique" représentant un son peut être "coupée", comme sur une table de montage, afin d'en retirer certaines parties. Deux fonctions sont à votre disposition pour cela : l'effacement avant la position actuelle, et celui après la position actuelle sur la bande.

Activez à cet effet l'une des commandes Effacer avant la position actuelle ou Effacer après la position actuelle dans le menu Edition.

La commande Edition/Copier permet de placer une copie du fichier de sons dans le presse-papiers, et de l'intégrer dans d'autres applications. Etant donné qu'il n'existe aucune commande Coller dans l'enregistreur de sons, qui permettrait de recopier le contenu du presse-papiers dans un fichier de sons, le presse-papiers ne peut pas servir dans le cadre de l'édition de sonorités.

13.4.3. La diffusion des médias

Le programme Diffuseur de médias, qui se trouve dans le groupe des accessoires du gestionnaire de programmes, permet d'accéder à des périphériques du domaine multimédia.

Le diffuseur de médias ne démarre même pas, en l'absence d'une carte son

Il 'agit d'abord de choisir le périphérique sur lequel la diffusion doit avoir lieu. Il pourra par exemple s'agir d'une unité CD-ROM, sur laquelle on peut aussi "écouter" des CD audio courants. Mais il peut aussi s'agir d'un disque vidéo ou d'un synthétiseur MIDI.

Tous les appareils que vous désirez utiliser pour la diffusion doivent préalablement être déclarés auprès du système, en principe par l'intermédiaire du panneau de configuration.

Windows pour Workgroups distingue deux types de périphériques : les simples et les complexes. Aux appareils simples, il est juste demandé, à l'aide d'une commande, d'envoyer des données vers l'ordinateur. Les lecteurs CD-ROM ou vidéo appartiennent à cette catégorie. Pour les périphériques complexes, une commande ne suffit pas pour diffuser des données existantes : il leur faut un fichier contenant des données qui, dans un premier temps, génèreront dans l'appareil l'effet désiré. Dans cette catégorie se trouvent, par exemple, les cartes son et les séquenceurs MIDI.

Lorsque vous ouvrez un périphérique au moyen du diffuseur de médias, une boîte de dialogue apparaît pour les appareils complexes, dans laquelle il faut spécifier le fichier approprié.

Diffusion

La diffusion sera gérée avec les boutons de commandes comparables à ceux d'un lecteur de CD ou d'un magnétoscope. La diffusion peut être suivie grâce à deux graduations : l'une pour la durée, et l'autre par plage.

Choisissez l'échelle qui vous convient avec l'une des commandes Temps ou Plages du menu Echelle. L'échelle qui convient le mieux devra être choisie en fonction de l'appareil utilisé et de sa technique de diffusion.

13.5. Perspectives du multimédia

Les programmes de multimédia dont nous avons parlé jusqu'à présent sont fournis gratuitement avec Windows pour Workgroups, et leur utilisation n'est liée qu'à l'acquisition d'une carte son. Mais ils ne permettent que d'aborder très timidement les possibilités du domaine multimédia, car l'exploitation totale de ce concept nécessite des extensions bien plus performantes.

Les images vidéo mobiles permettent par exemple de réaliser des encyclopédies ou des dictionnaires fournissant des illustrations ou des reportages filmés pour un sujet donné à la suite d'un simple clic de souris. Vous pouvez, de même, faire un montage avec vos propres enregistrements vidéo, et vous en servir partiellement dans une démonstration.

Le Toolbook 1.5 de chez Asymetrix permet de réaliser en peu de temps vos propres applications multimédia, selon le principe du jeu de LEGO. Le langage de programmation "OpenScript" qu'il faut utiliser à cet effet propose plus de 200 commandes compréhensibles par le programmeur amateur, même non passionné, et permet de créer vos propres applications. Etant donné que Toolbook met à votre disposition de nombreuses composantes et éléments de commande multimédia sous forme d'objets, la programmation est sensiblement plus simple qu'avec les habituels compilateurs C. Il suffit en effet de combiner les diverses pièces du "jeu" en fonction de vos objectifs, sans qu'il soit nécessaire au préalable de "construire" chacune d'entre elles.

Dans l'univers multimédia, ce sont les immenses masses de données qui constituent le plus gros problème : dans le domaine audio, les fichiers se mesurent déjà en mégaoctets ! Quant aux applications vidéo, les fichiers utilisés sont encore plus énorme. L'une des solutions à ce problème est apportée par des algorithmes de compression modernes qui, par exemple, ne définissent pas point par point un ensemble de points de même couleur dans une image vidéo, mais définissent une surface.

Certaines cartes "digèrent" des ensembles de données équivalant à 25 à 30 pages par seconde, et sont donc capable de comprimer directement et sans perte de temps tous les signaux vidéo entrants. Les données sont au minimum comprimées dans un rapport de 12 à 1. Lorsque la structure d'une image est idéale, le taux de compression peut même atteindre 80:1, un fichier de 1 Mo n'occupant plus que 12,5 Ko à l'issue de la compression.

Chapitre

14

Les
polices

Dans le cadre de l'étude du programme de dessin "PaintBrush", nous avons mis en évidence la différence entre les graphismes vectoriels et les graphismes en mode point : alors que les graphismes en mode point se composent simplement d'un ensemble de points représentant une image avec une taille et une résolution déterminée, les graphismes vectoriels décrivent un dessin au moyen de formules mathématiques. Ces derniers ne contiennent donc que l'"idée générale" du graphisme. Cette "idée" peut ensuite être convertie en graphisme à points pour toute résolution et toute taille, sans que l'image perde en qualité ou "prenne du grain".

Les polices se comportent en fait de la même manière : chaque caractère d'une police est un petit graphisme. Dans les anciennes versions de Windows pour Workgroups seuls étaient à votre disposition en guise de polices des jeux de caractères définis en mode point pour des tailles et des résolutions déterminées. Dès qu'il s'agissait de représenter ces polices dans une autre taille sur l'imprimante, il n'était possible que de "gonfler" les ensembles de points des divers caractères en agrandissant leurs points. Cette technique ne permettait pas d'exploiter la résolution de l'imprimante, et le résultat de l'impression n'offrait pas, et de loin, la meilleure qualité possible. Seules les polices pour tables traçantes (plotter) de Windows pour Workgroups utilisaient la technique vectorielle, mais présentaient en contre-partie d'autres inconvénients : elles étaient prévues pour des tables traçantes, et ne permettaient pas de remplir des surfaces, ou alors très incomplètement. Les polices pour tables traçantes ne possèdent d'autre part pas de commandes pour des courbes de Bézier, les segments curvilignes devant donc être réalisés par juxtaposition de segments de droite.

14.1. TrueType

Depuis le début des années quatre-vingt, il existe un autre concept de polices, développé par la firme Adobe. Il définit les polices comme étant des contours mathématiques qui ne seront convertis en graphismes en mode point que lorsque la résolution et la taille ont été définis. A cet effet, il faut, en plus des fichiers de polices, un programme qui se charge de convertir le "projet de police" en des ensembles de points susceptibles d'être imprimés. Un tel programme est appelé "interpréteur" et, dans le cas de la firme Adobe, il s'agit d'un interpréteur PostScript, qui assure la conversion des commandes des jeux de caractères PostScript.

Etant donné qu'au début, Adobe tirait au maximum profit de son monopole, et gardait jalousement le secret de fabrication de ses polices, d'autres concepteurs de logiciels se sont penchés sur ce sujet. Les programmes graphiques tels que "Arts & Letters" ou "Corel Draw" proposent des polices semblables aux polices PostScript, mais exclusivement disponibles dans un format spécifique au produit. Pour l'utilisateur, cela ne représente aucun progrès.

De même que les jeux de caractères PostScript, les polices TrueType contiennent, en plus de la définition proprement dite des caractères, des tableaux regroupant des informations concernant la largeur des divers caractères, ce qui permet de représenter des polices proportionnelles, dans lesquelles les caractères n'ont pas nécessairement tous la même largeur. Elles contiennent d'autre part, à la manière des polices PostScript, des "Hints" - petits algorithmes intelligents - grâce auxquels les caractères d'une police peuvent être reproduits sur des imprimantes de faible résolution, ou dans une qualité acceptable lorsque le corps des caractères doit être très petit. En effet, si les caractères ne peuvent être représentés que par un petit nombre de points, certaines lignes fines risque de ne pas apparaître à l'impression. Les "Hints" se chargent dans ce cas d'épaissir ces lignes, en disproportionnant les caractères concernés par rapport à leur forme normale.

La différence essentielle entre les polices TrueType et les anciennes polices de Windows pour Workgroups réside dans la faculté de mise à l'échelle des premières : grâce à leur définition mathématique, les caractères TrueType peuvent être représentés dans n'importe quelle taille avec la meilleure qualité possible. Les caractères à "franges" ou "en escalier" sont relégués au passé. De même que les polices PostScript, les polices TrueType ont besoin d'un programme particulier pour être visualisés sous forme de caractères. Cet interpréteur est implanté dans la nouvelle version de Windows pour Workgroups et permet non seulement de reproduire les polices TrueType sur n'importe quelle imprimante graphique, mais aussi d'afficher ces polices en taille correcte à l'écran. On se dispense, de cette manière, d'un nombre important de polices d'affichage qui, jusque là étaient nécessaire pour visualiser les corps de caractères les plus usités. C'est là un grand pas en direction du WYSIWYG (What You See Is What You Get).

Etant donné que les polices TrueType sont maintenant une composante de l'environnement utilisateur, elles sont accessibles à tous les programmes fonctionnant sous Windows pour Workgroups. Il est à souhaiter qu'à l'avenir les programmes ne soient plus agrémentés de polices spécifiques, mais qu'ils travaillent avec celles du système, afin d'uniformiser les modes d'emploi.

TrueType et PostScript

Contrairement aux polices PostScript, TrueType n'utilise pas de courbes de Bézier pour représenter les segments curvilignes des caractères, mais des splines. TrueType n'est d'autre part destiné qu'à représenter des caractères d'écriture, alors que PostScript est un langage général de description de pages qui, en plus de l'écriture, traite également des graphismes vectoriels et des images en mode point.

De même qu'en PostScript, les polices TrueType disposent de plus de 256 possibilités de caractères, cette limite étant celle des jeux de caractères habituels. TrueType propose 332 caractères, parmi lesquels les particularités internationales, comme par exemple la représentations des monnaies étrangères. Les polices PostScript du niveau 2 (Level II) ne sont même plus limitées en nombre de caractères et peuvent être développées à volonté grâce à une technique spéciale, particularité intéressante surtout pour les innombrables idéogrammes des écritures asiatiques.

14.2. Sources de polices

Lorsque dans un programme Windows pour Workgroups vous désirez sélectionner des polices, vous disposez de trois sources :

- les anciennes polices de Windows pour Workgroups

- les polices TrueType

- les polices internes de l'imprimante

Alors que les deux premières sources de polices appartiennent à l'environnement, la troisième dépend du type d'imprimante utilisé. Les imprimantes mettent à votre disposition un nombre plus ou moins important de polices qui y sont physiquement implantées.

Anciennes polices de Windows pour Workgroups

Si vous utilisez les anciennes polices de Windows pour Workgroups, c'est à dire celles qui, dans les listes déroulantes des polices, ne sont marquées par aucun repère, il ne faut pas perdre de vue les inconvénients dont nous avons parlé plus haut : l'affichage des polices ne sera probablement pas optimal, et le nombre des corps de caractères à votre disposition est limité. C'est la raison pour laquelle il vaut mieux se passer, à l'avenir, des polices de cette catégorie.

TrueType

Si vous utilisez les polices TrueType, vous entrez dans l'univers des jeux de caractères pouvant être agrandis et réduits à volonté, et dont même la visualisation à l'écran est d'une qualité proche de la perfection. Si votre imprimante supporte le TrueType, c'est qu'elle intègre son propre interpréteur TrueType. Dans ce cas, Windows pour Workgroups se contente d'expédier les commandes

TrueType à l'imprimante qui se chargera de tout ce qui concerne la mise en forme de la page à imprimer. Cette technique est extrêmement rapide, mais n'est le plus souvent pas utilisable : les imprimantes TrueType présentes sur le marché sont encore extrêmement rares ! Si vous possédez une imprimante graphique (c'est le cas de toutes les imprimante matricielles ou à jet d'encre, et bien entendu des imprimantes à laser) c'est Windows pour Workgroups qui se charge de convertir les polices TrueType en graphismes à points, en tenant automatiquement compte de la résolution de l'imprimante afin de produire le meilleur résultat possible. Si vous utilisez une imprimante PostScript, soyez sans crainte : vous pourrez continuer à vous en servir, car Windows pour Workgroups convertit les commandes TrueType en PostScript et envoie ces dernières à l'imprimante qui les interprétera. Dans la boîte de dialogue des polices, les polices TrueType sont repérées par le symbole "T".

Polices internes de l'imprimante

Lors de l'installation de votre imprimante, vous avez utilisé un gestionnaire déterminé, connaissant les caractéristiques de ce périphérique. Dans ce gestionnaire sont également recensées toutes les polices internes à l'imprimante qu'il est possible d'utiliser.

Windows pour Workgroups supporte les polices internes de l'imprimante, et les présente d'ailleurs dans la liste des polices. Elles sont repérées par une icône représentant une imprimante. Bien que Windows pour Workgroups connaisse les polices internes de l'imprimante et leurs dimensions, ce qui permet de créer dans des traitements de textes des documents exclusivement structurés à l'aide de polices internes de l'imprimante, il ne dispose pas de la véritable définition de ces polices. C'est la raison pour laquelle les polices internes de l'imprimante ne sont généralement pas représentées à l'écran dans la forme qu'elles auraient à l'impression. En fait, Windows pour Workgroups utilise, pour l'affichage à l'écran, une police de substitution.

Si vous travaillez avec une imprimante matricielle, l'utilisation des polices internes de l'imprimante peut être un bon choix. En effet, alors que les polices TrueType doivent nécessairement être imprimées comme graphismes, ce qui génère des masses de données assez volumineuses et peut engendrer un processus d'impression assez long, les polices internes de l'imprimante sont directement à votre disposition. Grâce à elles, l'on peut exploiter la vitesse d'impression maximale de la machine.

14.3. Ajouter des polices TrueType

Depuis leur introduction dans Windows 3.1, les polices TrueType n'ont cessé de gagner en popularité. En plus de polices distribuées dans le commerce, il existe maintenant de nombreuses polices au format TrueType sous forme de shareware, et même dans le domaine public, grâce auxquelles vous pourrez développer le jeu des polices de votre système. Mais il ne suffit pas de copier les nouvelles polices TrueType dans le répertoire de Windows pour Workgroups, car lorsque vous ouvrez le menu des polices, Windows pour Workgroups n'analyse pas le contenu de ce répertoire afin d'y découvrir d'éventuelles polices nouvelles : il se fie à ses listes système, dans lesquelles tous les jeux de caractères connus sont recensés.

Il est donc nécessaire de déclarer les nouvelles polices auprès du système avant de pouvoir les employer. Vous utiliserez à cet effet la fonction Polices du panneau de configuration.

14.3.1. Convertir des polices

Comme nous l'avons déjà dit, il existe de nombreuses analogies entre les informations des polices TrueType et PostScript. Il existe aussi d'autres formats de polices possédant toutes les informations nécessaires, mais qui sont organisées d'une manière différente de TrueType.

Polices détectées par le convertisseur

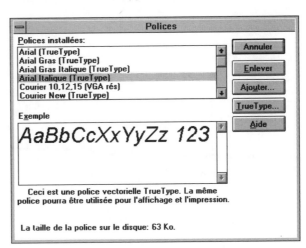

Si vous voulez exploiter les avantages de la représentation TrueType sous Windows pour Workgroups, et que vous disposez de bibliothèques de polices en d'autres formats, il serait avantageux de les convertir au format TrueType. Cette tâche est prise en charge par des utilitaires de conversion.

La plupart des programmes de conversion permettent de charger les polices afin de les analyser de manière approfondie. Bien que la conversion d'un format en l'autre ne pose le plus souvent aucun problème, l'utilisateur aura toutefois la possibilité de modifier certaines affectations de caractères, ou d'autres paramètres du même genre, en fonction de ses besoins et goûts personnels.

La reproduction des nouvelles polices TrueType fonctionne, aussi bien à l'écran que sur l'imprimante, dans la même qualité que pour les police implantées d'origine dans le système.

Chapitre

15

Mémoire
et
optimisation

Les premiers PC pouvaient être équipés d'un maximum de 640 Ko de mémoire vive (RAM), ce qui au début des années quatre-vingt paraissait énorme. Les exigences et possibilités techniques ont, depuis, considérablement évolué, et personne ne s'étonne de nos jours de l'espace disque dont Windows pour Workgroups a besoin rien que pour démarrer.

Il existe deux formes d'extension de mémoire : la mémoire paginée (Expanded Memory) et la mémoire étendue (Extended Memory). La mémoire paginée fut le premier de ces concepts à avoir été développé, afin de permettre au DOS (c'est à dire compte tenu des limites du processeur 8086) d'utiliser davantage de mémoire. La gestion de cette extension de mémoire est assurée par un pilote qui maintient en arrière-plan un gros bloc de mémoire, et tient en permanence "à portée de main" une "page de mémoire" de 64 Ko qu'il peut injecter dans une plage vide de la mémoire du DOS. Dès que cette page est pleine, le pilote la remplace par une autre provenant de son répertoire de mémoire. Par la même occasion, il contrôle le processeur de l'ordinateur et se rend compte de tout appel du processeur à des données stockées dans l'une de ses pages de mémoire. Dans ce cas, il réinjecte cette page dans la mémoire DOS, en temps voulu.

Le concept de mémoire étendue est plus récent. Il est basé sur les capacités des processeurs plus modernes, et son principe de fonctionnement est plus simple. Les processeurs récents disposent de plus de canaux d'adressage que les anciens 8086, et peuvent par conséquent adresser plus de segments de la mémoire. C'est pourquoi la mémoire étendue est tout simplement comptée linéairement au-delà du mégaoctet. La décomposition d'un bloc de mémoire en petites portions, les fonctions de gestion de ces portions, ainsi que toutes les acrobaties du même genre ne sont plus nécessaires.

En fait, on pourrait reléguer aux oubliettes la mémoire paginée, née des exigences du mode réel, et se concentrer totalement sur la mémoire étendue. Mais certains anciens programmes sont conçus pour fonctionner avec la mémoire paginée, et uniquement celle-ci.

Si vous travaillez dans le mode 386 étendu, Windows pour Workgroups reconnaît automatiquement si un programme réclame de la mémoire paginée ou de la mémoire étendue, et est capable de transformer, le cas échéant, une partie de la mémoire étendue en mémoire paginée pour permettre à ce programme de fonctionner. Si par contre vous travaillez avec un ordinateur de type AT, il vous faudra vous-même vous charger de la mémoire paginée si un programme en réclame. Il existe à cet effet des cartes d'extension dans le commerce.

15.1.   Etendre la mémoire

Windows pour Workgroups est un programme extrêmement gourmand en mémoire, et l'extension de votre mémoire principale du minimum de 1 Moctet à quatre, voire huit Moctets vous assurera une amélioration appréciable en rapidité. Une extension supplémentaire n'est toutefois pas nécessaire, car Windows pour Workgroups n'est pas conçu pour des mémoires de travail aussi importantes, et n'est donc pas capable de les exploiter.

La nature de l'extension de mémoire dépend des "bancs" de mémoire qui sont encore disponibles sur la carte mère de votre ordinateur, ou si l'extension de mémoire nécessite l'adduction d'une carte supplémentaire, ou encore si vous pouvez remplacer les chips de 256 KBit de vos "bancs" de mémoire remplies à ras bord par des chips de 1 MBit.

Approfondir ce sujet nous mènerait bien trop loin : les situations diffèrent d'un type d'ordinateur à l'autre, et ne dépendent pas seulement des circuits intégrés de mémoire, mais aussi de la façon dont l'extension de mémoire doit être déclarée dans votre système si l'ordinateur ne la reconnaît pas automatiquement.

Si vous avez quelques notions de la conception physique de votre ordinateur, vous avez intérêt à vous procurer un livre traitant de ce sujet. Les circuits intégrés nécessaires pour la mémoire, ainsi que la procédure à suivre devraient pouvoir être déterminés de cette manière. Vous pourrez alors utiliser des chips industriels de mémoire, dont le prix est sensiblement moins élevé que celui de la plupart des extensions de mémoire que pourrait vous proposer votre revendeur habituel.

Si vous ne vous sentez pas capable de mener à bien une telle intervention, le passage par un spécialiste est incontournable. Surtout que ce "bricolage" n'est pas exempt de risques : montage de circuits mémoire trop lents ou pli de broches d'un circuit intégré, sans compter les faux contacts sont autant de causes d'erreurs qui peuvent coûter cher en temps de recherche et en matériel.

15.2.   Utiliser une partie du disque dur comme mémoire virtuelle

Le mode 386 étendu offre une possibilité de mieux exploiter la mémoire vive (RAM) disponible. Dans un premier temps sont attribuées aux programmes des zones libres de la mémoire vive, qui est celle qui bénéficie du temps d'accès le plus court. Lorsque cette mémoire est entièrement remplie, le gestionnaire de mémoire passe en mode de "Demand Paging". A cet effet, la mémoire vive est décomposée en une multitude de blocs de quatre Koctets. Les demandes de mémoire seront dès cet instant satisfaites de la manière suivante : les pages de mémoire auxquelles aucun accès n'a été réclamé pendant un maximum de temps sont stockées temporairement sur le disque dur, libérant l'espace de mémoire vive nécessaire pour satisfaire les demandes instantanées en mémoire.

Dès que le système tente ensuite d'accéder à une adresse de mémoire passée sur le disque, le processeur génère une "Page Fault" à la suite de laquelle le gestionnaire de mémoire sera enclin à remplacer un segment enregistré sur disque par un autre, en le replaçant en mémoire vive. Le disque dur n'est donc qu'un lieu de stockage temporaire pour des segments de mémoire inutilisés à un instant donné, et n'est en aucun cas adressable directement par le processeur.

Windows pour Workgroups peut procéder de deux façons pour placer des fichiers temporaires sur le disque dur. Il tente dans un premier temps de créer un fichier temporaire permanent. Dans ce but, il recherche sur le disque dur une zone monobloc de taille appropriée. S'il la trouve, Windows pour Workgroups se réserve cette surface et y stockera par la suite les fichiers temporaires sans aucun contrôle supplémentaire. Ce procédé fait gagner beaucoup de temps mais est dangereux dès lors qu'on "fait le ménage" sur le disque dur à l'aide d'utilitaires qui risquent de placer des données dans la zone réservée par Windows pour Workgroups, le système perdant par la même occasion des informations temporaires qui lui étaient indispensables.

Si Windows pour Workgroups ne parvient pas à localiser sur le disque une zone monobloc de la taille requise, il travaillera avec des fichiers temporaires multiples, Ces fichiers temporaires sont de simples fichiers DOS. Le stockage nécessite alors sensiblement plus de temps. Dès que vous quittez Windows pour Workgroups, l'espace mémoire occupé par les fichiers temporaires sur le disque dur sera à nouveau disponible.

15.3. Configurer au mieux MS-DOS

En fait, MS-DOS et Windows pour Workgroups sont concurrents, car tous deux sont des environnements système. Si ces deux systèmes étaient équivalents, on pourrait évidemment les exploiter indépendamment l'un de l'autre en évitant de nombreuses difficultés : lorsqu'on aurait besoin du DOS, on lancerait MS-DOS, et lorsqu'on aurait besoin de Windows pour Workgroups, on activerait Windows pour Workgroups.

Malheureusement, Windows pour Workgroups n'est pas (encore) autonome et s'appuie sur le DOS. C'est donc toujours DOS qui est lancé en premier lieu, avec ses gestionnaires et ses paramètres de configuration, Windows pour Workgroups n'étant activé qu'ensuite.

Lorsque Windows pour Workgroups prend le flambeau, il n'a donc plus accès au véritable système, mais se trouve en présence de modifications et de pilotes déjà chargés, ces préparatifs ayant été assurés par le DOS. Ce mode de préparation étant acquis, on peut donc se fixer comme objectif d'optimiser Windows pour Workgroups en fonction de l'ordinateur. La question est de savoir si DOS a bien préparé votre système de façon optimale pour Windows pour Workgroups, ou si DOS a "égoïstement" réalisé la configuration du système en se réservant une grande partie des ressources du système, retirant par la même occasion des moyens à Windows pour Workgroups.

15.3.1.   CONFIG.SYS

Dans votre fichier CONFIG.SYS, qui pour DOS est l'équivalent des fichiers INI de Windows pour Workgroups, vous trouvez deux entrées particulièrement importantes :

```
FILES=
BUFFERS=
```

Etant donné que DOS n'est pas prévu pour un fonctionnement multitâches, il semblait illusoire dans le passé de maintenir ouverts plus de huit fichiers simultanément. De nos jours, ce nombre ne suffit plus, et il est nécessaire de l'adapter aux besoins de Windows pour Workgroups à l'aide de la commande FILES. Chaque option sur un fichier ouvert ne "coûte" que 48 octets de mémoire, ce qui rend inutile toute avarice à ce niveau. Pour Windows pour Workgroups, la spécification suivante a fait ses preuves :

```
FILES=40
```

La commande BUFFERS permet de mettre en place des tampons pour la transmission des données vers le disque dur. Ces tampons garantissent un accroissement de la vitesse de transmission des données, mais chacun d'eux "consomme" malgré tout 512 octets. Windows pour Workgroups est un programme qui adresse de fortes exigences au disque dur, sur lequel il stocke régulièrement des parties de programmes, la vitesse globale dépendant par conséquent en grande partie des performances du disque dur utilisé. En principe, il serait donc préférable pour Windows pour Workgroups de choisir un nombre élevé de tampons. Mais étant donné que Windows pour Workgroups possède son propre système d'antémémoire de disque dur appelé "SMARTDRIVE", sensiblement plus efficace que les tampons du DOS, il vaut mieux réduire le nombre de ces tampons :

```
BUFFERS=10
```

15.3.2. Antémémoire de disque dur

L'antémémoire de disque dur est en principe automatiquement installée dans votre système par Windows pour Workgroups. Ce programme est optimisé pour une collaboration avec Windows pour Workgroups. C'est ainsi que Windows pour Workgroups peut, par exemple, récupérer la mémoire réclamée par Smartdrive dès qu'il détecte une insuffisance de mémoire pour ses propres besoins, mais cela se répercute évidemment sur la mémorisation temporaire sur disque.

Smartdrive sera en principe activé dans le cadre du fichier AUTOEXEC.BAT dans lequel doit se trouver une ligne du genre :

```
C:\WINDOWS\SMARTDRV.EXE
```

Cet appel pourra être suivi d'un paramètre. Ainsi, le point d'interrogation utilisé comme paramètre complémentaire vous permet d'obtenir une liste de toutes les options possibles :

```
C:\WINDOWS\SMARTDRV.EXE /?
```

Installe et configure le programme d'antémémoire SMARTDRV.

```
SMARTdrv [[/E:Tailleélément] [/B:Tailletampon] [Lecteur [+]|[-]]
         [TailleInitCache] [TailleWinCache]]...
```

Lecteur	Lettre du lecteur sur lequel il faut utiliser le cache.
+	Active l'écriture en différé par le cache pour ce lecteur.
-	active tous les caches pour ledit lecteur.
TailleInitCache	Taille mémoire XMS (en KiloOctets) utilisé par le cache.
TailleWinCache	Taille mémoire XMS utilisé pendant l'utilisation de Windows pour Workgroups.
/E:Tailleélément	Spécifie la taille des éléments cache (en octets).
/B:TailleTampon	Taille du buffer de lecture s'il est plus grand que la taille de l'élément.
/C	Engage tous les blocs non impliqués.
/R	Remise à zéro du cache.
/L	Désactive le chargement automatique dans la UMB.
/Q	Evite l'affichage des informations à l'écran.
/S	Affiche des informations supplémentaires.

Smartdrv également comme antémémoire d'écriture :

Avec l'option /C, Smartdrive peut aussi être utilisé comme antémémoire d'écriture, ce qui permet encore de gagner du temps. L'antémémoire d'écriture signifie toutefois aussi que les données ne seront pas écrites immédiatement sur le disque dur, mais resteront d'abord dans le tampon pendant un certain temps. Les conséquences pourraient être dramatiques en cas de plantage de l'ordinateur alors que le tampon est plein de données : celles-ci seraient bien mémorisées, à cet instant, mais pas encore transcrites sur le dispositif "anti-crises" qu'est le disque dur.

Une activation typique de Smartdrive pourrait par exemple être :

```
SMARTDRV.EXE 1024 512
```

Cette instruction installe un cache lecture de 1 Moctet qui pourra être réduit par Windows pour Workgroups jusqu'à un demi Moctet au cas où la mémoire deviendrait insuffisante.

L'antémémoire de disque dur ne devrait pas être utilisée sur les ordinateurs répondant juste à la configuration minimale (AT avec 1 Moctet de RAM). En effet, la limite de l'insuffisance en mémoire étant dans ce cas atteinte en permanence, ce programme ne pourrait jamais travailler correctement, sans compter que lui-même consomme de la mémoire. Dans ce cas, vous devriez rétablir le nombre normal de tampons pour le DOS :

```
BUFFERS=20
```

15.3.3.   Installer un disque virtuel (RAM-Disk)

Un disque virtuel se comporte comme n'importe quelle unité de disque, sauf que le médium de stockage des données est en silice. Les avantages d'un disque virtuel résident surtout dans des temps d'accès extrêmement courts par rapport aux unités disques mécaniques. Mais cet avantage est acquis au détriment d'un inconvénient majeur : le contenu du disque virtuel est détruit par toute mise hors tension de l'ordinateur ou lors d'un plantage du système, sans compter que le médium de stockage, la mémoire vive, est de toute façon d'une capacité plutôt limitée.

Un disque virtuel peut être déclaré par la ligne suivante dans le fichier CONFIG.SYS. Il n'entre toutefois en fonction qu'après une réinitialisation de l'ordinateur :

```
DEVICE=RAMDRIVE.SYS
```

Cette instruction installe un disque virtuel de 64 Koctets. Quelques options sont toutefois possibles :

```
DEVICE=RAMDRIVE.SYS Capacité Taille_secteur Entrées
```

La capacité devra être indiquée en Koctets, et peut être comprise entre 16 et 4096 Koctets. Si la capacité n'est pas spécifiée, le disque virtuel aura le volume implicite de 64 Koctets.

La taille des secteurs définit l'unité d'organisation sur le disque virtuel. Les valeurs possibles sont de 128, 256, 512 et 1024 octets. La valeur nominale est de 512 octets. Les fichiers stockés sur le disque virtuel occupent toujours un nombre entier de secteurs, et leurs tailles sont donc des multiples de celle d'un secteur. Ainsi, sur un disque virtuel dont chaque secteur mesure 1024 octets, un fichier de 20 octets réclamera entièrement ce kilooctet. Mais d'autre part, des fichiers d'une si petite taille sont extrêmement rares, et plus la taille des secteurs est réduite, plus leur gestion prend du temps.

Le paramètre Entrées définit le nombre des fichiers pouvant être enregistrés sur le disque virtuel. Les répertoires entrent eux aussi dans ce cadre, car en fait il s'agit avant tout de connaître le volume de l'espace mémoire à réserver pour l'organisation du disque virtuel. Les valeurs possibles sont toutes celles comprises entre 2 et 1024. Par défaut, cette valeur est fixée à 64 entrées. L'option /E fait en sorte que le disque virtuel prenne sa mémoire dans la mémoire étendue (XMS), ménageant ainsi la mémoire principale, très limitée . Dans ce but il faut déclarer dans le système le gestionnaire de mémoire HIMEM.SYS.

L'option /A se comporte comme /E, mais installe le disque virtuel en mémoire paginée (EMS). En principe, Windows pour Workgroups travaille avec la mémoire étendue, et cette option ne devra donc être utilisée que si votre matériel est équipé d'une extension de mémoire consistant exclusivement en mémoire paginée.

Spécifiez toujours l'une des deux options, sinon le disque virtuel s'attaquera à la précieuse mémoire principale qui, elle, est toujours jugée insuffisante. Dans ce cas, vous n'optimiseriez pas votre système, mais ne feriez qu'aggraver ses handicaps.

Exemple :

```
DEVICE=RAMDRIVE 4096 1024 100 /E
```

Crée un disque virtuel de 4 Moctets divisé en secteurs de 1024 octets, et supportant un maximum de 100 entrées. La mémoire provient, quant à elle, de la mémoire étendue.

Sur un ordinateur dont la mémoire est limitée à 1 Moctet, vous devriez vous passer du disque virtuel, la faible mémoire disponible étant suffisamment mise à contribution sans cet outil.

15.3.4. Fichiers d'échange et mémoire virtuelle

Lorsqu'à un instant donné, Windows pour Workgroups n'a pas besoin de certaines parties de programmes, il les stocke sur le disque dur dans des "fichiers d'échange" (swap files). Le système dispose alors de plus de mémoire que sa véritable mémoire vive n'en contient.

Windows pour Workgroups utilise à cet effet deux concepts différents : l'un consiste à créer des fichiers temporaires semblables à des fichiers DOS normaux. Ce procédé est le seul possible dans le mode standard. Dans l'autre concept, Windows pour Workgroups se réserve sur le disque dur un bloc continu, et y dépose les données sans aucun contrôle supplémentaire. C'est là la solution retenue en mode étendu, et sensiblement plus rapide. Il faut évidemment, pour que cette méthode soit applicable, que sur votre disque dur se trouve bien une plage monobloc disponible suffisamment grande. Le cas échéant, il faudra d'abord réorganiser le disque dur à l'aide d'un programme de défragmentation qui se chargera de dégager un espace mémoire monobloc approprié.

Vous définirez les paramètres pour les fichiers temporaires à l'aide de la fonction "386 étendu" du panneau de configuration. Activez le bouton Mémoire virtuelle, puis le bouton de commande Changement afin de redéfinir la mémoire virtuelle. Dans le mode standard, vous ne pouvez rien définir directement, puisque sont utilisés des fichiers temporaires de type DOS.

Si vous travaillez en mode étendu, mais qu'il ne reste plus assez de place sur le disque dur, ou si vous travaillez en mode standard, vous pouvez intervenir sur l'endroit vers lequel Windows pour Workgroups doit copier les fichiers de délestage. La variable d'environnement TEMP est prévue à cet effet, et peut être définie dans le fichier AUTOEXEC.BAT. En principe, Windows pour Workgroups utilise son propre répertoire pour enregistrer les fichiers temporaires.

Utiliser un disque virtuel :

Vous pouvez rendre plus rapide le délestage, et par conséquent le système, en définissant pour la variable TEMP un répertoire de votre disque dur le plus rapide. Si vous travaillez dans un réseau, il vaut mieux enregistrer les fichiers temporaires sur le disque du poste local. L'utilisation d'un disque virtuel ne se justifie que dans des cas exceptionnels : étant donné que le délestage est justement rendu nécessaire par une insuffisance de mémoire vive, le processus de délestage de la mémoire devrait être rendu inutile par la suppression du disque virtuel (voir plus haut). Un disque virtuel ne présente un véritable intérêt que si votre ordinateur dispose d'une mémoire vive d'une ampleur telle qu'il n'est pas possible de l'utiliser entièrement pour Windows pour Workgroups, c'est à dire si la mémoire totale de votre système est supérieure à 4 Moctets.

Une autre possibilité pour améliorer les performances du système consiste à éviter au maximum le délestage, celui-ci n'étant nécessaire que si la mémoire parvient à saturation. Mais lorsqu'on travaille simultanément avec plusieurs programmes, ce seuil de saturation est rapidement atteint. Pour éviter la création de fichiers temporaires, une seule solution : vous limiter à l'essentiel...

Chapitre

16

Les fichiers .INI

Windows pour Workgroups enregistre tous les paramètres importants du système dans des fichiers d'extension .INI. Ces fichiers sont déterminants pour un fonctionnement correct de Windows pour Workgroups, et sont lus à chaque démarrage du système. En cas d'effacement ou de modification incontrôlée d'un fichier .INI, le système risque de ne pas démarrer lors de sa prochaine activation. C'est la raison pour laquelle il convient de ne modifier les fichiers .INI que si l'objectif de la modification est bien clair pour l'utilisateur. Toujours est-il qu'avant de se lancer dans une modification, il est indispensable d'effectuer une copie de sécurité du fichier .INI concerné, afin qu'en cas d'erreur, le fichier .INI manipulé puisse être remplacé par sa copie de sécurité qui permettra au système de fonctionner à nouveau. Passez à cet effet dans le répertoire de Windows pour Workgroups, et effectuez les copies à l'aide de la commande COPY du DOS :

```
cd C:\WINDOWS (à remplacer par l'éventuel autre nom du répertoire
de Windows pour Workgroups)
COPY *.INI *.BAK
```

Les fichiers .INI sont, par exemple, le reflet des paramètres qui avaient été définis par l'intermédiaire du panneau de configuration, mais disposent d'autres éléments de réglage, auxquels il n'y a pas moyen d'accéder avec les commandes de souris. Il est d'autre part possible de procéder à des modifications dans la configuration de Windows pour Workgroups sans lancer préalablement Windows pour Workgroups. Une telle intervention peut être nécessaire dès lors que Windows pour Workgroups ne fonctionne plus en raison d'un gestionnaire erroné ou d'un changement de carte graphique. Un fichier .INI est un pur texte ANSI, qu'il est possible de visualiser en double-cliquant sur son nom dans le gestionnaire de fichiers. Comme il s'agit d'un fichier texte, il est lié au bloc-notes, qui sera automatiquement lancé, et qui chargera le fichier .INI concerné.

En fait, les fichiers .INI peuvent être ouverts par n'importe quel programme de traitement de texte, comme par exemple WinWord. Il est toutefois indispensable que le programme de traitement de texte préserve le pur format texte du fichier, et qu'il n'en fasse pas un fichier de format particulier, truffé de codes de contrôle. Les codes de contrôle introduits par le traitement de texte rendraient le fichier .INI illisible pour le système. C'est pourquoi il est bien plus sûr d'utiliser le bloc-notes, puisque celui-ci est incapable de travailler avec des codes de contrôle.

L'utilisation du programme "SYSEDIT.EXE", qu'il faut introduire manuellement dans le groupe principal du gestionnaire de programmes est encore préférable. Ce programme se comporte de la même façon que le bloc-notes, mais charge automatiquement dans des fenêtres distinctes les quatre fichiers système les plus importants : AUTOEXEC.BAT, CONFIG.SYS, WIN.INI, SYSTEM.INI et PRO-TOCOL.INI.

Les fichiers .INI sont répartis en rubriques dont les titres sont écrits entre crochets. Derrière chaque titre se trouvent les définitions des paramètres correspondants, au format "paramètre = valeur".

16.1. WIN.INI

Le fichier WIN.INI recense tous les paramètres nécessaires au bon fonctionnement du logiciel. Les paramètres sont enregistrés thématiquement dans cinq fichiers .INI, WIN.INI contenant de toute façon les spécifications déterminantes pour le système.

[windows]

Dans cette rubrique est défini le comportement fondamental de Windows pour Workgroups.

SPOOLER=YES

En principe, les impressions sont envoyés au gestionnaire d'impression, qui les traite séparément, en arrière-plan, ce qui vous permet de reprendre votre travail sans attendre que votre imprimante ait fini de travailler. Il y a toutefois un inconvénient à cela : le fichier d'impression est enregistré temporairement sur le disque dur avant que le gestionnaire d'impression ne se mette au travail. Cette technique prend un certain temps, mais engendre aussi une dépense non négligeable d'espace du disque.

Si l'espace disque est réduit, ou si votre imprimante est très rapide, vous pouvez affecter à cette entrée la valeur "NO". Les contrats d'impression seront alors envoyés directement à l'imprimante, en évitant le gestionnaire d'impression. Dans ce cas, il vous faudra toutefois attendre, avant de continuer à travailler, que toutes les données aient été transmises à l'imprimante ce qui dépend généralement de la mémoire tampon de l'imprimante, et peut le cas échéant durer aussi longtemps que le processus d'impression.

LOAD=

Cette instruction est suivie des noms des chemins d'accès complets à tous les programmes devant être activés automatiquement lors du lancement de Windows pour Workgroups, et qui ensuite seront visualisés sous forme d'icônes. L'extension du nom de fichier ne fait pas partie de la saisie. Plusieurs noms de programmes devront être séparés par des espaces. Dans l'exemple ci-dessous, l'horloge et le traitement de textes Write sont tous deux lancés automatiquement :

```
LOAD=C:\WINDOWS\CLOCK C:\WINDOWS\WRITE
```

Il serait par exemple possible de lancer ainsi discrètement l'agenda, sous forme icônifiée. Celui-ci ne vous rappelle en effet des rendez-vous que s'il fonctionne au moins en arrière-plan.

RUN=

Cette entrée fonctionne de façon similaire à la précédente : les programmes spécifiés seront également chargés lors du lancement de Windows pour Workgroups, mais sans être icônifiés : leur travail commence immédiatement dans une fenêtre.

Il est également possible de spécifier des noms de documents, mais ceux-ci devront avoir été liés à un programme. Ce programme sera alors lancé d'abord, puis il chargera le document.

Si vous par exemple vous mentionnez ici le nom d'un document Write, ce document sera chargé et visualisé à chaque lancement de Windows pour Workgroups. De cette manière plusieurs utilisateurs de Windows pour Workgroups travaillant sur le même ordinateur pourront se communiquer des messages et des renseignements.

BEEP=YES

Lorsque vous tentez de cliquer sur une autre fenêtre alors qu'une boîte de dialogue attend vos saisies, le système vous rappelle généralement à l'ordre par un signal sonore. Vous pouvez désactiver ce signal en entrant ici la valeur "NO". Notez toutefois que, dans ce cas, vous ne serez plus averti, et que la machine restera impassible. Dans notre exemple, rien ne vous signalerait plus que la boîte de dialogue doit passer en priorité. Un utilisateur inexpérimenté se mettrait probablement à rechercher pendant un certain temps la cause de l'absence de réaction à un clic sur une autre fenêtre.

NULLPORT=None

Certaines boîtes de dialogue vous demandent de spécifier un port de communication. C'est ainsi que le programme Terminal requiert un port de communication et que l'imprimante a besoin d'un port de connexion. Toujours est-il qu'en plus des ports disponibles, il est possible de n'affecter temporairement aucun port au périphérique ou au programme. C'est le terme à associer à ce "Nullport" qui est défini dans cette ligne. Par défaut, il s'agit de "None", mais vous pouvez aussi remplacer ce mot par "Néant" : son sens est exclusivement descriptif.

BORDERWIDTH=3

Equivaut à l'épaisseur du cadre de la fenêtre, exprimée en points. Peut prendre une valeur comprise entre 1 et 49.

CURSORBLINKRATE=530 DOUBLECLICKSPEED=452

La première valeur définit la période du clignotement du curseur texte, en millisecondes. La deuxième valeur indique la durée maximale pouvant s'écouler entre deux clics de souris afin que l'action soit interprétée comme un double clic.

PROGRAMS=COM EXE BAT PIF

Sont mentionnées ici les extensions des fichiers, pouvant être activés directement.

DOCUMENTS=

Les extensions des documents liés à des applications sont présentées dans la rubrique [EXTENSION]. Vous pouvez insérer ici les extensions d'autres fichiers qui, alors, seront également considérés comme des documents. Windows pour Workgroups répartit les fichiers en catégories en fonction des spécifications suivantes : les programmes sont définis par leurs extensions dans PROGRAMS=, les documents liés dans la rubrique [EXTENSION], et les documents autonomes dans la présente rubrique. Tous les autres fichiers étant également considérés comme des documents autonomes, une saisie dans cette ligne est en fait inutile.

DEVICENOTSELECTEDTIMEOUT=15 TRANSMISSIONRETRY-TIMEOUT=45

L'on définit ici la durée, en secondes, au bout de laquelle une tentative de connexion à un périphérique doit être considérée comme un échec, à la suite duquel est renvoyé un message d'erreur. La première valeur concerne l'imprimante, la deuxième les ports de communication.

KEYBOARDDELAY=2 KEYBOARDSPEED=31

La première valeur indique le temps au bout duquel la fonction de répétition automatique doit entrer en action lorsqu'une touche est enfoncée. La deuxième valeur spécifie la rapidité de reproduction des caractères lorsque la fonction de répétition automatique est active.

SCREENSAVEACTIVE=1 SCREENSAVETIMEOUT=120

La première valeur indique si un économiseur d'écran est actif (1=actif). La deuxième valeur exprime la durée, en secondes, au bout de laquelle la mise en veille doit entrer en action après la dernière opération de clavier ou de souris.

DEVICE=POSTSCRIPT PRINTER,PSCRIPT,LPT1:

Dans cette ligne est mentionnée la configuration de l'imprimante par défaut. D'autres imprimantes peuvent encore être installées sur le système, mais celles-ci ne sont pas recensées ici. L'impression sera dirigée vers l'imprimante indiquée ici, dès lors que l'utilisateur n'effectue pas d'autres spécifications dans l'application à partir de laquelle il lance l'impression.

NETWARN=1

Si vous travaillez sur un réseau, un avertissement vous sera envoyé dès que vous perdez la communication (0=pas d'avertissement et désactivation de toutes les options de réseau).

DOSPRINT=NO

Par défaut, les impressions sont réalisées en contournant les interruptions du DOS, ce qui fait gagner un temps non négligeable. Mais si un programme a besoin de ces interruptions, vous pouvez faire en sorte que Windows pour Workgroups en tienne compte, en mentionnant "YES" dans cette ligne.

COOLSWITCH=1

Cette ligne est associée à la fonction Déplacement rapide avec «Alt» de l'application Bureau du Panneau de Configuration.

Les entrées de la rubrique [desktop] ne seront pas décrites ici, car leur révision est plus facile par l'intermédiaire du panneau de configuration.

[extensions]

Dans cette rubrique sont recensées les liaisons entre les fichiers d'extension unique avec un programme capable de les représenter. C'est grâce à ces spécifications que des fichiers de documents pourront être "lancés". Mais en réalité c'est d'abord le programme spécifié dans cette rubrique qui sera lancé, et chargera le document concerné pour le visualiser.

Le format des lignes d'instructions est simple : les trois premiers caractères désignent l'extension à laquelle la liaison doit être appliquée. Derrière le signe d'égalité vient le nom du programme chargé d'ouvrir les fichiers possédant cette extension. Après un espace, vient le caractère "^", qui ici tient lieu de joker, puis est répétée l'extension des documents à lier.

Exemple :

```
TXT=NOTEPAD.EXE ^.TXT
```

Vous pouvez ajouter d'autres liaisons, mais en veillant bien à ce qu'un groupe de même extension ne soit pas affecté à un deuxième programme. Il est aussi possible de modifier les liaisons existantes. C'est ainsi que les purs fichiers texte pourront être associés à un autre programme que le bloc-notes, à condition qu'il sache s'en servir.

16.1.1.   Autres rubriques intéressantes

Nombreuses sont les entrées concernant des paramètres qu'il est plus aisé de modifier à l'aide du panneau de configuration, et qui ont été traitées en détail dans le chapitre consacré à ce sujet. Nous n'y reviendrons donc pas. Certaines rubriques et entrées fournissent toutefois des informations très intéressantes.

[Deskstop]

Equivaut à la fonction Bureau du panneau de configuration, et gère les motifs et couleurs de l'arrière-plan de Windows pour Workgroups.

[intl]

Correspond à la fonction International du panneau de configuration et permet de définir le symbole monétaire ainsi que d'autres particularités nationales.

[ports]

Contient la liste de tous les ports disponibles pour la communication et les périphériques.

[fonts]

Liste des polices recensées et utilisables sous Windows pour Workgroups. Cette liste est établie par la fonction Polices du panneau de configuration, qui permet de déclarer de nouvelles polices et de supprimer celles devenues inutiles.

[FontSubstitutes]

Liste des correspondances entre des polices et des polices TrueType dont les apparences sont semblables.

[TrueType]

Correspond aux options TrueType de la fonction Polices du panneau de configuration.

[networks]

Options de réseau

[embedding]

Liste des programmes capables de générer des documents supportant OLE. Ces documents peuvent être incorporés dans d'autres documents, et activent à la suite d'un double clic le programme susceptible de les visualiser et de les éditer.

[mci extensions]

Sont déclarées ici les extensions des fichiers utilisés pour gérer des périphériques multimédia (Cf. "La diffusion des médias" - section 13.4.2). Si certains pilotes de tels appareils possèdent d'autres extensions, il faudra les rajouter dans cette liste.

[Windows pour Workgroups Help]

Dans cette rubrique sont enregistrées toutes les options de la fenêtre d'aide, qui ainsi seront disponibles lors du lancement suivant de Windows pour Workgroups.

[Sounds]

Correspond à l'affectation de sons à des événements système définis par la fonction Sons du panneau de configuration.

[PrinterPorts]

Sont recensées ici toutes les imprimantes installées, avec leur port de connexion. La configuration des imprimantes et le choix de leurs ports de communication s'effectue en principe avec la fonction Imprimantes du panneau de configuration.

> Ce que vous voyez dans cette rubrique n'est pas le nom de chaque imprimante, tel qu'il vous est présenté dans le panneau de configuration, mais le nom du pilote d'imprimante, qui peut d'ailleurs convenir à plusieurs types d'imprimantes. Dans le panneau de configuration, vous pouvez découvrir le nom du pilote d'imprimante à l'aide du bouton de commande "A propos de..." de la fonction Imprimantes.

[devices]

Equivaut à [PrinterPorts], mais les temps d'attente d'erreur ne sont pas mentionnés. Cette entrée est nécessaire pour préserver la compatibilité descendante avec les programmes qui fonctionnaient sous Windows pour Workgroups 2.x.

[colors]

Correspond à la fonction "Couleurs" du panneau de configuration. Sont recensées ici les couleurs de tous les éléments de l'environnement Windows pour Workgroups. A chaque catégorie est associée une couleur définie par trois valeurs numériques. Ces valeurs numériques correspondent aux parts de rouge, de vert et de bleu, et peuvent aussi être spécifiées sous cette forme dans le panneau de configuration.

16.2.   SYSTEM.INI

La configuration matérielle que Windows pour Workgroups a détectée lors de l'installation, et en fonction de laquelle le programme a été installé, est sauvegardée dans ce fichier.

Une modification de ce fichier peut mettre le système hors d'état de fonctionner. Il est d'autre part possible aussi, par des changements bien ciblés, d'adapter

Windows pour Workgroups à un changement de composants physiques, sans qu'il soit nécessaire de lancer Windows pour Workgroups ou de le réinstaller.

[boot]

Dans cette rubrique se trouvent tous les gestionnaire et modules de Windows pour Workgroups.

SHELL=PROGMAN.EXE

C'est ici qu'est décidé le programme qui devra constituer le coeur de Windows pour Workgroups. En principe, il devra s'agir du gestionnaire de programmes. Dès que l'on quitte le programme qui tient ce rôle, la session de travail sous Windows pour Workgroups s'achève.

Vous devriez laisser ce paramètre sur le gestionnaire de programmes, si vous l'utilisez, lui et ses groupes d'applications, pour activer des fichiers et des applications. Mais vous avez également la possibilité de substituer le gestionnaire de fichiers au gestionnaire de programmes, si son environnement vous semble plus adapté à vos besoins. Dans le gestionnaire de fichiers, les applications et programmes peuvent être activés de la même façon que sous DOS.

Pour activer le gestionnaire de fichiers, remplacez l'appel "PROGMAN.EXE" par "WINFILE.EXE".

En principe, on peut mentionner derrière "SHELL=" n'importe quel nom de programme Windows pour Workgroups. Mais dans la plupart des cas, il est préférable de ne pas procéder ainsi : seul le gestionnaire de programmes et le gestionnaire de fichiers sont en mesure de lancer d'autres programmes. Cela tient à leur conception. Tous les autres programmes ne sont pas conçus pour s'occuper de programmes tiers, et resteraient seuls à tourner sous Windows pour Workgroups. Il n'existerait aucune possibilité pour accéder à d'autres applications. Mais on peut tirer profit de cette particularité lorsque, sur un poste de travail, on travaille exclusivement avec un programme Windows pour Workgroups unique, et qu'on souhaite se dispenser de toutes les autres fioritures. Dans ce cas, il suffit d'écrire le nom de ce programme à la place de PROGMAN.EXE. Une autre alternative consisterait à programmer soi-même une application qui prendrait en charge les tâches du gestionnaire de programmes.

SCRNSAVE.EXE=C:\WINDOWS\SSSTARS.SCR

Le nom complet du chemin d'accès de l'économiseur d'écran (système de mise en veille) est recensé dans cette ligne. Par l'intermédiaire du panneau de configuration, il est possible de choisir un autre économiseur d'écran. Si vous possédez un programme de mise en veille autre que ceux livrés avec Windows pour Workgroups, et dont l'extension est .SCR, vous pouvez mentionner son nom dans cette ligne.

MOUSE.DRV=MOUSE.DRV

Le gestionnaire de souris indiqué ici est celui qui sera utilisé sous Windows pour Workgroups. Tout autre pilote de souris activé antérieurement sous DOS est relevé de ses fonctions, et ne redevient actif sous Windows pour Workgroups qu'à la suite du lancement d'une application DOS. Dans ce cas, c'est le gestionnaire Windows pour Workgroups mentionné dans cette ligne qui perd sa fonction.

DISPLAY.DRV=VGA.DRV

Est indiqué ici le pilote pour la carte graphique utilisée. Etant donné que Windows pour Workgroups ne supporte par exemple plus les anciens standards graphiques comme CGA, vous pourriez entrer dans cette ligne un gestionnaire CGA que vous vous serez procuré directement auprès du fabriquant. Etant donné que cette tâche est en principe prise en charge par le programme d'installation, une modification de cette entrée n'est nécessaire dans la pratique que si le système a choisi une carte graphique erronée, et que Windows pour Workgroups ne vient plus à l'écran. Dans ce cas, il est nécessaire de modifier le fichier WIN.INI depuis DOS.

Suivant la carte graphique installée, Windows pour Workgroups utilise des polices d'affichage différentes qui tiennent compte de la résolution et des proportions de la carte graphique. Lorsque vous aurez indiqué ici le gestionnaire convenable, vous pourrez toujours lancer Windows pour Workgroups, sans qu'il soit nécessaire de le réinstaller . Mais vous devriez alors immédiatement installer correctement la carte graphique désirée à l'aide du programme d'installation.

[boot.description]

C'est dans cette rubrique que se trouvent les correspondances entre les noms des gestionnaires et les descriptions en clair dont les noms pourront vous apparaître lorsque vous travaillez sous Windows pour Workgroups. Cette liste vous est intégralement présentée lorsque vous demandez la configuration actuelle du système dans Windows pour Workgroups Installation.

[drivers]

Liste de tous les gestionnaires susceptibles d'être encore installés, comme par exemple Timer et Midi-Mapper.

[keyboard] TYPE=4

Dans cette rubrique est déclaré le clavier utilisé. Voici la signification des chiffres possibles :

❶ IBM PC ou XT (+ compatibles) : 83 touches

❷ Olivetti ICO : 102 touches

❸ IBM AT (+ compatibles) : 84 ou 86 touches

❹ IBM (+ compatibles) : 101 ou 102 touches

Au cas où vous auriez changé le clavier de votre ordinateur, et que des difficultés surgiraient sous Windows pour Workgroups, vous pourrez déclarer ici le nouveau clavier, ou alors modifier ce paramètre par l'intermédiaire de la commande Configurer le système du programme d'installation de Windows pour Workgroups.

SUBTYPE=

L'on peut mentionner ici les types de claviers dérivés de ceux de la liste précédente. La définition de clavier la plus correcte sera toutefois obtenue à l'aide du programme d'installation, sous Windows pour Workgroups.

KEYBOARD.DLL=KBDFR.DLL

La bibliothèque de liens dynamiques (Link-Library) mentionnée dans cette ligne détermine la disposition des touches sur le clavier. Dès que vous changez la spécification d'un pays par l'intermédiaire de la fonction International du panneau de configuration, l'affectation des touches définie ici sera automatiquement modifiée.

[mci]

Liste de tous les pilotes du MCI, responsable de toutes les tâches multimédia. Pour plus de précisions sur ce sujet, reportez-vous à la section 12.

[standard]

Entrées concernant le mode standard de Windows pour Workgroups.

[386enh]

Toutes les entrées de cette rubrique se réfèrent au mode 386 étendu.

16.3. CONTROL.INI

Ce fichier contient toutes les informations relatives à l'apparence graphique de l'environnement Windows pour Workgroups. C'est ici que sont définies les couleurs, les palettes de couleurs, les motifs d'arrière-plan et l'économiseur d'écran. La rubrique [ScreenSaver], dans laquelle se trouve une mention du genre

```
Password=5eUpV?
```

mérite une attention particulière. Le mot de passe facultatif de l'économiseur d'écran se trouve donc ici sous forme codée (il n'y a rien derrière le signe d'égalité si vous n'avez pas défini de mot de passe). Bien qu'il ne soit pas possible de le décoder facilement, il est toute de même possible à un tiers de l'effacer ou, plaisanterie de mauvais goût, de le modifier, suite à quoi ni le plaisantin, ni l'utilisateur ne connaîtront le mot de passe convenable.

16.4. PROGMAN.INI et WINFILE.INI

Ces deux fichiers .INI servent de référence aux programmes PROGMAN.EXE (le gestionnaire de programmes) et WINFILE.EXE (le gestionnaire de fichiers).

Dans ces deux fichiers se trouvent les entrées relatives aux options pouvant être enregistrées lorsqu'on quitte ces programmes. Il n'est pas raisonnable d'apporter des modifications à ces fichiers, car celles-ci seront plus fiables si on les effectue dans les menus d'options prévus à cet effet dans ces programmes.

Pour que vos paramètres actuels soient sauvegardés dans ces fichiers à partir des programmes Gestionnaire de fichiers et Gestionnaire de programmes lorsque vous les quittez, il faut que dans le menu Options l'entrée Enregistrer la configuration en quittant soit active, c'est à dire repérée par un crochet.

16.5. PROTOCOL.INI

Le fichier Protocol.ini a une grande importance pour le bon fonctionnement du réseau. Voici un exemple de fichier Protocol.ini dans une configuration en réseau Novell.

```
network.setup]
version=0x3110
netcard=ms$ee16,1,MS$EE16,4
transport=ms$nwlinknb,NWLINK
transport=ms$netbeui,NETBEUI
lana0=ms$ee16,1,ms$nwlinknb
lana1=ms$ee16,1,ms$netbeui

[net.cfg]
PATH=C:\NWCLIENT\NET.CFG

[MS$EE16]

[Link Driver EXP16ODI]
data=Frame Ethernet_SNAP
data=Frame Ethernet_802.2
data=Frame Ethernet_II
data=Frame Ethernet_802.3

[NWLINK]

BINDINGS=EXP16ODI
[NETBEUI]
BINDINGS=EXP16ODI
LANABASE=1
```

Chapitre

17

Annexes

17.1. Glossaire

Actif(ve)

Lorsque plusieurs objets de même nature se trouvent dans l'aire de travail (par exemple des fenêtres), l'un d'entre eux se trouve toujours dans un état particulier qualifié d'actif : l'utilisateur peut communiquer avec cet objet par l'intermédiaire de la souris et du clavier. Dans le cas des fenêtres, la barre titre de la fenêtre active présente une couleur différente de la barre titre des autres fenêtres. L'utilisateur décide de l'objet à activer en lui appliquant un clic avec la souris.

Adaptateur vidéo

Carte d'extension (matérielle) qui gère l'écran en délivrant les signaux nécessaires. Chaque ordinateur est au minimum équipé d'un adaptateur vidéo. Ces adaptateurs existent en plusieurs normes (CGA, EGA, VGA, TIGA), présentant des points communs pour ce qui touche aux commandes et aux résolutions. L'adaptateur vidéo et le moniteur doivent travailler dans la même norme, sinon aucune image ne vient à l'affichage, et le moniteur risque même d'être endommagé.

Aire de travail

L'aire de travail désigne l'ensemble de la surface de l'écran. Dans l'aire de travail se trouvent les fenêtres et icônes d'applications. Les fenêtres de documents se trouvent, par contre, dans des fenêtres d'applications. La taille absolue de l'aire de travail dépend de la résolution de la carte graphique utilisée. Plus cette résolution est élevée, plus la surface dont vous disposez pour travailler est élevée.

Application

Programme réalisé pour un certain objectif : traitement de texte, tableur, etc. Il existe des applications Windows et non Windows. Actuellement, le terme "application" aurait tendance à se généraliser pour désigner les programmes fonctionnant sous Windows (Windows pour Wokgroups également) , et le terme "programme" pour ceux fonctionnant sous DOS.

Application client

Application collaborant avec la technique OLE, dont les documents peuvent incorporer des objets.

Application d'arrière-plan

Application qui, à un instant donné, n'est pas "active", c'est à dire qui n'est pas en mesure de communiquer avec l'utilisateur. Il n'en demeure pas moins que ce programme continue de tourner. Il s'agit soit d'un programme dont la fenêtre n'est pas active (il peut alors malgré tout renvoyer des résultats à l'écran), soit d'un programme réduit à la taille d'une icône. Dans ce dernier cas, il fonctionne entièrement en arrière-plan et n'a absolument aucune possibilité d'entrer en contact avec l'utilisateur (si ce n'est par boîtes de dialogue envoyant des avertissements, par exemple).

Application DOS

Les programmes qui fonctionnent directement sous DOS, et qui ne sont pas spécialement conçus pour Windows pour Workgroups, sont appelés applications DOS . Dans ces programmes, vous ne pouvez pas bénéficier de la plupart des avantages de Windows pour Workgroups (les polices TrueType sont, par exemple, inaccessibles). Il n'en demeure pas moins que ces programmes peuvent tourner sous Windows pour Workgroups "comme sous DOS", car Windows pour Workgroups est capable de simuler pour les programmes DOS un environnement DOS. Dans le mode 386 étendu, cet environnement DOS peut même être incorporé dans une véritable fenêtre de Windows pour Workgroups.

Application Windows pour Workgroups

Programme conçu pour un fonctionnement sous Windows pour Workgroups, exclusivement, et capable d'exploiter tous les avantages et possibilités de cet environnement. De tels programmes fonctionnent correctement sous Windows pour Workgroups, mais sont totalement inutilisables en-dehors de cet environnement.

Associer

Dans le gestionnaire de fichiers, on peut associer une certaine extension à un programme déterminé. Dès que l'on active ensuite un fichier possédant cette extension - (un fichier de document par exemple) -, est d'abord lancé le programme associé, qui se charge ensuite d'ouvrir automatiquement le document.

Attente d'erreur

Temps qui doit s'écouler avant que la non-réaction d'un périphérique puisse être considérée comme une erreur.

Attribut

Il est possible d'affecter à tout fichier et à tout répertoire un ensemble d'attributs. Ces caractéristiques concernent par exemple une protection en écriture ou un masquage (fichiers cachés). Les attributs peuvent être lus et même modifiés par l'intermédiaire du gestionnaire de fichiers.

Attribut d'archivage

Indique si un fichier a été archivé à l'aide de l'un des programmes d'archivage XCOPY, BACKUP ou RESTORE.

Attributs de fichier

voir Attribut

Barre de défilement

Lorsqu'une fenêtre ou une zone de liste est trop petite pour visualiser intégralement son contenu, Windows pour Workgroups y installe des ascenceurs permettant de sélectionner la portion à visualiser.

Barre titre

Zone de délimitation supérieure de toute fenêtre, qui contient souvent le nom du programme ou du document. A l'aide de la barre titre, l'on peut déplacer des fenêtres à l'aide de la souris. La barre titre contient aussi des boutons de commande permettant de réduire ou d'agrandir la fenêtre. Lorsque la barre titre est colorée (ou en inversion vidéo, sur les moniteurs noir & blanc), c'est que la fenêtre concernée est active.

Baud

Unité de vitesse pour la transmission électronique de données. Les vitesses de transmission habituelles sont multiples de 300 Bauds : 1200, 2400, 9600, 19200 Bauds. Plus la vitesse est élevée, mieux cela vaut. La vitesse maximale utilisable dépend du matériel, de la distance de transmission et de la qualité du blindage des circuits de transmission.

Bitmap

Conformément à ce que le nom laisse supposer, un bitmap est une "carte de points". Lorsque l'on définit un graphisme pixel par pixel, c'est à dire en mode points, l'image résultante est appelée bitmap. Chaque point est représenté par un bit. Si le graphisme est en couleur, plusieurs bits - le cas échéant jusqu'à 24 - peuvent être réservés pour chaque point. Tous les graphismes de PaintBrush ainsi que tous les papiers peints de Windows pour Workgroups sont des graphismes au format de bitmaps. Il existe divers formats dans lesquels les bitmaps peuvent être organisés. Les bitmaps les plus simples (.BMP) procèdent point par point, d'autres formats font appel à des algorithmes de compression afin de gagner de la place en mémoire disque.

Boîte de dialogue

Fenêtre spéciale, dont le contenu est exclusivement composé d'éléments de commande et de sélection permettant de définir des paramètres et des options. Nombreuses sont les commandes qui ouvrent d'abord une boîte de dialogue dans laquelle l'utilisateur doit spécifier des valeurs nécessaires à la commande concernée.

Booter

Ce terme date des origines de l'histoire de l'ordinateur, et est issu du terme anglais "Boot" (= botte). "Booter" consiste donc à "chausser" l'ordinateur, première étape d'une longue journée de travail. Pendant le processus de bootage, le système d'exploitation est chargé (en principe MS-DOS), et il y a vérification du bon fonctionnement des composants physiques. Ce n'est qu'ensuite que le contrôle est transmis à l'utilisateur. En bon français, on préférera le verbe "initialiser" (qui s'applique aussi bien à la machine qu'à certaines opérations logicielles).

Bouton d'option

voir Bouton radio

Bouton de commande

Bouton dont l'activation lance une commande. Un bouton de commande est simulé électroniquement, et doit être actionné avec le bouton gauche de la souris. Windows pour Workgroups se charge de simuler un effet en trois dimensions lorsque le bouton est "enfoncé".

Bouton

Imitation d'une touche mécanique pouvant être actionnée avec la souris. Cette action lance la fonction associée au bouton.

Bouton radio

Elément de commande circulaire, appartenant généralement à un groupe de plusieurs, dans lequel seule une option peut être activée à la fois. Le choix d'une nouvelle option désactive la précédente. Dans un tel groupe de boutons, l'un des boutons est toujours sélectionné, d'où la similitude avec les touches des anciens postes radio.

Chemin

Description du chemin d'accès à un fichier. Etant donné qu'un fichier peut se trouver dans divers sous-répertoires, le chemin commence toujours par la désignation de l'unité disque (c'est à dire une lettre) sur laquelle le fichier est enregistré, puis mentionne dans l'ordre chronologique tous les noms de répertoires jusqu'à celui dans lequel se trouve le fichier. Les divers intitulés sont séparés par un antislash (\). Lorsqu'on n'utilise que le nom du fichier, sans spécifier de chemin, celui-ci se rapporte au répertoire courant.

Cliquer

Sélectionner un objet en y positionnant le pointeur, puis en appuyant sur le bouton gauche de la souris. Une sélection, accompagnée le plus souvent d'une activation, sera obtenue au moyen d'un double clic.

Code ASCII

Cette codification des caractères est essentiellement utilisée sous DOS. Des codes de caractères fixes sont attribués aux caractères alphanumériques de base, et des codes différents sont affectés aux caractères particuliers en fonction des spécificités nationales. Windows pour Workgroups travaille en code ANSI, qui n'est que partiellement compatible avec le code ASCII. A ses origines, le code ASCII utilisait 7 bits, qui sont d'ailleurs identiques aux premiers 7 bits du code ANSI. Les 128 caractères accessibles plus récemment grâce au huitième bit sont occupés par les caractères particuliers nationaux. Dans tous les formats de textes, le jeu de caractères initial de 7 bits représente pour ainsi dire le plus petit commun dénominateur.

Coller

Il est possible d'insérer des données depuis le presse-papiers dans d'autres documents. Tout le contenu du presse-papiers est, à cette occasion, transcrit dans le document, mais continue d'exister dans le presse-papiers. Il est ainsi possible de multiplier les insertions d'un même ensemble de données.

COM

Terme réservé à la désignation d'un port de communication série. Le premier port de communication série s'appelle COM1:. S'il existe d'autres ports de communication, leurs noms seront affectés d'une numérotation continue. Sur les ports de communication série sont généralement connectés les modems et les souris. Mais il est aussi possible d'y brancher des imprimantes PostScript ou d'autres périphériques. Les ports de communication série nécessitent une configuration au moyen de paramètres spécifiques à la transmission, car de nombreuses variantes sont possibles, et une transmission correcte ne peut être obtenue que si les deux parties (l'ordinateur et le périphérique) travaillent avec les mêmes configurations.

Combinaison de touches

Nombreuses sont les commandes de Windows pour Workgroups qu'il est possible d'activer rapidement par une combinaison de touches (également appelée Raccourci-clavier). Ce raccourci est alors mentionné sur la droite de l'intitulé de chaque commande concernée, dans le menu.

Commande

Sous Windows pour Workgroups, toutes les commandes sont réparties dans des menus, où elles sont organisées par domaine d'application. Bon nombre de ces commandes peuvent également être exécutées simplement avec la souris (Cf. Drag & Drop = Glisser & déplacer). Dans l'environnement DOS, les commandes doivent être saisies sous forme de mots, puis validées par pression sur «Return».

Concurrence à des périphériques

Problème fondamental sur les systèmes multi-tâches : plusieurs programmes tentent d'accéder simultanément à un même périphérique - par exemple l'imprimante -. Les applications purement Windows pour Workgroups traitent aisément ce problème, car elles peuvent communiquer entre elles, ou avec le gestionnaire d'impression. Ce n'est pas le cas des applications DOS, si elles n'ont pas été conçues pour fonctionner simultanément avec plusieurs autres programmes. En mode standard, cela n'est pas générateur de difficultés, car seul un programme DOS peut y fonctionner à un instant donné, alors que tous les autres sont arrêtés. La situation est plus délicate dans le mode 386 étendu, dans lequel les programmes DOS peuvent effectivement fonctionner en parallèle. Windows pour Workgroups propose un certain nombre d'options permettant de réagir contre la concurrence à un périphérique.

Copier

Semblable à "Couper", mais le passage copié dans le presse-papiers reste aussi dans le document original.

Corps de caractère

voir Taille de caractère

Couleur composée

Couleur composée de plusieurs couleurs de base, c'est-à-dire représentables par la carte vidéo. Une disposition habile de points possédant ces couleurs de base donne l'illusion de voir une nouvelle couleur (que la carte vidéo est incapable de représenter directement). L'utilisation de ces couleurs obtenues par association de points colorés prend plus de temps que la visualisation de couleurs de base, et produit des effets négatifs sur les copies d'écran.

Couleur de base

Windows pour Workgroups est en mesure de représenter plus de couleurs que votre carte vidéo ne le permettrait. De telles teintes intermédiaires sont obtenues par une illusion d'optique : plusieurs nuances sont mélangées pour obtenir la couleur désirée par association. Si les points sont suffisamment fins, l'oeil humain a l'impression de voir une nouvelle couleur. Les couleurs de base sont celles qui peuvent être effectivement affichées, de manière à ce que tous les pixels possèdent la même valeur de couleur. Ces couleurs ne nécessitent donc aucune simulation, l'affichage s'en trouve accéléré.

Couper

On peut aussi bien couper du texte que du graphisme. Dans cette opération, la partie "coupée" est placée dans le presse-papiers et retirée du document original. La fonction Couper est habituellement utilisée dans les textes pour réorganiser des rubriques.

Curseur d'édition

Indique la position actuelle dans un texte : c'est à cet endroit qu'est inséré le nouveau texte. En principe, le curseur d'édition présente l'apparence d'un tiret vertical clignotant. Synonyme de Marque d'insertion.

Curseur de sélection

Un curseur est un objet indicateur. Le curseur de sélection entre en jeu lorsque dans une boîte de dialogue il peut y avoir le choix entre plusieurs paramètres. L'utilisateur ne peut toutefois travailler que dans une zone de réglage à la fois. C'est la raison pour laquelle la zone active est repérée par un rectangle en pointillés. A l'aide du curseur de sélection il est possible d'activer une autre zone. La gestion du curseur de sélection est généralement assurée à l'aide de la touche de tabulation ou de la souris.

DDE

Contraction de Dynamic Data Exchange. Cette technique date de l'époque de Windows -3.0, et est actuellement supplantée par une nouvelle technique dont le nom est "OLE". Par DDE, il est possible d'intégrer des données dans un document de manière à ce que ces données puissent être modifiées ultérieurement sans qu'il soit nécessaire de modifier le document. Les données restent ainsi autonomes, et peuvent être manipulées directement avec le programme qui les avait créées.

Demande de confirmation

Message de sécurité qui apparaît après certaines commandes et demande à l'utilisateur de confirmer ce qu'il vient de demander par l'intermédiaire d'une commande. Le gestionnaire de fichiers use, voire abuse, de demandes de confirmation, car certaines de ses fonctions, en particulier Supprimer et Déplacer peuvent occasionner des dégâts. Pour l'utilisateur averti, il existe toutefois la possibilité de désactiver totalement ou en partie ces demandes de confirmation.

Désactiver

Retirer le repère d'une option dans sa case à cocher : la case à cocher d'une option désactivée est vide.

Desktop

Equivalent anglais pour "aire de travail"

Développer

Faire apparaître dans le gestionnaire de fichiers un répertoire qui jusque là était occulté.

Disque virtuel

Un disque virtuel est une plage réservée de mémoire vive simulant toutes les caractéristiques d'une unité disque physique.

Disquette système

Disquette qui contient les fichiers système élémentaires du système d'exploitation MS-DOS, et qui permet d'initialiser un système informatique. On y recourt lorsque le disque dur est défectueux ou infesté par un virus. Le gestionnaire de fichiers permet de créer une disquette système. Il est de votre intérêt d'en avoir toujours une à portée de main.

Document

Un document est le produit d'un programme. La nature d'un document dépend de l'application qui l'a créé. Un document produit par un traitement de texte contient fort probablement du texte, un document PaintBrush une image, alors que les documents de l'enregistreur de macros renferment toutes les informations enregistrées dans les macros. Les documents ne peuvent être chargés que dans les programmes qui les ont créés. Seules exceptions : les documents sauvegardés dans un format général normalisé, ce qui est le cas pour de nombreux textes et images. Le cas échéant, il se peut qu'il soit nécessaire de convertir un document en un autre format. On peut deviner la nature du contenu d'un document d'après l'extension du nom de fichier.

Document composé

Document d'une application client, qui contient des objets créés par une autre application.

Double-clic

Lorsqu'on appuie rapidement, deux fois de suite, sur le bouton gauche de la souris, on réalise un double-clic. Cette action permet d'activer une fonction déterminée. Si le double clic n'est pas assez rapide, Windows pour Workgroups le considère comme deux clics simples, et la fonction ne sera pas exécutée. Avec la fonction "Souris" du panneau de configuration, vous pouvez spécifier la durée maximale pouvant s'écouler entre les deux clics simples sans que, justement, Windows pour Workgroups interprète ces deux actions comme des clics simples. En fait, bien que d'un point de vue musculaire, l'usager effectue deux mouvements, pour Windows pour Workgroups, le double-clic est une action unique.

Economiseur d'écran

Petit programme fonctionnant en arrière-plan, et entrant en activité après un certain temps de stagnation de l'affichage. Il se charge ensuite lui-même de faire varier le contenu de l'écran afin que le faisceau électronique n'attaque pas en permanence les mêmes surfaces de la couche sensible de l'écran, une telle action pouvant provoquer des marques indélébiles. Windows pour Workgroups propose quelques systèmes de mise en veille de ce genre, que l'on peut activer à l'aide de la fonction Bureau du panneau de configuration. D'autres économiseur d'écran peuvent être ajoutés au système. Mais seul un système de mise en veille peut être actif à la fois.

Emulation

Imitation : un périphérique ou un programme se comporte de la même façon qu'un modèle plus célèbre que lui. C'est surtout dans le domaine des imprimantes que, de facto, les standards EPSON et HP Laserjet sont imités par d'autres constructeurs, c'est à dire émulés. Cela signifie que ces appareils peuvent être employés à la place des originaux.

En-tête

Zone de texte réservée au sommet d'une page, et pouvant accueillir un titre courant, ou des numéros de pages, des dates etc...

EPT

Sigle désignant un port de communication spécial pour PostScript.

Exclusif

Ce mode de fonctionnement concerne les applications DOS dans le mode 386 étendu. En principe, comme c'est la règle habituelle dans un système multi-tâches, une fraction du temps du processeur doit leur être réservée. Mais si une application DOS est lancée "en exclusivité", tout le temps de calcul lui est imparti, alors que toutes les autres applications DOS seront stoppées pendant ce temps. Ceci est le cas implicite dans le mode standard. L'attribut Exclusif doit être placé dans le fichier PIF de l'application DOS à l'aide de l'éditeur PIF.

Extension

Synonyme de Suffixe ou d'Extension de nom de fichier : ensemble de trois caractères séparé du nom du fichier par un point. L'extension fournit des indications sur la nature du fichier concerné. Tous les fichiers exécutables possèdent l'une des extensions normalisées suivants : .COM, .EXE, .BAT ou .PIF. Les documents reconnus par les programmes comme étant standard ou "étrangers" grâce à leur extension. Des groupes de fichiers de même extension peuvent être liés à un programme capable de représenter ces fichiers dès qu'on double-clique sur leur nom. Une modification irréfléchie d'une extension se solde le plus souvent par une interprétation erronée du contenu du fichier concerné, et est donc à proscrire.

Extrait

Partie d'une image de PaintBrush sélectionné à l'aide de l'outil ciseaux. Les extraits sont généralement rectangulaires, mais peuvent aussi posséder des limites irrégulières.

Fenêtre

Technique permettant de séparer plusieurs parties de l'écran les unes des autres. Chaque fenêtre dispose de sa propre mémoire d'affichage, ce qui permet d'interpréter la partie visible de la fenêtre comme étant un extrait d'un document bien plus grand. C'est également pour cette raison que des fenêtres peuvent se chevaucher. Dès qu'une partie masquée d'une fenêtre doit redevenir visible, celle-ci la reconstitue à l'aide de sa mémoire d'affichage. Du point de vue de leurs fonctions, Windows pour Workgroups répartit les fenêtres en trois catégories : fenêtres d'applications, fenêtres de documents et boîtes de dialogue.

Fenêtre d'application

Chaque programme activé reçoit sa propre fenêtre (et une seule). Si ce programme a besoin d'autres fenêtres, il peut ouvrir des fenêtres de documents à l'intérieur de la fenêtre de l'application. Les fenêtres d'applications peuvent être déplacées sur toute l'aire de travail, et possèdent une barre de menus au-dessous de leur barre titre.

Fenêtre de document

Lorsqu'un programme a besoin de plus de fenêtres que la fenêtre d'application ouverte automatiquement, afin par exemple d'ouvrir simultanément plusieurs documents texte, il utilise des fenêtres de documents. Celles-ci apparaissent exclusivement dans la fenêtre de l'application. Elles ne peuvent pas être librement déplacées sur l'aire de travail. Dès qu'il faut plus de place à une fenêtre de document, il faut d'abord agrandir la fenêtre de l'application dans laquelle cette fenêtre de document est visualisée. Etant donné que les fenêtres de documents ne servent qu'à des fins d'affichage d'informations, mais ne possèdent pas de fonctions supplémentaires, elles ne sont pas munies d'une barre de menus. C'est de la barre des menus de la fenêtre de l'application qu'elles dépendent.

Fenêtre de groupe

Fenêtre de documents du gestionnaire de programmes. Le "document" est dans ce cas le groupe qui contient les icônes des programmes qui y sont réunis.

Fenêtre de programme

Une fenêtre de programme ou d'application est ouverte automatiquement dès le lancement d'un programme. A partir de là seront ouvertes des fenêtres de documents. Voir aussi Fenêtre d'application.

Fenêtre de répertoire

Fenêtre des documents du gestionnaire de fichier. Dans cette fenêtre est visualisé le contenu d'un répertoire. Le gestionnaire de fichiers permet d'utiliser simultanément plusieurs fenêtres de répertoires, ce qui permet, en choisissant un corps de police suffisamment petit, de visualiser sur l'aire de travail tous les fichiers d'un système présents sur l'ensemble de ses mémoires de masse.

Fermer

La fermeture des fenêtres est, par exemple, commandée au moyen d'un double clic sur sa case système. S'il s'agit d'une fenêtre de programme, l'application sera, elle aussi, fermée (quittée).

Fichier

Sur une mémoire de masse, les ensembles de données sont réunis sous un même nom dans un fichier. Ce fichier peut ultérieurement être rappelé à l'aide de ce nom. Pour un fichier, la nature des données qu'il contient est sans importance. Il peut par exemple s'agir de textes, de bitmaps ou de programmes. La nature des données présentes dans un fichier est le plus souvent signalée par l'extension qui suit le nom du fichier. Une modification irréfléchie de l'extension peut engendrer une fausse interprétation d'un fichier qui, suite à cela, pourrait même devenir inutilisable.

Fichier binaire

Contrairement à un fichier texte, qui se compose de texte visible, et qui utilise soit le code ASCII, soit le code ANSI, dans lequel les caractères sont donc enregistrés octet par octet, un fichier binaire utilise les différents bits. Suivant la fonction d'un fichier binaire, des unités d'information pourront par exemple être représentées par seulement 7 bits, ou même par 32 bits. Lorsque l'on charge un fichier binaire dans un programme de traitement de texte, on voit apparaître une "salade de caractères", car les valeurs binaires sont alors converties en codes ANSI aléatoires. Tous les programmes sont, par exemple, des fichiers binaires.

Fichier de document

Produit d'une application : contient les données qui, généralement ne peuvent être interprétées que par le programme qui a créé le fichier. Le gestionnaire de fichiers permet de lier aux applications appropriées, capables de les représenter, des groupes de fichiers de documents possédant une extension commune.

Fichier de données

Synonyme de "Fichier de document" : produit d'une application qui contient des données organisées sous une certaine forme.

Fichier PIF

Abréviation de Program Information File. Ce fichier contient toutes les informations qui manquent en principe à un programme DOS pour fonctionner sous Windows pour Workgroups. Pour pouvoir activer un programme DOS sous Windows pour Workgroups, il faut donc qu'il existe un fichier PIF du même nom que le programme. Si ce fichier n'existe pas, ou si le système ne parvient pas à le localiser, Windows pour Workgroups utilise un fichier PIF implicite dont le nom est ,DEFAULT.PIF. Mais les paramètres de celui-ci ne seront probablement pas optimisés pour le meilleur fonctionnement possible du programme concerné. Les fichiers PIF peuvent être créés et modifiés dans l'éditeur PIF.

Fichier temporaire

Dans le mode 386 étendu, Windows pour Workgroups peut installer sur le disque dur une plage spécialement réservée au stockage temporaire de données, afin d'augmenter la mémoire de travail : les données qui, à un instant déterminé ne sont pas utiles, sont transférées de la mémoire vive (RAM) sur le disque dur, libérant de la place dans la mémoire conventionnelle. Il existe des fichiers temporaires, organisés comme des fichiers DOS normaux, et des fichiers temporaires permanents, qui réquisitionnent une partie physiquement définie du disque dur. Ces derniers sont les plus rapides.

File d'impression

Lorsque les impressions sont dirigées vers le gestionnaire d'impression, celui-ci commence par collecter toutes les données à imprimer, et, le cas échéant, les installe dans une file d'attente. Suite à cela, les contrats seront honorés dans leur ordre chronologique. De cette manière, l'application à partir de laquelle l'impression a été lancée est rapidement débarrassée de ses données, et l'utilisateur peut continuer à travailler alors que le gestionnaire d'impression se consacre aux contrats d'impression en arrière-plan. Il est possible de modifier la position des contrats dans la file d'impression, en faisant basculer l'affichage du gestionnaire d'impression de la forme d'icône à l'affichage plein écran. Si dans le cadre de la configuration de l'impression, l'option "Utiliser le gestionnaire d'impression" n'est pas activée, l'application enverra directement les données à l'imprimante. Dans ce cas, il n'existe pas de file d'impression, et l'utilisateur doit attendre, pour reprendre son travail, que l'imprimante ait fini de travailler.

Format de fichier

Format dans lequel les informations sont stockées dans un fichier. Le format est exclusivement déterminé par le programme qui crée le fichier. Mis à part certains formats universels, des fichiers d'un format déterminé ne peuvent être lus que par le programme dans lequel ils ont été créés. L'extension du nom de fichier fournit des renseignements sur le format, mais n'est pas absolument fiable, car l'extension peut, de même que nom du fichier, être modifiée sans aucune répercussion sur le véritable format des données.

Formatage rapide

voir QuickFormat

Formater

Première signification : définition de pistes sur une disquette encore inutilisée, nécessaire à la sauvegarde de données. Deuxième signification : mise en forme d'un texte par utilisation de diverses polices et tailles de caractères, alignements et retraits (entre autres attributs). Contrairement à un texte "pur", un texte formaté contient des codes de mise en forme cachés que le programme de traitement de texte approprié est capable de lire et d'interpréter. Pour un texte "formaté", on utilise aussi le qualificatif "structuré".

Gestionnaire

Petit programme établissant la liaison entre Windows pour Workgroups et un périphérique. Le gestionnaire connaît toutes les caractéristiques et fonctions du périphérique, ce qui lui permet de transmettre au périphérique les données émises par Windows pour Workgroups dans le format correct. Voir aussi : Pilote d'imprimante.

Gestionnaire d'imprimante

voir Pilote d'imprimante

Gestionnaire de périphérique

voir Gestionnaire

Glisser

Avec la souris, l'on déplace les objets par glissement. A cet effet, il faut positionner le pointeur sur l'objet, appuyer sur le bouton gauche de la souris et le maintenir enfoncé tout en déplaçant la souris. Arrivé à destination, on relâche le bouton pour positionner l'objet au nouvel emplacement. A l'aide de la technique "Drag & Drop" (Glisser & Déplacer), certaines fonctions peuvent être exécutées très rapidement : les objets, qui peuvent être des fichiers ou répertoires entiers du gestionnaire de fichiers, seront tirés vers une autre icône, par exemple l'une des icônes de lecteurs du gestionnaire de fichiers, un groupe de programmes du gestionnaire de programmes ou sur l'icône du gestionnaire d'impression où ils seront déposés.

Groupe

Un groupe est un ensemble de plusieurs (jusqu'à 40) programmes réunis thématiquement. Le gestionnaire de programmes met les groupes à votre disposition, et assure leur gestion. Les groupes ne sont donc que des ossatures d'organisation de programmes. Ils constituent une alternative aux sous-répertoires du DOS. Contrairement à ces derniers, les groupes et leurs membres ne se répercutent en aucune façon sur le système de fichiers : quels que soient le nom d'un groupe et les copies ou déplacements que subissent ses membres, la position physique de ceux-ci sur la mémoire de masse ne change pas.

Hardware

Toutes les composantes techniques physiques du système. Souvent traduit par "matériel" ou "composant physique", s'oppose à Software (logiciel) qui, le plus souvent n'est qu'un ensemble de champs magnétiques immatériels enregistrés sur une mémoire de masse.

HMA

Abréviation de High Memory Area : zone de 64 Koctets située juste au-dessus de la limite du mégaoctet, et qui ne peut être mise à votre disposition que si cette plage est équipée de mémoire étendue. A l'aide d'un gestionnaire, des blocs de mémoire qui, en fait, devraient se trouver en mémoire principale, peuvent être translatés dans cette zone afin de libérer un espace précieux en mémoire principale.

Icône

Pictogramme qui, sous Windows pour Workgroups, représente les fenêtres ou documents réduits à une taille symbolique.

Icône programme

Fenêtre de programme qui apparaît sous forme d'icône d'application (ou icône de programme) dans l'aire de travail. Dans les groupes du gestionnaire de programmes il existe aussi des icônes de programmes, mais contrairement aux icônes de programmes présentes dans l'aire de travail, celles-ci ne représentent que le programme et non une application en cours de fonctionnement.

Icône d'application

Lorsque la fenêtre d'application d'un programme est réduite à la taille d'un pictogramme, ce graphisme est appelé icône de l'application. Cette icône peut, de même qu'une fenêtre d'application, être déplacée sur toute l'aire de travail. L'icône de l'application représente un programme éventuellement en cours de fonctionnement, et pouvant être transformé en une fenêtre visible au moyen d'un double clic. Les icônes d'applications servent à gagner de la place sur l'écran lorsqu'à un instant donné il n'est plus nécessaire qu'une application soit visible.

Icône de groupe

De même qu'une fenêtre de documents, une fenêtre de groupe peut être icônifiée. On obtient alors l'icône du groupe.

Icône de lecteur

Le gestionnaire de fichiers propose pour chaque lecteur déclaré une icône, qui montre simultanément le genre de mémoire de masse dont il s'agit. Au moyen d'un clic de souris sur l'une de ces icônes, on peut passer d'un lecteur dans un autre.

Importer

Lorsque l'on charge dans un programme des données provenant d'un autre programme, on parle d'importation. Ce processus s'accompagne généralement d'une conversion de format permettant au programme de destination d'interpréter les données entrantes, et de poursuivre leur traitement. Grâce au gestionnaire de liaisons, l'on peut insérer des fichiers dans des objets qui, ensuite, pourront être intégrés dans d'autres documents au moyen de la technique OLE. Cette opération est, elle aussi, une importation.

Imprimante active

Lorsque dans votre système a été installé plus d'une imprimante, l'une de ces imprimante se trouve toujours dans un état particulier. Celui-ci est qualifié d'actif, car tous les contrats d'impression pour lesquels aucune imprimante particulière est spécifiée sont dirigés vers cette imprimante. L'imprimante active est définie avec la fonction "Imprimantes" du panneau de configuration.

Imprimante de réseau

Imprimante connectée à un réseau, et pouvant être utilisée par plusieurs usagers.

Imprimante locale

Imprimante connectée directement à l'ordinateur c'est à dire pour l'accès à laquelle il est inutile de passer par un réseau.

Inactif

Chaque fenêtre avec laquelle vous ne communiquez pas à un instant donné, et qui n'est pas repérée par une barre titre en inversion vidéo est dite "inactive". Sont également qualifiés d'"inactifs" les éléments de commande ou commandes de menus auxquels il n'est pas possible d'accéder à cet instant (affichés en gris).

Inactivé(e)

Les commandes de menus ou boutons de commande qui, à un instant donné ne peuvent pas être utilisées sont qualifiés d'"inactivés". Les commandes ne sont pas affichées en noir, mais en gris, et les boutons de commande sont recouverts d'une trame.

Incorporation

technique OLE : un document externe est installé dans un autre document (une image dans une lettre, par exemple). L'objet incorporé conserve son autonomie, et peut par exemple être modifié. A cet effet, il suffit de lui appliquer un double-clic dans la lettre. Le programme avec lequel l'objet avait été réalisé est automatiquement activé par cette action.

Jeu de caractères ANSI

Tous les caractères disponibles sont caractérisés par un code numérique. Windows pour Workgroups utilise le code ANSI (ANSI = American National Standards Institute), qui en plus des caractères alphanumériques comporte aussi des codes pour les caractères particuliers nationaux. Cette codification est différente du code ASCII utilisé sous DOS. Les caractères usuels sont associés aux mêmes valeurs numériques dans les deux systèmes de codification, mais tous les caractères particuliers, y compris les lettres accentuées françaises, possèdent des codes différents en ANSI et ASCII. C'est pourquoi les textes provenant d'applications DOS doivent généralement d'abord être convertis avant de pouvoir les utiliser sous Windows pour Workgroups. Les programmes de traitement de textes qui se respectent proposent un certain nombre de possibilités prédéfinies pour effectuer de telles conversions. Le code ANSI utilise 8 bits, et permet par conséquent de codifier 256 caractères.

Lecteur

Les diverses mémoires de masse (disques durs, disques amovibles, lecteurs de disquettes ou lecteurs optiques) sont habituellement désignées sous DOS par des lettres. Traditionnellement, le lecteur de disquettes de 5"1/4 est appelé A, celui de 3"1/2 porte le nom B, et le disque dur est caractérisé par la lettre C. Etant donné que "A" désigne toujours le lecteur de disquettes d'amorçage, à partir duquel l'ordinateur peut être initialisé lorsque le disque dur est en panne, sur les ordinateurs les plus récents équipés d'un seul lecteur de disquettes, ainsi que sur les portables, une unité de 3"1/2 peut aussi faire office de lecteur A:.

Lecteur de réseau

Mémoire de masse accessible à plusieurs usagers d'un réseau.

Liaison automatique

Lorsqu'un document a été lié avec un objet (technique OLE), l'option de mise à jour doit être mise sur "automatique" lorsque l'on désire que les modifications apportées à l'objet initial soient répercutées dans le document global.

Lier

Technique OLE par laquelle un document est intégré dans un autre document. Les deux documents sont dits "liés". Ce verbe est parfois utilisé aussi comme synonyme de "Associer".

Ligne de commande

Désigne une commande DOS entrée sous forme de ligne de texte.

LPT

Identification d'un port parallèle de l'ordinateur. Le premier port parallèle s'appelle LPT1:, et tous les autres sont numérotés dans leur ordre chronologique. Les ports parallèles sont en principe utilisés pour connecter des imprimantes.

Luminosité

Joue un rôle, entre autres, pour la définition des couleurs dans le panneau de configuration : chaque couleur est assortie d'une luminosité calculée à partir des parts de rouge, vert et bleu. Des couleurs de même luminosité ne peuvent être distinguées que sur un moniteur couleur. Un moniteur à niveaux de gris n'affiche dans ce cas que des nuances de gris de même intensité.

Macro

Une macro recense un ensemble de phases de travail résultant d'opérations de souris ou de clavier. La macro peut être utilisée pour automatiser des séquences de travail répétitives. L'utilisateur fera appel à l'enregistreur de macros de Windows pour Workgroups pour recenser toutes ses manipulations, et partant de là, il pourra par la suite appeler la macro obtenue comme s'il s'agissait d'une commande supplémentaire.

Marque d'insertion

voir Curseur d'édition

Mémoire conventionnelle

Se réfère à l'architecture conventionnelle du premier PC, et désigne les premiers 640 Koctets de mémoire. Cette mémoire est extrêmement importante, car certaines données déterminantes pour le système ne peuvent être stockées que dans cette plage. Même si vous disposez d'une pléthore d'extensions de mémoire, rien ne va plus lorsque la mémoire conventionnelle est saturée.

Mémoire de masse

Médium d'enregistrement d'unités électroniques d'information : les bits. La plupart des mémoire de masse fonctionnent avec un support magnétique : disquettes, disques durs, streamers. D'autres mémoire de masse sont à lecture optique (CD). Le point commun à toutes les mémoires de masse est que leurs informations restent conservées même si l'ordinateur est éteint. C'est ce qui les différencie de la mémoire vive de l'ordinateur (RAM).

Mémoire de travail

Plage de la mémoire totale de l'ordinateur dans laquelle est réservée de la place pour un programme et ses données. Dès que la mémoire de travail est saturée, il n'y a plus moyen de lancer d'autres programmes. Dans le pire des cas, il faut alors quitter des programmes ouverts. Une possibilité pour augmenter la mémoire de travail consiste à recourir à de la mémoire virtuelle. Voir aussi Mémoire étendue, Mémoire paginée, Mémoire principale, RAM, ROM.

Mémoire EMS

Extension de mémoire paginée : cette mémoire est injectée page par page dans la zone d'adressage normale du mode réel (du processeur, pas de Windows pour Workgroups), et est théoriquement accessible avec les processeurs 8086. La mémoire paginée (EMS) est de nos jours supplantée par la mémoire XMS (étendue).

Mémoire étendue

Extension de mémoire gérée linéairement au-delà de la limite du mégaoctet, et installée dans la plage d'adressage du mode protégé. Cette mémoire constitue l'extension la plus usitée sur les ordinateurs modernes, et est aussi appelée mémoire XMS.

Mémoire haute

voir HMA

Mémoire morte

Mémoire qui n'est accessible qu'en lecture, car les informations qui y sont mémorisées sont fixes. Elles restent donc conservées même lorsque le circuit intégré n'est pas alimenté en courant électrique. C'est en mémoire morte que se trouvent les routines élémentaires d'initialisation de l'ordinateur, qui chargent ensuite le système d'exploitation d'une disquette ou d'un disque dur. Dans la mémoire morte se trouvent aussi des routines d'affichage. Etant donné que l'accès à la mémoire morte est plus lent qu'à la mémoire vive, certains ordinateurs proposent le "Shadow-RAM", le contenu de la mémoire morte étant copié au départ dans la mémoire vive.

Mémoire paginée

voir Mémoire EMS

Mémoire principale

Les premiers 640 Koctets de la mémoire du système. Windows pour Workgroups ne fonctionne que si ces 640 Koctets sont entièrement occupés, quelle que soit l'extension de mémoire qui s'y ajoute.

Mémoire supérieure

voir UMA

Mémoire virtuelle

Dans le mode 386 étendu, il est possible de gérer la mémoire du disque dur de manière à ce qu'elle donne l'impression d'appartenir à la mémoire vive. Techniquement, cette opération est réalisée par un délestage habile des données instantanément inutiles en mémoire vive vers le disque dur. Notez que, de toute façon, le processeur ne peut accéder qu'à des données qui sont réellement présentes en RAM..

Mémoire vive

Ensemble de circuits intégrés au silicium qui stockent des informations de l'ordinateur tant que celui-ci est alimenté en courant électrique. A la suite de sa mise hors tension, les "cases de mémorisation" de ces composants reprennent des valeurs aléatoires. Le processeur de l'ordinateur ,ne peut accéder qu'à la mémoire vive (RAM) et à la mémoire morte (ROM). La taille de la mémoire conditionne donc les performances du système. Des données peuvent être enregistrées sur une mémoire de masse pour un stockage durable. En cas de besoin, elles seront rechargées en mémoire vive. La mémoire vive se compose habituellement de la mémoire conventionnelle, de la mémoire paginée et de la mémoire étendue.

Mémoire XMS

voir Mémoire étendue

Menu

Un menu est un ensemble de commandes. Les commandes y sont réparties thématiquement. Tous les menus se trouvent dans la barre des menus située juste au-dessous de la barre titre de la fenêtre d'une application. Le menu système se trouve, quant à lui, dans le coin supérieur gauche de toute fenêtre, ou apparaît lorsque l'on clique sur une fenêtre icônifiée.

Menu système

Ce menu est le même pour toutes les fenêtres, les seules différences de l'une à l'autre résidant dans l'inactivation de certaines fonctions. Pour accéder à ce menu, il faut cliquer sur la case système, dans le coin supérieur gauche de la fenêtre, ou sur l'icône d'une fenêtre réduite. La plupart des commandes qui s'y trouvent peuvent généralement être exécutées plus rapidement avec la souris.

Message d'invite du DOS

Dans un environnement DOS apparaît toujours un symbole qui vous invite à saisir une commande DOS. Ce caractère est aussi appelé "Prompt" du DOS.

MIDI

Abréviation de "Musical Instrument Digital Interface", standard de connexion pour des instruments de musique électroniques. En fait, un port MIDI est un port de communication série particulièrement rapide.

Mise à l'échelle

Les polices modernes peuvent subir n'importe quelle mise à l'échelle, à la manière d'un dessin technique, car elles sont définies dans un système de coordonnées. Dès que change l'échelle dans le système de coordonnées, la taille des caractères change aussi. En principe, les caractères d'une police changent en respectant les mêmes proportions suivant l'horizontale et la verticale, mais il est également possible de ne faire varier qu'une seule dimension du système de coordonnées.

Mode 386 étendu

N'est utilisable que sur les ordinateurs équipés d'un processeur 80386 ou supérieur (SX ou DX). Dans ce mode de fonctionnement, il est possible d'utiliser de la mémoire virtuelle pour assister l'infime mémoire principale. Ce mode permet d'autre part de faire fonctionner des applications DOS dans une fenêtre de Windows pour Workgroups.

Mode graphique

En mode graphique il est possible de s'adresser individuellement à chaque point de l'écran, procédé qui nécessite une plus grande mémoire d'affichage et plus de temps pour les calculs. En contrepartie, on n'est pas limité aux seuls caractères d'un jeu de caractères. Toutes les applications Windows pour Workgroups travaillent en mode graphique. La plupart des applications DOS fonctionnent le plus souvent en mode texte, où seuls les caractères d'un jeu de 256 codes peuvent être visualisés.

Mode protégé

Tous les processeurs, à partir du 80286, possèdent deux modes : le mode protégé, dans lequel ils peuvent bénéficier de toutes leurs nouvelles fonctions avec le meilleur rendement possible, et le mode réel, dans lequel ils se comportent de la même façon que les anciens 8086, par souci de compatibilité.

Mode réel

Contrairement au mode protégé, le mode réel limite les nouveaux processeurs (à partir du 80286) aux possibilités d'un 8086. Seule la fréquence de fonctionnement de ces processeurs apporte alors une amélioration par rapport aux premiers PC. Le processeur 8086 de première génération ne peut connaître que ce mode, puisque c'est lui qui sert de référence pour le définir.

Mode standard

Ce mode est de rigueur pour tous les 80286, et le mieux adapté pour les 80386 disposant d'une mémoire insuffisante (moins de 2 Moctets). Il ne permet pas d'utiliser la mémoire virtuelle, et les applications DOS ne fonctionnent qu'en présentation plein écran.

Modèle de couleurs

Affectation de couleurs aux éléments de commande de Windows pour Workgroups. A l'aide du panneau de configuration, on peut attribuer une couleur spécifique à chaque élément de l'environnement de Windows pour Workgroups. La configuration de couleurs choisie peut être enregistrée comme modèle. Windows pour Workgroups propose un certain nombre de modèles de couleurs, auxquels vous pouvez ajouter vos propres compositions.

Modem

Appareil capable de convertir des données électroniques en signaux acoustiques (MOdulation) et inversement (DEModulation). Ce périphérique est nécessaire aux transmissions de données via des lignes câblées prévues pour véhiculer des signaux vocaux (réseau téléphonique, par exemple). Le coupleur acoustique constitue une autre alternative.

Motifs

L'arrière-plan de l'aire de travail peut être agrémenté de motifs décoratifs. Ce motif se compose d'un graphisme de 8 x 8 points de couleurs quelconques, et peut être défini et activé avec la fonction "Bureau" du panneau de configuration. La visualisation d'un motif ralentit quelque peu l'affichage de Windows pour Workgroups.

Multimédia

Liaison de divers médias (son, image, texte, par exemple) réalisée dans un ordinateur.

Multitasking

Capacité d'un système d'exploitation à gérer simultanément plusieurs programmes, en répartissant entre eux le temps de calcul de l'unité centrale, donnant l'impression que les programmes fonctionnent simultanément.

Nom d'une mémoire de masse

Désignation de la mémoire de masse. La spécification d'un tel intitulé est facultative.

Nom de fichier

Chaque fichier possède un nom et, facultativement, une extension. Le nom peut comporter un maximum de huit caractères soumis à certaines restrictions (les caractères particuliers ne sont pas tous autorisés). Dans un nom de fichier, aucune distinction n'est faite entre majuscules et minuscules : ainsi, les noms "test" et "Test" sont identiques, et sont tous deux interprétés comme "TEST". Il est indispensable que dans un même répertoire il n'existe pas plusieurs fichiers possédant simultanément le même nom et la même extension. Dès que l'on tente de créer un fichier avec un nom et une extension qui sont déjà présents dans le répertoire sélectionné, Windows pour Workgroups en avertit l'utilisateur. Si celui-ci ne tient pas compte de l'avertissement, l'ancien fichier sera écrasé par le nouveau. Les données de l'ancien fichier sont alors perdues.

Objet incorporé

voir Incorporation

Occulter

"Fermeture" d'un répertoire dans l'arborescence des répertoires du gestionnaire de fichiers. A ne pas confondre avec des éléments de commande ou des commandes de menu "inactivés".

OLE

Abréviation de "Object Linking and Embedding", nouvelle variante de DDE, permettant à l'utilisateur de réunir plusieurs documents en un document unique sans que les documents individuels perdent leur autonomie. Il est ainsi possible de les éditer séparément dans le programme où ils ont été conçus, sans pour autant déranger le document global. Au contraire : le document global pourra ainsi être mis à jour, pour ainsi dire module par module.

Page d'écran

Lorsqu'un document ne peut être entièrement visualisé dans une fenêtre, on peut le faire défiler en avant ou en arrière à raison d'un équivalent de surface de fenêtre.

Une "page" correspond donc au contenu d'une fenêtre. Suivant la taille de la fenêtre, les pages peuvent donc être "grandes" ou "petites". Toute barre de défilement est équipée de deux boutons de commande pour faire défiler les pages d'écran.

Papier peint

L'arrière-plan de l'aire de travail peut être décoré à l'aide de motifs ou d'un papier peint. Tous les graphismes au format de bitmaps d'extension .BMP peuvent être utilisés comme papier peint, à condition qu'ils ne soient pas plus grands que la surface de l'arrière-plan. Par l'intermédiaire de la fonction "Bureau" du panneau de configuration, on peut spécifier un motif graphique d'arrière-plan. Vos propres graphismes pourront être réalisés dans PaintBrush, puis enregistrés au format convenable dans le répertoire de Windows pour Workgroups, afin d'être accessibles par le panneau de configuration. Les graphismes peuvent remplir tout l'arrière-plan par disposition en mosaïque, ou être simplement centrés. Notez que le papier peint est prioritaire sur le motif, et qu'un éventuel motif d'arrière-plan sera masqué par un papier peint.

Paramètre

Valeur ou spécification nécessaire à l'exécution d'une certaine commande est demandé à l'aide d'une boîte de dialogue.

Parité

Contrôle d'erreurs dans le cadre de la transmission de données bit par bit. Cette technique de contrôle détermine la somme des éléments d'une unité de données, pouvant être égale à 1 ou 0 (impair ou pair).

Pied de page

Texte fixe affecté au bas de la page, qui contient le plus souvent la même information et s'inscrit au bas de chaque page (le titre du chapitre, dans un livre, par exemple).

Pilote

voir Gestionnaire

Pilote d'imprimante

Les imprimantes disposent, en fonction de leurs possibilités spécifiques, de commandes et de formes de données particulières. Pour que Windows pour Workgroups puisse envoyer à l'imprimante les données à imprimer dans le format approprié, il doit disposer d'informations sur la manière dont ces données doivent être mises en forme. Cette tâche est assumée par le pilote d'imprimante. Un pilote d'imprimante déterminé doit être installé pour chaque type d'imprimante susceptible d'être utilisé dans un système, à moins que toutes ces imprimantes utilisent le même format de données. C'est le cas des imprimantes compatibles entre elles, et toutes basées sur un même concept de fabrication. Il est possible de se procurer directement auprès du fabriquant de la machine un pilote d'imprimante capable d'exploiter totalement les possibilités de celle-ci. Les pilotes d'imprimantes seront installés à l'aide de la fonction "Imprimantes" du panneau de configuration.

Pixel

Désigne un point de l'écran, et résulte d'une contraction revue et corrigée de "Picture Element".

Plein écran

Dès qu'une fenêtre d'application passe en affichage plein écran, elle occupe intégralement l'aire de travail. Lorsqu'on fait passer une fenêtre de document en affichage plein écran, elle occupe toute la surface de la fenêtre de l'application à laquelle elle appartient. Lorsqu'une application DOS se déroule en présentation plein écran, il s'agit simplement de l'environnement DOS original, auquel on passe en quittant Windows pour Workgroups. Par opposition à cette dernière possibilité, on distingue la visualisation d'une application DOS dans une fenêtre de Windows pour Workgroups, exclusivement possible dans le mode 386 étendu.

Point

Unité de mesure provenant de l'art typographique. Un point équivaut à 1/72ème de pouce, et sert à spécifier le corps des caractères. Les caractères traditionnels d'une machine à écrire ont un corps de 12 points. Sur la plupart des imprimantes de bonne qualité, une police de 8 points représente la limite inférieure de lisibilité. Les caractères de et 14 points sont utilisés pour les titres courants. En raison des facultés d'agrandissement des polices TrueType, l'utilisateur pourra pousser l'exagération à réaliser des caractères de 300 points, voire davantage, si l'envie lui en prend.

Pointer

Positionner le pointeur sur un certain objet ou à un emplacement déterminé.

Pointeur

Petite flèche blanche visible à l'écran, qui accompagne les mouvements de la souris. Il indique l'objet auquel s'appliquera le prochain clic ou double clic. Suivant la commande, le pointeur peut adopter d'autres formes que celle d'une flèche, afin de signaler un certain état. Si par exemple il prend l'apparence d'un sablier, c'est que l'ordinateur est, à cet instant, occupé : toute tentative de saisie dans cette situation est inutile.

Police

Terme désignant un jeu de caractères. La police définit l'apparence à associer à tous les codes de caractères, tous les caractères n'étant pas nécessairement définis (ceux qui ne le sont pas seront par exemple représentés par un rectangle noir). Suivant le principe de visualisation, on distingue les polices en mode points (pixels) et les polices vectorielles, ces dernières présentant la meilleure qualité. Avec les polices TrueType, Windows pour Workgroups propose ses propres polices vectorielles. Mais les jeux de caractères PostScript, également utilisables sous Windows pour Workgroups si on recourt au Type Manager sont, pour l'instant encore, mieux connues.

Police de cartouche

Est comptée parmi les polices internes de l'imprimante, sans toutefois être implantée fermement dans l'imprimante : elle peut y être ajoutée comme un genre d'extension, sous forme de cartouche. Ce procédé de cartouches addition-nelles est surtout répandu sur les imprimantes à laser.

Police de table traçante

Police spécialement conçue pour un usage sur table traçante (plotter), dont les caractères sont définis par des points reliés par des segments de droites. Les polices de table traçante ne comportent pas de surfaces pleines, et ne peuvent utiliser des segments curvilignes. Les polices de table traçante peuvent aussi être reproduites sur d'autres types d'imprimantes, mais elles seront dans ce cas réalisées en mode graphique.

Police proportionnelle

Les premières polices informatiques se comportaient comme les polices d'une simple machine à écrire : un même espace était réservé à chaque caractère. Les polices proportionnelles, qui sur un ordinateur ne peuvent être visualisées qu'en mode graphique, réservent à chaque caractère la place nécessaire et suffisante, d'où une présentation plus harmonieuse. La lettre "I" sera ainsi plus étroite qu'un "M". Les polices TrueType sont toutes des polices proportionnelles, à l'exception de "New Courier". "New Courier" est juste une simulation de l'écriture de la machine à écrire traditionnelle.

Polices à télécharger

Polices spécialement conçues pour une imprimante, mais qui contrairement aux polices en cartouches ne peuvent être physiquement ajoutées dans l'imprimante. Il faut les copier depuis une disquette sur l'ordinateur, d'où elles devront être envoyées à l'imprimante après chaque mise sous tension de celle-ci. Ne présentent plus d'intérêt depuis l'apparition des polices TrueType.

Polices internes de l'imprimante

Dans la plupart des imprimantes sont implantées des polices dont l'impression peut être particulièrement rapide. Si le pilote d'imprimante convenable est installé, Windows pour Workgroups connaît ces polices, et les présente, en sus des polices Windows pour Workgroups, dans tous les programmes Windows pour Workgroups. Mais étant donné que Windows pour Workgroups ne connaît pas l'apparence exacte des polices internes de l'imprimante, celles-ci ne sont généralement pas affichées correctement à l'écran. Par contre, les dimensions sont, quant à elles, respectées, en composition justifiée, par exemple.

Port

Prise de connexion présente sur l'ordinateur. Le branchement pour l'alimentation mis à part, ce terme désigne toutes les prises présentes sur l'ordinateur : ports de communication série et parallèle, manette de jeu, interface vidéo pour le moniteur, ainsi que les éventuels branchements spéciaux comme le SCSI ou les ports vidéo externes pour les imprimantes à laser. Les ports sont normalisés pour ce qui touche à leur forme et au nombre de broches, ce qui rend toute confusion exclue lorsque vous désirez connecter un périphérique à l'ordinateur.

Port parallèle

Sert généralement à connecter une imprimante. Voir aussi LPT.

Port série

Fiche de connexion pour la souris ou la communication électronique. Voir COM.

Presse-papiers

Des données de toute nature peuvent être échangées entre programmes en les copiant d'abord depuis le document original vers le presse-papiers (commandes Couper ou Copier), depuis lequel elles pourront ensuite être insérées dans le document de destination. A l'aide du presse-papiers, il est également possible de réorganiser les diverses parties à l'intérieur d'un document.

Protected Mode

Voir Mode protégé

QuickFormat

Ce procédé efface simplement les mentions système sur une disquette, afin de libérer toutes les zones d'enregistrement. Mais en fait, les données se trouvent toujours sur la disquette, et il est possible de les restaurer. La technique de formatage rapide ne localise pas les éventuels défauts physiques d'une disquette, et ne trace pas non plus de nouvelles pistes. Le formatage s'en trouve accéléré, mais il est toutefois nécessaire qu'antérieurement la disquette ait été formatée une fois normalement. Du point de vue de la confidentialité des données, le formatage rapide est à proscrire : des données apparemment effacées peuvent en effet être récupérées par un tiers dès que celui-ci est en possession de la disquette.

Raccourci-clavier

Voir Combinaison de touches

RAM

Contraction de "Random Access Memory". Voir Mémoire vive

RAM-Disk

Voir Disque virtuel

Real-Mode

Voir Mode réel

Répertoire courant

Dans le gestionnaire de fichiers, vous avez découvert l'arborescence des répertoires, composée de nombreux répertoires individuels imbriqués les uns dans les
autres. Le répertoire courant est celui dans lequel l'utilisateur se trouve à un instant
donné. Dans l'arborescence des fichiers du gestionnaire de fichiers, il est repéré
par un cadre rectangulaire. Tous les noms de fichiers pour lesquels le chemin
d'accès complet n'est pas spécifié se rapportent à ce répertoire. Le répertoire
courant peut par exemple être modifié à l'aide du gestionnaire de fichiers. Avec
la fonction "Propriétés" du menu Fichier du gestionnaire de programmes vous
pouvez affecter un répertoire de travail à chaque icône de programme. Ce
répertoire devient répertoire courant dès que le programme associé à cette icône
démarre.

Répertoire source

Répertoire dans lequel se trouvent les fichiers à copier ou à déplacer. Ce
mouvement s'effectue depuis le répertoire source vers le répertoire cible (ou de
destination).

Réseau

Un réseau est une chaîne de plusieurs ordinateur, qui peuvent travailler soit
indépendamment les uns des autres, soit en se raccordant à un serveur. Un réseau
permet à ses utilisateurs d'échanger rapidement des données, et de se partager
certaines ressources onéreuses comme par exemple une imprimante de haute
qualité. Les réseaux les plus répandus nécessitent généralement que les ordinateurs qui y sont connectés soient relativement proches les uns des autres. Il n'en
va pas de même avec les réseaux globaux, comme par exemple Internet, qui sont
disséminés sur toute la surface de la terre.

Résidents (en mémoire)

Des programmes spécialement conçus peuvent être chargés en mémoire, et y
rester en veille jusqu'à ce qu'une certaine combinaison de touches ou un autre
événement les appelle à l'action. Leurs fonctions sont ainsi utilisables dans le
cadre d'un autre programme. Un exemple simple et anodin de programme
résident est celui d'un programme de copie d'écran, capable de mémoriser des
portions de l'écran. Mais il existe des résidents plus dangereux : les virus

informatiques, qui fonctionnent également comme des programmes résidents, en arrière-plan, pour parachever leur oeuvre destructrice.

Résolution

Il n'est jamais possible de reproduire à la perfection des objets géométriques, comme par exemple un cercle, au moyen d'appareils digitaux tels que l'ordinateur. Ces machines tentent de reconstituer de telles formes à l'aide de points placés dans une grille, ou trame. La taille de cette trame définit la "résolution". Plus les points sont petits, c'est à dire proches les uns des autres, meilleure sera la définition de l'objet, et plus sa forme sera proche de la réalité. La résolution est définie en points d'écran (les pixels) lorsqu'on parle d'un moniteur. Dans le domaine de l'impression, on utilise l'unité DPI (Dots per Inch), qui désigne le nombre de points pouvant être imprimés sur 2,54 cm. Sur la plupart des écrans et imprimantes, la résolution est différente dans les sens horizontal et vertical. Une carte VGA normale offre, par exemple, une résolution de 640 x 480 pixels, et une imprimante à laser le plus souvent 300 DPI.

Résolution graphique

Voir Résolution

ROM

Contraction de "Read Only Memory". Voir Mémoire morte

Saut de ligne automatique

Est assuré par tous les programmes de traitement de textes : dès que le curseur d'édition atteint la fin d'une ligne, il passe automatiquement au début de la ligne suivante en entraînant dans ce mouvement le dernier mot écrit, si celui-ci ne trouve plus intégralement place dans la ligne précédente. Il n'est donc pas nécessaire, comme sur une machine à écrire, d'actionner la touche «Return» après chaque ligne. Le bloc-notes et le terminal peuvent ne pas être configurés pour un saut de ligne automatique, suivant les options qui y sont activées.

Sélectionner

Lorsqu'une commande ou une fonction doit s'appliquer à une zone particulière d'un document, celui-ci doit préalablement être sélectionné. Une portion de texte sélectionnée est représentée en inversion vidéo. Une partie sélectionnée d'un graphisme est repérée par un encadrement en pointillés.

Serveur

Ordinateur d'un réseau auquel peuvent accéder tous les autres postes, et mettant à la disposition de l'ensemble des usagers des ressources telles que des disques durs, des imprimantes etc.

Sous-répertoire

Répertoire installé dans un autre répertoire. Le seul répertoire qui n'est pas aussi un sous-répertoire est le répertoire racine, situé au sommet de l'arborescence des répertoires.

Suffixe

Voir Extension

Tâche

Tout programme tournant sous Windows pour Workgroups est considéré comme une tâche. Windows pour Workgroups est en mesure de gérer simultanément plusieurs tâches, ce qui permet d'accéder au "fonctionnement multi-tâches" : plusieurs programmes donnent l'impression de fonctionner simultanément. D'un point de vue technique, cette performance est réalisée par partage du temps de fonctionnement du processeur entre les différentes tâches, d'où la possibilité de passer rapidement de l'une à l'autre.

Taille de caractère

La taille des caractères, définie en l'unité "point", définit les dimensions des signes d'une police. Les caractères d'une police vectorielle sont de taille variable, au choix de l'usager, alors que les caractères en mode points perdent en qualité à chaque agrandissement. En jargon plus technique on parle du "corps" des caractères.

Touches directionnelles

Voir Touches fléchées

Touches fléchées

Les quatre touches situées sur la gauche du pavé numérique du clavier, et sur lesquelles sont dessinées des flèches. Ces touches permettent de déplacer le curseur texte dans les quatre sens possibles. Sur les anciens claviers, les touches fléchées sont intégrées au pavé numérique, dans lequel elles produisent soit des chiffres, soit un déplacement, suivant que le bloc numérique est verrouillé ou non.

Translater

Voir Glisser

Transmission de données

La transmission de données a en principe lieu entre plusieurs ordinateurs. A cet effet, on a besoin d'un câble de liaison et d'un port de communication - le plus souvent série - sur chacun des ordinateurs concernés. Lorsque la transmission de données doit être réalisée via le réseau téléphonique, il faut d'autre par disposer d'un modem ou d'un coupleur acoustique, sur chaque machine, qui convertisse les données en signaux acoustiques, car une ligne téléphonique n'est pas capable de transmettre des signaux électriques, mais uniquement des signaux acoustiques. Windows pour Workgroups intègre le programme "Terminal", qui permet aisément de pratiquer la transmission de données. En fait, la transmission de données se fait systématiquement entre l'ordinateur et tous les périphériques qui y sont connectés. C'est ainsi que la souris communique des données à l'ordinateur lors de chacun de ses mouvements.

TrueType

Nouvelle technique de conception de polices développée conjointement par Apple et Microsoft en réponse aux polices PostScript de la Firme Adobe. Ces polices offrent une remarquable qualité, de même que les polices PostScript. Contrairement aux polices PostScript, pour lesquelles le programme Adobe Type Manager est nécessaire, Windows pour Workgroups supporte les polices True-Type sans recours à aucun intermédiaire.

UMA

Abréviation de Upper Memory Area : zone de mémoire située juste au-dessus de la mémoire conventionnelle principale, c'est à dire des premiers 640 Koctets. L'UMA assure la continuité de la mémoire avec 384 Koctets supplémentaires, de là résultant le premier mégaoctet. Dans l'UMA se trouvent en principe exclusivement des zones système réservées, utilisées par exemple comme mémoire d'affichage. Un stockage de données dans cette plage n'est donc pas possible. La mémoire EMS injecte dans cette zone ses pages des mémoire supplémentaires.

Unité disque

Voir Lecteur

Valider

Les paramètres mentionnés dans des boîtes de dialogues, ainsi que les spécifications générales de chargement et de sauvegarde de documents ne prennent effet que si vous validez ces indications. Un bouton de commande intitulé OK est généralement prévu à cet effet. Windows pour Workgroups propose toujours comme autre alternative le bouton de commande "Annuler", et parfois aussi le bouton de commande "Aide". Le bouton de validation des spécifications peut aussi être activé par pression sur la touche «Return», et le bouton d'annulation le plus souvent avec la touche «Esc».

Zone d'édition (d'une boîte de dialogue)

Partie d'une boîte de dialogue dans laquelle peuvent être saisis des caractères alphanumériques.

Zone d'édition (d'une fenêtre d'application)

La zone d'édition est la surface d'une fenêtre d'application dans laquelle l'utilisateur peut travailler. Dans un programme de traitement de texte, il s'agit de l'aire où est visualisé le texte, et dans un programme de dessin, cette expression désigne l'aire de dessin.

Zone de liste

Permet à l'utilisateur de choisir une entrée dans une liste. Lorsque cette liste ne peut pas visualiser toutes ses entrées, une barre de défilement apparaît sur sa droite. Seules des listes très particulières permettent de sélectionner plus d'une entrée.

Zone de liste déroulante

Représente dans une ligne unique l'information sélectionnée dans une liste. Dès qu'on déroule cette ligne, la liste complète apparaît. La zone de liste déroulante est la variante de zone de liste la plus économique en surface d'affichage.

17.2. Table ANSI

Dec	Hex	Car	Dec	Hex	Car	Dec	Hex	Car	Dec	Hex	Car
0	00		32	20		64	40	@	96	60	`
1	01		33	21	!	65	41	A	97	61	a
2	02		34	22	"	66	42	B	98	62	b
3	03		35	23	#	67	43	C	99	63	c
4	04		36	24	$	68	44	D	100	64	d
5	05		37	25	%	69	45	E	101	65	e
6	06		38	26	&	70	46	F	102	66	f
7	07		39	27	'	71	47	G	103	67	g
8	08	**	40	28	(	72	48	H	104	68	h
9	09	**	41	29	)	73	49	I	105	69	i
10	0A	**	42	2A	*	74	4A	J	106	6A	j
11	0B		43	2B	+	75	4B	K	107	6B	k
12	0C		44	2C	,	76	4C	L	108	6C	l
13	0D	**	45	2D	–	77	4D	M	109	6D	m
14	0E		46	2E	.	78	4E	N	110	6E	n
15	0F		47	2F	/	79	4F	O	111	6F	o
16	10		48	30	0	80	50	P	112	70	p
17	11		49	31	1	81	51	Q	113	71	q
18	12		50	32	2	82	52	R	114	72	r
19	13		51	33	3	83	53	S	115	73	s
20	14		52	34	4	84	54	T	116	74	t
21	15		53	35	5	85	55	U	117	75	u
22	16		54	36	6	86	56	V	118	76	v
23	17		55	37	7	87	57	W	119	77	w
24	18		56	38	8	88	58	X	120	78	x
25	19		57	39	9	89	59	Y	121	79	y
26	1A		58	3A	:	90	5A	Z	122	7A	z
27	1B		59	3B	;	91	5B	[	123	7B	{
28	1C		60	3C	<	92	5C	\	124	7C		
29	1D		61	3D	=	93	5D	]	125	7D	}
30	1E		62	3E	>	94	5E	^	126	7E	~
31	1F		63	3F	?	95	5F	_	127	7F	

Dec	Hex	Car	Dec	Hex	Car	Dec	Hex	Car	Dec	Hex	Car
128	80	▌	160	A0		192	C0	À	224	E0	à
129	81	▌	161	A1	¡	193	C1	Á	225	E1	á
130	82	▌	162	A2	¢	194	C2	Â	226	E2	â
131	83	▌	163	A3	£	195	C3	Ã	227	E3	ã
132	84	▌	164	A4	¤	196	C4	Ä	228	E4	ä
133	85	▌	165	A5	¥	197	C5	Å	229	E5	å
134	86	▌	166	A6	¦	198	C6	Æ	230	E6	æ
135	87	▌	167	A7	§	199	C7	Ç	231	E7	ç
136	88	▌	168	A8	¨	200	C8	È	232	E8	è
137	89	▌	169	A9	©	201	C9	É	233	E9	é
138	8A	▌	170	AA	ª	202	CA	Ê	234	EA	ê
139	8B	▌	171	AB	«	203	CB	Ë	235	EB	ë
140	8C	▌	172	AC	¬	204	CC	Ì	236	EC	ì
141	8D	▌	173	AD		205	CD	Í	237	ED	í
142	8E	▌	174	AE	®	206	CE	Î	238	EE	î
143	8F	▌	175	AF	¯	207	CF	Ï	239	EF	ï
144	90	▌	176	B0	°	208	D0	Ð	240	F0	ð
145	91	'	177	B1	±	209	D1	Ñ	241	F1	ñ
146	92	'	178	B2	²	210	D2	Ò	242	F2	ò
147	93	▌	179	B3	³	211	D3	Ó	243	F3	ó
148	94	▌	180	B4	´	212	D4	Ô	244	F4	ô
149	95	▌	181	B5	µ	213	D5	Õ	245	F5	õ
150	96	▌	182	B6	¶	214	D6	Ö	246	F6	ö
151	97	▌	183	B7	·	215	D7	×	247	F7	÷
152	98	▌	184	B8	¸	216	D8	Ø	248	F8	ø
153	99	▌	185	B9	¹	217	D9	Ù	249	F9	ù
154	9A	▌	186	BA	º	218	DA	Ú	250	FA	ú
155	9B	▌	187	BB	»	219	DB	Û	251	FB	û
156	9C	▌	188	BC	¼	220	DC	Ü	252	FC	ü
157	9D	▌	189	BD	½	221	DD	Ý	253	FD	ý
158	9E	▌	190	BE	¾	222	DE	Þ	254	FE	þ
159	9F	▌	191	BF	¿	223	DF	ß	255	FF	ÿ

17.3. Table de tri

Dec	Hex	Car	Dec	Hex	Car	Dec	Hex	Car	Dec	Hex	Car
|	|	|	|	|	|	|	|	|	|	|	|
32	20		30	1E	■	125	7D	}	157	9D	■
160	A0		31	1F	■	126	7E	~	158	9E	■
0	00	■	33	21	!	127	7F	■	159	9F	■
1	01	■	34	22	"	128	80	■	161	A1	¡
2	02	■	35	23	#	129	81	■	162	A2	¢
3	03	■	36	24	$	130	82	■	163	A3	£
4	04	■	37	25	%	131	83	■	164	A4	¤
5	05	■	38	26	&	132	84	■	165	A5	¥
6	06	■	39	27	'	133	85	■	166	A6	¦
7	07	■	40	28	(	134	86	■	167	A7	§
8	08	■	41	29	)	135	87	■	168	A8	
9	09	■	42	2A	*	136	88	■	169	A9	©
10	0A	■	43	2B	+	137	89	■	170	AA	ª
11	0B	■	44	2C	,	138	8A	■	171	AB	«
12	0C	■	45	2D	-	139	8B	■	172	AC	¬
13	0D	■	46	2E	.	140	8C	■	173	AD	–
14	0E	■	47	2F	/	141	8D	■	174	AE	®
15	0F	■	58	3A	:	142	8E	■	175	AF	¯
16	10	■	59	3B	;	143	8F	■	176	B0	°
17	11	■	60	3C	<	144	90	■	177	B1	±
18	12	■	61	3D	=	145	91	`	178	B2	²
19	13	■	62	3E	>	146	92	'	179	B3	³
20	14	■	63	3F	?	147	93	"	180	B4	´
21	15	■	64	40	@	148	94	"	181	B5	µ
22	16	■	91	5B	[	149	95	•	182	B6	¶
23	17	■	92	5C	\	150	96	–	183	B7	·
24	18	■	93	5D	]	151	97	—	184	B8	¸
25	19	■	94	5E	^	152	98	■	185	B9	¹
26	1A	■	95	5F	_	153	99	■	186	BA	º
27	1B	■	96	60	`	154	9A	■	187	BB	»
28	1C	■	123	7B	{	155	9B	■	188	BC	¼
29	1D	■	124	7C	|	156	9C	■	189	BD	½

Dec	Hex	Car	Dec	Hex	Car	Dec	Hex	Car	Dec	Hex	Car
190	BE	¼	99	63	c	74	4A	J	82	52	R
191	BF	¿	231	E7	ç	106	6A	j	114	72	r
48	30	0	68	44	D	75	4B	K	83	53	S
49	31	1	208	D0	Ð	107	6B	k	115	73	s
50	32	2	100	64	d	76	4C	L	223	DF	ß
51	33	3	240	F0	ð	108	6C	l	84	54	T
52	34	4	69	45	E	77	4D	M	116	74	t
53	35	5	200	C8	È	109	6D	m	85	55	U
54	36	6	201	C9	É	78	4E	N	217	D9	Ù
55	37	7	202	CA	Ê	110	6E	n	218	DA	Ú
56	38	8	203	CB	Ë	209	D1	Ñ	219	DB	Û
57	39	9	101	65	e	241	F1	ñ	220	DC	Ü
65	41	A	232	E8	è	79	4F	O	117	75	u
192	C0	À	233	E9	é	210	D2	Ò	249	F9	ù
193	C1	Á	234	EA	ê	211	D3	Ó	250	FA	ú
194	C2	Â	235	EB	ë	212	D4	Ô	251	FB	û
195	C3	Ã	70	46	F	213	D5	Õ	252	FC	ü
196	C4	Ä	102	66	f	214	D6	Ö	86	56	V
197	C5	Å	71	47	G	215	D7	×	118	76	v
198	C6	Æ	103	67	g	216	D8	Ø	87	57	W
97	61	a	72	48	H	111	6F	o	119	77	w
224	E0	à	104	68	h	242	F2	ò	88	58	X
225	E1	á	73	49	I	243	F3	ó	120	78	x
226	E2	â	204	CC	Ì	244	F4	ô	89	59	Y
227	E3	ã	205	CD	Í	245	F5	õ	221	DD	Ý
228	E4	ä	206	CE	Î	246	F6	ö	121	79	y
229	E5	å	207	CF	Ï	247	F7	÷	253	FD	ý
230	E6	æ	105	69	i	248	F8	ø	255	FF	ÿ
66	42	B	236	EC	ì	80	50	P	90	5A	Z
98	62	b	237	ED	í	112	70	p	122	7A	z
67	43	C	238	EE	î	81	51	Q	254	FE	þ
199	C7	Ç	239	EF	ï	113	71	q	222	DE	Þ

17.4. Police symbol

Dec	Hex	Car	Dec	Hex	Car	Dec	Hex	Car	Dec	Hex	Car
ǀ	ǀ	ǀ	ǀ	ǀ	ǀ	ǀ	ǀ	ǀ	ǀ	ǀ	ǀ
0	00	■	32	20		64	40	≅	96	60	‾
1	01	■	33	21	!	65	41	Α	97	61	α
2	02	■	34	22	∀	66	42	Β	98	62	β
3	03	■	35	23	#	67	43	Χ	99	63	χ
4	04	■	36	24	∃	68	44	Δ	100	64	δ
5	05	■	37	25	%	69	45	Ε	101	65	ε
6	06	■	38	26	&	70	46	Φ	102	66	φ
7	07	■	39	27	∋	71	47	Γ	103	67	γ
8	08	■	40	28	(	72	48	Η	104	68	η
9	09	■	41	29	)	73	49	Ι	105	69	ι
10	0A	■	42	2A	∗	74	4A	ϑ	106	6A	φ
11	0B	■	43	2B	+	75	4B	Κ	107	6B	κ
12	0C	■	44	2C	,	76	4C	Λ	108	6C	λ
13	0D	■	45	2D	−	77	4D	Μ	109	6D	μ
14	0E	■	46	2E	.	78	4E	Ν	110	6E	ν
15	0F	■	47	2F	/	79	4F	Ο	111	6F	ο
16	10	■	48	30	0	80	50	Π	112	70	π
17	11	■	49	31	1	81	51	Θ	113	71	θ
18	12	■	50	32	2	82	52	Ρ	114	72	ρ
19	13	■	51	33	3	83	53	Σ	115	73	σ
20	14	■	52	34	4	84	54	Τ	116	74	τ
21	15	■	53	35	5	85	55	Υ	117	75	υ
22	16	■	54	36	6	86	56	ς	118	76	ϖ
23	17	■	55	37	7	87	57	Ω	119	77	ω
24	18	■	56	38	8	88	58	Ξ	120	78	ξ
25	19	■	57	39	9	89	59	Ψ	121	79	ψ
26	1A	■	58	3A	:	90	5A	Ζ	122	7A	ζ
27	1B	■	59	3B	;	91	5B	[	123	7B	{
28	1C	■	60	3C	<	92	5C	∴	124	7C		
29	1D	■	61	3D	=	93	5D	]	125	7D	}
30	1E	■	62	3E	>	94	5E	⊥	126	7E	~
31	1F	■	63	3F	?	95	5F	_	127	7F	■

Dec	Hex	Car		Dec	Hex	Car		Dec	Hex	Car		Dec	Hex	Car
128	80	■		160	A0			192	C0	ℵ		224	E0	◊
129	81	■		161	A1	Υ		193	C1	ℑ		225	E1	⟨
130	82	■		162	A2	′		194	C2	ℜ		226	E2	®
131	83	■		163	A3	≤		195	C3	℘		227	E3	©
132	84	■		164	A4	/		196	C4	⊗		228	E4	™
133	85	■		165	A5	∞		197	C5	⊕		229	E5	Σ
134	86	■		166	A6	ƒ		198	C6	∅		230	E6	⎛
135	87	■		167	A7	♣		199	C7	∩		231	E7	⎜
136	88	■		168	A8	♦		200	C8	∪		232	E8	⎜
137	89	■		169	A9	♥		201	C9	⊃		233	E9	⎝
138	8A	■		170	AA	♠		202	CA	⊇		234	EA	⎜
139	8B	■		171	AB	↔		203	CB	⊄		235	EB	⎣
140	8C	■		172	AC	←		204	CC	⊂		236	EC	⎡
141	8D	■		173	AD	↑		205	CD	⊆		237	ED	⎨
142	8E	■		174	AE	→		206	CE	∈		238	EE	⎜
143	8F	■		175	AF	↓		207	CF	∉		239	EF	⎜
144	90	■		176	B0	°		208	D0	∠		240	F0	v
145	91	■		177	B1	±		209	D1	∇		241	F1	⎞
146	92	■		178	B2	″		210	D2	®		242	F2	⎟
147	93	■		179	B3	≥		211	D3	©		243	F3	⎧
148	94	■		180	B4	×		212	D4	™		244	F4	⎟
149	95	■		181	B5	∝		213	D5	∏		245	F5	⎦
150	96	■		182	B6	∂		214	D6	√		246	F6	⎞
151	97	■		183	B7	•		215	D7	·		247	F7	⎟
152	98	■		184	B8	+		216	D8	¬		248	F8	⎭
153	99	■		185	B9	≠		217	D9	∧		249	F9	⎟
154	9A	■		186	BA	≡		218	DA	∨		250	FA	⎟
155	9B	■		187	BB	≈		219	DB	⇔		251	FB	⎦
156	9C	■		188	BC	…		220	DC	⇐		252	FC	⎫
157	9D	■		189	BD	⏐		221	DD	⇑		253	FD	⎬
158	9E	■		190	BE	—		222	DE	⇒		254	FE	⎭
159	9F	■		191	BF	⏌		223	DF	⇓		255	FF	

17.5. Police Zapfdingbat

Dec	Hex	Car	Dec	Hex	Car	Dec	Hex	Car	Dec	Hex	Car
0	00	■	32	20		64	40	✢	96	60	❀
1	01	■	33	21	✁	65	41	✿	97	61	❍
2	02	■	34	22	✂	66	42	✚	98	62	❍
3	03	■	35	23	✃	67	43	✛	99	63	❃
4	04	■	36	24	✄	68	44	✜	100	64	✳
5	05	■	37	25	☎	69	45	✝	101	65	✺
6	06	■	38	26	✆	70	46	✦	102	66	✱
7	07	■	39	27	✇	71	47	✧	103	67	✲
8	08	■	40	28	✈	72	48	★	104	68	✴
9	09	■	41	29	✉	73	49	☆	105	69	✴
10	0A	■	42	2A	☛	74	4A	◯	106	6A	✳
11	0B	■	43	2B	☞	75	4B	✩	107	6B	✹
12	0C	■	44	2C	✌	76	4C	✪	108	6C	●
13	0D	■	45	2D	✍	77	4D	✫	109	6D	○
14	0E	■	46	2E	✎	78	4E	✬	110	6E	■
15	0F	■	47	2F	✏	79	4F	✭	111	6F	❑
16	10	■	48	30	✐	80	50	✮	112	70	❒
17	11	■	49	31	✑	81	51	✯	113	71	❑
18	12	■	50	32	✒	82	52	✰	114	72	❒
19	13	■	51	33	✓	83	53	✱	115	73	▲
20	14	■	52	34	✔	84	54	✲	116	74	▼
21	15	■	53	35	✕	85	55	✳	117	75	◆
22	16	■	54	36	✖	86	56	✴	118	76	❖
23	17	■	55	37	✗	87	57	✵	119	77	❘
24	18	■	56	38	✘	88	58	✶	120	78	❘
25	19	■	57	39	✙	89	59	✷	121	79	❙
26	1A	■	58	3A	✚	90	5A	✸	122	7A	❚
27	1B	■	59	3B	✛	91	5B	✹	123	7B	❛
28	1C	■	60	3C	✜	92	5C	✺	124	7C	❜
29	1D	■	61	3D	✝	93	5D	✻	125	7D	❝
30	1E	■	62	3E	✞	94	5E	✽	126	7E	❞
31	1F	■	63	3F	✟	95	5F	✿	127	7F	■

Dec	Hex	Car		Dec	Hex	Car		Dec	Hex	Car		Dec	Hex	Car
128	80	■		160	A0			192	C0	①		224	E0	→
129	81	■		161	A1	♪		193	C1	②		225	E1	→
130	82	■		162	A2	⚲		194	C2	③		226	E2	➤
131	83	■		163	A3	⚲		195	C3	④		227	E3	➤
132	84	■		164	A4	♥		196	C4	⑤		228	E4	➤
133	85	■		165	A5	♦		197	C5	⑥		229	E5	➥
134	86	■		166	A6	✿		198	C6	⑦		230	E6	➥
135	87	■		167	A7	↜		199	C7	⑧		231	E7	↑
136	88	■		168	A8	♣		200	C8	⑨		232	E8	➡
137	89	■		169	A9	♦		201	C9	⑩		233	E9	↺
138	8A	■		170	AA	♥		202	CA	❶		234	EA	↺
139	8B	■		171	AB	♠		203	CB	❷		235	EB	⟲
140	8C	■		172	AC	①		204	CC	❸		236	EC	⟳
141	8D	■		173	AD	②		205	CD	❹		237	ED	○
142	8E	■		174	AE	③		206	CE	❺		238	EE	○
143	8F	■		175	AF	④		207	CF	❻		239	EF	⟲
144	90	■		176	B0	⑤		208	D0	❼		240	F0	■
145	91	■		177	B1	⑥		209	D1	❽		241	F1	⟲
146	92	■		178	B2	⑦		210	D2	❾		242	F2	⊃
147	93	■		179	B3	⑧		211	D3	❿		243	F3	➝
148	94	■		180	B4	⑨		212	D4	→		244	F4	↘
149	95	■		181	B5	⑩		213	D5	→		245	F5	➝
150	96	■		182	B6	❶		214	D6	↔		246	F6	↙
151	97	■		183	B7	❷		215	D7	↕		247	F7	↘
152	98	■		184	B8	❸		216	D8	↘		248	F8	➝
153	99	■		185	B9	❹		217	D9	→		249	F9	↗
154	9A	■		186	BA	❺		218	DA	↗		250	FA	→
155	9B	■		187	BB	❻		219	DB	←		251	FB	↔
156	9C	■		188	BC	❼		220	DC	➡		252	FC	➝
157	9D	■		189	BD	❽		221	DD	→		253	FD	➡
158	9E	■		190	BE	❾		222	DE	→		254	FE	➡
159	9F	■		191	BF	❿		223	DF	→		255	FF	■

Chapitre

18

Index

Index

!

A

B

C

D

E

F

G

H

I

J

K

L

M

N

O

S

T

U

V

W

Z

Achevé d'imprimer
sur les presses de l'imprimerie SAGER
28240 La Loupe
Dépôt légal - Juin 1994